CW00661359

A POINT NOMMÉ

DU MÊME AUTEUR

CE QUE JE CROIS, Grasset, 1984.

PAR BONHEUR, Grasset, 1994.

En collaboration avec Jacques Julliard : LA DROITE ET LA GAUCHE, QU'EST-CE QUI LES DISTINGUE ENCORE ?, Robert Laffont/Grasset, 1995.

CLAUDE IMBERT

A POINT NOMMÉ

BERNARD GRASSET
PARIS

Préface

Risible : j'aurai, trente années durant, défendu une conception du magazine d'informations d'où l'éditorial est banni. Ressassé que l'éditorial y est superflu, voire incongru. Et me voici triturant les liasses de mes éditoriaux du *Point*... En vérité, si j'en suis venu à avaler mon chapeau, ce n'est point par vocation tardive. C'est parce que d'autres que moi l'ont décidé ainsi. Sondés chaque année, les lecteurs du *Point* nous apprirent, dans la fin des années 80, que leur demande changeait plus que notre offre : à notre sélection hebdomadaire d'informations, ils voulaient que l'on adjoignît du commentaire, de l'éditorial.

Leurs raisons ? Tandis que l'explosion de l'image et du son dévastait la presse imprimée, ce qui restait de lecteurs impavides disait attendre d'un magazine comme le nôtre qu'il livrât des services plus « écrits » : celui de l'analyse, du commentaire, de l'éditorial. Ajoutez que dans une époque en perte de boussoles s'ouvrait un appétit nouveau d'idées et repères en tous genres. Enfin, dans le marché encombré des hebdomadaires d'informations la nécessité s'imposait de mieux faire entendre, face à ses concurrents, la sonorité propre du *Point*. Tout ce remue-ménage jetait à bas mes théories. Va donc pour le commentaire, va pour l'éditorial ! J'en devins le préposé. Voici pourquoi j'exerce chaque semaine, et depuis des années, une sorte de journalisme qui n'était pas mon genre.

*

Mon « genre » c'était le service du fait. J'avais été confit dans son culte, et la méfiance des gloses par le journalisme d'agence. En France et hors de France j'avais appris à révérer la distinction puritaine de la presse anglo-saxonne entre le fait et le commentaire : je servirai, pensais-je, le premier et non le second. Il est vrai que ma nature et de lointaines études m'inclinaient au scepticisme historique plutôt qu'à l'engagement visionnaire. Quant à ma jeunesse journaliste et citoyenne, je l'avais vécue en marginal incrédule sous le prodigieux empire intellectuel de l'utopie marxiste dont l'espérance et l'échec auront labouré le siècle. La fascination, à mes yeux toujours énigmatique, que cette utopie exerça sur tant de clercs me renforça dans le sentiment qu'il existe, à toutes époques, et pour la politique, des drogues de l'esprit que ni l'intelligence ni la culture ne peuvent prévenir. Si bien que la diététique du fait doublée de ma répulsion native pour l'illusion lyrique me firent tenir la politique au bout d'une longue cuiller. L'éditorial, pensais-je, ne la raccourcirait que trop.

Dans mon petit monde professionnel qui fluctua longtemps plus à gauche qu'à droite, je figurais en mal pensant protégé par l'obscurité de mon rôle. Je fus pourtant collé à la vie publique pendant trente ans à la rédaction en chef de l'AFP, de *L'Express*, du *Point*. Mais la politique, ses péripéties, son théâtre, sa comédie humaine excitaient chez moi une curiosité d'abord journalistique de l'actualité, qui, pour le reste, empruntait plus à la connaissance universitaire qu'au moindre militantisme. Je ne cache pas non plus qu'agir en aiguilleur, derrière le paravent, servait, pour la direction de rédactions fébriles, mon souci d'éviter maints conflits inutiles.

De plus ardents que moi verront dans cet effacement zélé je ne sais quelle tartuferie. Je les comprends s'ils veulent dire que, sans l'ostentation de mon grain de sel, *L'Express* ou *Le Point* se déployaient fort bien dans une aire idéologique qui excluait, entre autres, un socialisme étatique encore imposant. Qu'ils militaient donc pour une société libérale et marchande laquelle avait gagné toute l'Europe de l'Ouest hors, bien sûr, l'exception française. Jean-Jacques Servan-Schreiber, à *L'Express*, Olivier Chevrillon pour un temps au *Point* ne laissaient guère ignorer ces choix. Mais je me croyais, quant à moi, plus à ma place en dirigeant notre petit orchestre. Il en disait autant et mieux qu'un quelconque soliste par la seule publication de faits avérés et qui parlaient d'eux-mêmes. Ainsi, et même au *Point* qui fut longtemps sans éditorialiste, je trouvais toujours superflu, sinon présomptueux de vocaliser à l'avant-scène.

Mon énergie, croyais-je, se trouvait mieux employée à définir un ton, des règles, un style pour l'ensemble de nos pages. A veiller sur l'indépendance qui est l'oxygène du magazine d'informations. Jamais, de fait, je n'eus d'autre fil à la patte que celui de nos convictions. Lorsque Jean-Jacques Servan-Schreiber prétendit asservir *L'Express*, son journal, à sa propre aventure politique, je mis sac à terre et je ne fus pas le seul. Hors cet incident, aucun des actionnaires divers qui s'associèrent à nos entreprises ne me causa jamais le moindre souci. J'aurai connu la grâce, depuis bientôt trente ans, de publier tout ce qui semblait digne de l'être à notre compagnie de journalistes. Nous fîmes des erreurs, mais elles étaient nôtres. Nous eûmes des mollesses, mais nous seuls les assumions. Notre liberté fut totale. Ce ne fut pas sans quelques fâcheries. Mais, pourvu que notre gestion évitât les déficits, il suffisait pour les tenir en lisière d'un peu de fermeté et de beaucoup d'indifférence. Pendant tout ce temps, je continuais de voir dans l'éditorial le carré doctrinaire qui convenait à des plumes inspirées, à des certitudes brûlantes dont je suis dépourvu.

C'est, je l'admets aujourd'hui, une vision de l'éditorial bien vieillotte que j'entretenais, peut-être par routine, sans doute aussi parce qu'elle m'arrangeait. Car l'éditorial de prêche et de sentences, de flammes et d'anathèmes s'était, en France, doucement éteint. L'époque, d'abord, se désabusait des grandes utopies. La plus gonflée d'illusions, celle des lendemains qui chantent, ne faisait plus entendre à l'Est que « le chant des bagnards ». Le ton et le style avaient, chez nous, déserté les nuées. Quelques Savonarole tonitruaient encore contre des portes ouvertes. Mais l'on en venait un peu partout à l'éditorial d'analyse plutôt dépassionnée. Une manière moins écrasante et qui désarmerait mieux mes réticences.

*

Lorsque nos lecteurs et les circonstances que j'ai dites me mirent donc l'éditorial en main, j'avais pour seul bagage d'avoir vécu de près et de loin trente années de passions françaises. J'y trouvais, formés à leur résister, les principes simples dont j'usais et use encore pour animer la rédaction. Le premier est que le respect des faits, le souci de vérité priment toutes opinions préétablies. Un principe, il est vrai, moins aisé à servir dans l'éditorial lorsque, faute de pouvoir démontrer, il se trouve contraint à l'intuition. Comment prendre la mesure d'un événement, comment deviner ses effets attendus, et s'aventurer ainsi dans le pronostic ? Ma foi, s'impose alors le recours à ce qu'on appelle le jugement et que l'on servira plus ou moins droit. On a beau le fortifier de lectures diverses, de consultations d'esprits exercés et d'une expérience venue de l'âge il est vain d'en espérer une constante réussite. Du moins peut-on tenter de ne pas déraisonner sur l'essentiel.

Le décourageant, c'est qu'en France du moins, l'effort de discernement n'est plus guère prisé. Combien de clercs qui firent les yeux doux avant guerre au fascisme, après guerre au communisme – les deux fléaux du siècle – continuent de sermonner et pontifier ! Pourquoi ? Parce que l'emportement, l'émotion, le pathos soutenu par un éventuel talent suffisent à donner du crédit. C'est un trait de basses époques que la forme l'emporte sur le fond, la séduction sur la vérité, l'expression sur le jugement. Si l'on songe que pendant trente années une grande partie du pouvoir intellectuel de l'université et de la presse françaises cherchèrent à Moscou, Pékin ou La Havane leur nouvelle Rome, qu'Aron et Revel – mon maître et ami – furent pendant près de trente ans ostracisés, on me pardonnera (Montaigne l'autorise) le « léger plaisir de m'être senti préservé de la contamination d'un siècle si gâté ». Je tiens en effet pour une chance d'avoir évité l'aberration magistrale des religions totalitaires. Cette chance m'a gardé les coudées franches pour vagabonder et me « mondialiser l'esprit ». J'ai pu aborder, sans œillères idéologiques, diverses expériences étrangères dans un temps où justement s'effondraient plusieurs murailles nationales. Hélas, cette heureuse immunité n'a qu'un temps. Elle ne protège pas contre les sottises nouvelles. Elle nous laisse interdits devant la précipitation énigmatique de l'univers contemporain. Nos clefs sont sans cesse à jeter.

Dans un monde si rapide, le souci de discernement devient une discipline astreignante, puis une obsession. Le public d'aujourd'hui oublie vite vos pertinences ou vos erreurs, mais pas vous ! Si votre ambition n'est pas de prêcher ou d'enrôler mais de traduire une honnête perception du temps présent, vous ne cessez de pester contre votre sismographe. Vous voudriez l'affiner, le réparer, et, certains jours, le jeter aux orties. Chez vos pairs, vous ne considérez plus que la perspicacité, le « nez » à pressentir, dans la masse confuse de l'actualité, la ligne dominante. A ce jeu-là, on se convainc vite que pour comprendre, il ne faut pas s'éprendre. Qu'il faut effacer la distance pour apprendre mais rétablir la distance pour écrire. Ce qui conduit, pour finir, à rechercher la volupté de *l'écart* à conserver. Je l'éprouvai, pour la première fois, en Afrique où je fis, en blanc-bec, mes premières armes dans le crépuscule des empires coloniaux. Je me persuadais alors que toute l'Afrique – Algérie comprise – serait indépendante, mais que l'indépendance une fois conquise, l'épreuve serait longue et cruelle pour les nouvelles nations. Résultat : j'insupportais d'un côté ceux qui se croyaient, en Algérie du moins, établis à jamais. Et de l'autre, les croisés de l'indépendance qui peignaient leur avenir en rose.

Par bonheur, depuis que l'image et le son ont investi l'information, depuis qu'ils font éclore, sous le tribunal de l'Audimat – par leur hâte nécessaire, leur soif d'émotions, leur panurgisme –, des consensus mous qui tournent souvent à l'hystérie conformiste, l'éditorial écrit trouve ample matière à refroidir, pour son public limité, les emballements de l'opinion. C'est un devoir aisé, et souvent un plaisir de leur résister. Mais plus on s'y emploie, plus l'entreprise excite, inquiète et isole. On envie l'historien qui bénéficie du recul optique et opère sur des événements lyophilisés, alors que nous cheminons, nous, dans les chaleurs confuses et les palpitations de la vie. Et, bien que proches des politiques, nous mesurons sans cesse tout ce qui nous en sépare. Chez le politique, le savoir-faire (et aujourd'hui le faire savoir) tendus au service de l'action développent des ressorts tout autres que ceux requis pour l'observation. Mendès, par exemple, dont j'admirais l'art de régler des affaires explosives (la question sarroise, la fin de la guerre d'Indochine, l'indépendance tunisienne) se révéla, hors du pouvoir, un très piètre observateur. Son pronostic était presque toujours défaillant. C'est qu'il faut, je crois, une défiance permanente de soi interdite à l'homme d'action, pour l'exploration hasardeuse du temps présent. Car quelque soin que l'on mette à suivre le cours rapide de l'époque, nos jugements passés s'enkystent en nous et gâtent la fraîcheur renouvelée du regard. Notre viatique c'est de douter. Et d'abord de ce que nous avons cru vrai et qui l'était, mais qui ne l'est plus.

*

Cet effort de discernement, chacun de nous l'exerce sous le prisme de quelques convictions élémentaires. Celle qui me gouverne depuis plus de trente ans, c'est qu'en nos contrées, nous ne vivons pas une mutation ordinaire mais une rupture de civilisation. C'est, à mes yeux, le « logiciel » de nos sociétés – ses croyances, ses représentations, ses règles – qui se trouve ébranlé par plusieurs lames de fond : la démographie qui exhausse l'Asie, l'explosion fabuleuse des sciences et techniques. Les techniques ont bouleversé l'énergie et la stratégie avec le nucléaire, la médecine et la durée de vie avec la biologie et la chirurgie, l'agriculture avec la chimie et la génétique, l'industrie avec la robotique, la communication avec l'informatique, et la « dimension » même de la planète avec le rétrécissement des distances et la mondialisation des échanges commerciaux ou médiatiques. Chez nous, l'affaissement du système chrétien puis l'effondrement des utopies de substitution et autres religions horizontales – fascisme, communisme – nous ont placés sous un séisme inconnu depuis des siècles. On ne trouverait même ampleur, même intensité qu'avec l'effacement en Europe, et en quelques siècles, de l'univers antique.

Devant ces grands renversements, je me suis confirmé dans l'idée chère à tant de phares occidentaux, de saint Thomas d'Aquin à Montaigne, ou Tocqueville, qu'il n'est pas, pour la condition humaine, de système collectif idéal : on ne peut servir, au gré des époques qui passent et des civilisations qui meurent, que le *préfé-*

rable ou le moindre mal. Entendez par là que le Mal est, à toutes époques, plus identifiable que le Bien. Contre le mal – servitudes et massacres – nous savons quoi dire et que nous aurons sans cesse à le combattre. Nous aurons vu, dans l'abomination nazie, dans la frénésie communiste, la barbarie reprendre pied au cœur d'un vieux continent qui croyait, en début de siècle, aborder aux rives aimables du progrès et de l'harmonie. Cette éternelle sauvagerie de l'homme ne peut quitter nos yeux. Mais le « Bien » ne se présente pas pour autant contre le Mal en champion alternatif, tout armé et constitué. Ainsi de notre chère et précieuse démocratie qui subit de nouvelles gangrènes : la tyrannie nouvelle du quantitatif sur le qualitatif et l'irresponsabilité croissante de masses infantilisées. Ainsi de l'économie de marché : parce qu'elle favorise l'essor économique, le pluralisme politique, et pour finir la liberté, parce qu'elle a vaincu l'hydre communiste et ses goulags, elle nous est présentée comme un système idéal. Elle n'est en fait que préférable : elle génère ses propres misères, elle accuse les inégalités humaines et installe autour de la consommation et des biens matériels des tensions néfastes à la sérénité des bonheurs. En revanche, sa vertu est d'être adaptable, correctible, malléable, et c'est pourquoi nous la préférons sans l'idolâtrer.

De même sommes-nous invités, sans nulle cesse, à combattre les marchands d'absolu et leur camelote manichéenne. Le savoir-faire politique réside moins, de nos jours, dans la définition d'objectifs sur lesquels on feint de disputer, que dans l'art d'éviter l'effet pervers qui produit l'inverse du but recherché. Des exemples ? Prenez l'immigration en France. Je la crois bénéfique pour la vitalité française mais désastreuse dès lors qu'un flux incontrôlé constitue des ghettos rétifs à toute intégration. Désastreuse dès lors qu'une idéologie islamiste – qui charrie comme le nazisme le mal absolu – y trouve un terrain fertile. Autre exemple encore : il n'est pas, à mes yeux, d'autre voie que celle de la Communauté pour maintenir en Europe la paix et le bien-être relatif de ses peuples. Mais pour franchir le Rubicon qui sépare l'Etat-nation de l'embryon communautaire, toute maladresse peut précipiter le naufrage. Un accès de bravade nationaliste peut trompetter, dans l'exaltation, l'entrée majestueuse du déclin. Dans nos sociétés, il arrive que le Mal s'affiche si clairement qu'il demande d'emblée à être combattu de front. Mais le plus souvent, nous naviguons, pour la recherche du « préférable », dans l'appréciation des rythmes et méthodes. Avant de prendre son cap, on ne peut alors qu'user de prudence et modestie. Dans l'aire du collectif, dans l'ambition démocratique, la modération n'est pas, à mes yeux, une vertu molle. Mais une ascèse où le caractère se trempe contre les passions. Car la modération, qu'Aristote érigeait, il y a 24 siècles, en principe majeur de l'art politique, « protège contre le double danger des espérances visionnaires en politique, et d'un mépris de la politique indigne d'un citoyen de pays libre ».

*

Peut-être me direz-vous enfin qu'il faut un peu d'outrecuidance pour oser s'adresser chaque semaine à autrui. C'est vrai. Ce qui me rassure, c'est que les lecteurs du *Point* par leur éducation et leur tolérance ont un naturel bienveillant qui m'évite les plus rudes avanies. C'est ensuite que j'avance sous la protection d'une rédaction convenablement informée, de ses documentalistes et de ses correcteurs. Je ne songe pas, dans l'éditorial, à enseigner et encore moins à prescrire. Disposant, par métier, de temps pour peser l'événement à diverses balances, et de moyens pour l'explorer sous diverses faces, je ne vise qu'à faire partager mes impressions et mes hypothèses, parfois mes convictions, plus rarement mes indignations. Quel service le lecteur peut-il attendre de cet artisanat ? Je ne m'illusionne pas sur son importance. Il ne s'agit que de discuter les vues que je propose. Et je m'estime, pour ma part, comblé si, de-ci de-là, un éditorial qu'ils vont approuver ou désapprouver invite mes lecteurs à respirer dans un court moment de curiosité civique.

*

Tous les éditoriaux réunis dans ce livre ont été écrits sous l'inspiration d'une actualité plus ou moins éclatante. Autant dire que manque ici cette rumeur hebdomadaire qu'ils prétendaient accompagner ou combattre. Faute de pouvoir la remplacer, j'ai rassemblé un certain nombre de textes en quelques thèmes directeurs afin de leur donner une cohérence minimale. Cet arrangement n'est, en rien, celui d'une démonstration méditée. Il réunit plutôt quelques vues récurrentes, pentes ou obsessions. L'ensemble ne fait pas une peinture d'époque mais un crayonné pour lecteurs bienveillants.

1. LES CAPRICES DE MARIANNE

——— Charles de Montesquieu [1] : *Lettre ottomane*

D'Ali pour Mustapha, à Constantinople

Me voici donc, depuis près d'un mois, dans le pays de France. Il est, comme tu le sais, grand prêcheur de démocratie, mais je le vois fort relâché quant à sa pratique. Ainsi, au Palais-Bourbon, Temple de la démocratie, je ne trouvai, l'autre jour, qu'une salle de séances dépeuplée, tandis qu'au-dehors des foules menaient grand tapage pour refuser les firmans votés au-dedans.

Apprends que le Sultan de l'Elysée ne peut rien imposer à quoi la rue s'oppose. Ceux qui tempêtent le plus ne sont point les misérables privés d'emploi. Non, ce sont des employés bien assurés de l'Etat, et qui veulent lui arracher plus d'argent, de pensions et d'hospices. Ils défilent avec tambourins, dans la fumée de nos merguez, certains le visage peint comme on voit au Congo.

Sous cet air de carnaval, ces frondeurs sont en vérité redoutables, car ils peuvent trancher tous les relais de poste, voire l'électricité qui gouverne ici les machines. Le bachaga Blondel, chef d'une des factions, put ainsi tyranniser des millions de citoyens et tient cet exploit pour le comble de l'art démocratique. Plus surprenant encore, les citoyens qui subissent ces avanies n'y trouvent point à redire. Car une autorité languissante a si bien réduit les devoirs civiques que, contre clans et coteries, le peuple a perdu tout ressort à défendre l'intérêt général.

Qu'il est donc difficile de débrouiller les mystères de cette société ! Pour l'heure, je m'y crois à l'ancienne Byzance avant que notre chère dynastie n'ait rameuté ses sujets égarés sous la Sublime Porte.

---

1. PCC : Claude Imbert.

*

Ce qui me choque le plus des beaux esprits que l'on rencontre ici, c'est qu'ils ne tiennent plus rien pour sacré. Ni la Religion, ni la Patrie, ni l'Ecole, ni même le mariage. De mariage on parlait bien ces jours-ci à la Ville, mais c'était celui des sodomites, seuls, dirait-on, à désirer son sacrement.

Une fatigue, une indolence résignée ont éteint dans les têtes et les cœurs, ce je-ne-sais-quoi qui les porte au-dessus d'eux-mêmes, et nourrit le respect. Les feux de la dérision ont produit cette aridité des esprits où se dessèche le sentiment de l'honneur et de l'infamie. Figure-toi que l'épouvantable massacre des Juifs dans les camps teutoniques aura ici inspiré à une maîtresse d'école un répugnant exercice de calcul sur les quantités de substance nécessaires à l'extermination. De même, des concurrents aux Jeux d'Olympie ont imaginé de faire jouer l'Holocauste par des ondines dans un ballet nautique dont nul ne soupçonnait l'incongruité.

Plus rien, de fait, n'est incongru, tout peut être profané lorsque la barbarie étouffe le sublime et la vénération, que l'idolâtrie engraisse sectes et nécromants, que des satanistes saccagent des sépultures et que toute dignité se trouve rabaissée par des amuseurs que la populace encense ? Nul – et pas même les pontifes chrétiens – n'échappe à leur jeu de massacre. Un seul pourtant : notre prophète Mahomet ! Mais c'est que nos imams émigrés en ces terres infidèles savent faire respecter son saint nom. *Inch'Allah* !

*

Tu n'imagines pas quel empire ont pris sur l'opinion d'un pays jadis si lettré, ces images que colportent, en tous foyers, de petits écrans domestiques. Les modestes, les savants, les sages n'y paraissent point, sinon, à la nuit bien tombée. Le reste du temps, ce ne sont que romans de crimes et d'ardeurs amoureuses, gloires de joueurs de ballon ou de paume, jeux de loterie ou de chevaux, et plaisanteries dont rougiraient nos portefaix.

Dans le triomphe du paraître, l'esbroufe porte au pinacle une race nouvelle de mirifiques. L'un d'eux, dit Nanard, fameux pour ses tromperies dans les stades et le sérail du Prince, parvint, – le croiras-tu ? – à se guinder, sous le dernier souverain, jusqu'au ministère du Grand Vizir. Son principal prêteur, le Crédit Lyonnais, banquier du Roi, perdit à le suivre une fortune que les citoyens rembourseront par des impôts accablants. Les vrais pauvres n'en paient point, les vrais riches y échappent. Mais le gros des citoyens gémit sous leur grêle.

Les bons talents eux-mêmes s'épuisent dans une frénésie de vitesse où rien ne mûrit dans les sages lenteurs de la nature. Le mouvement perpétuel devient la drogue de derviches effrénés qui changent d'idées, de passions, de femmes et de carrières en un tournemain. Emporté par la rage de tout embrasser, un certain Elkabbach, comblé de dons, y perdit sa prudence et sa charge. Il s'en relèvera. Mais tous ceux que la renommée distingue sont atteints de cette démangeaison. Jusqu'à ce Ducasse, cuisinier prestigieux – ils sont ici plus adulés que les poètes – qui prétend gouverner en même temps ses casseroles étoilées, une main à Monaco l'autre à Paris.

Ah, mon cher Mustapha, que de vent, que de presse ! Chacun, ici, court et vole il ne sait où. Nos nonchalances d'Orient leur donneraient la syncope...

Par bonheur, les femmes sont hardiment dévoilées, les vins exquis, l'opéra resplendissant, les bâtiments nobles ou gracieux, et la campagne encore aimable. Il ne manque à la France que l'harmonie des jardins d'Allah.

(15 juin 1996)

La mélancolie française

Le questionnement lancinant des politiques sur la mélancolie française montre surtout que ce mal de fin de siècle les dépasse. Ils ne savent pas qu'un bloc d'Histoire leur est tombé sur la tête. Ils ont beau manipuler en tous sens leurs manettes pour exciter l'offre ou la demande, ils ont beau multiplier les cautères sur la jambe de bois du chômage, la mélancolie nationale perdure. Car elle vient d'ailleurs, de haut et de loin. Elle traduit dans une nation « gâtée par l'Histoire et impropre à la modestie » l'angoisse diffuse d'un déclassement, ou, au mieux, le désarroi d'un reclassement douloureux et encore énigmatique. Elle exprime, chez un peuple épris de clarté, l'impatience et le découragement de se voir soumis à de nouvelles et obscures fatalités.

Sans doute la France n'est-elle pas seule en Europe à connaître le chambardement. Mais l'alliage singulier de la nation française, son ciment idéologique – celui de la République – la rendent plus vulnérable que ses grands voisins à la Révolution des idées et des mœurs d'Occident. Plus désemparée que les autres par la perte des repères idéaux qui lui donnaient son cap. Les nations anglaise ou allemande ont, dans leur principe fondateur, un je-ne-sais-quoi de sanguin, de biologique, de naturel. La nation française est, quant à elle, plus cérébrale. Elle exige de son peuple un assentiment, un plébiscite renouvelés. Mais, de nos jours – et c'est tout le drame –, assentiment à quoi ? Plébiscite pour quoi ? La nation est introuvable.

Il n'y a guère à s'en étonner. Chacun, aussi myope soit-il, s'ahurit de la dissolution, partout, des liens sociaux. Chacun constate l'effondrement de ces croyances ou préjugés qui cimentent les collectivités. Chacun mesure le déclin des Religions (dont l'étymologie retient d'abord la vertu de *relier* les fidèles entre eux), et l'anéantissement des grandes idéologies qui ne furent, à leur manière, que des religions de substitution. Pourquoi voudriez-vous que la nation échappe à cette tempête ? Il est évident que le principe républicain exige une adhésion de sentiments et d'idées de nos jours évanouis, qu'il s'évapore lorsque de l'école jusqu'aux médias, de la commune jusqu'au pouvoir central, nul ne paraît en mesure d'entretenir son foyer. Et qu'il dépérit par la même extinction des valeurs collectives. Où trouverait-on la « visibilité » de la nation lorsque ses centres de décision se dispersent en désordre entre les règlements de Bruxelles et ceux des pouvoirs régionaux ? Où découvrir le lien civique lorsque les citoyens désemparés se trouvent abandonnés à cette misère de l'époque qui est de n'être attachés à rien, lorsque le détachement de tout désunit les familles et les générations, ronge les solidarités élémentaires, les contrats non écrits de la confiance mutuelle, le respect de la loi et, par voie de conséquence, l'essence même de la politique comme gestion de la communauté citoyenne ? Comment voudrait-on que s'épanouisse le bonheur collectif dans l'anarchie des bonheurs individuels, chez un peuple émietté par tant de dissolutions diverses et qui ne trouve à rire (jaune) que dans les nuées acides de la dérision ? Jusqu'à présent, la Société a progressé par agrégations, par familles, par classes sociales. « Quel aspect offrira-t-elle, demandait un visionnaire [1], lorsqu'elle ne sera plus qu'individuelle ? »

*

Cette ère du vide, cette crise de mutants cessera lorsque sur ses ruines naîtront de nouveaux sentiments d'appartenance collective. Pour l'heure, les Français subissent encore comme une insupportable fatalité la règle d'airain de sa Majesté, le Marché, et de sa Religion économiste face à quoi la politique paraît infirme. Et vous voyez que devant la révolution des techniques et la mondialisation inéluctable des échanges, la nostalgie resurgit d'une maîtrise retrouvée de la nation. Comme si la France éprouvait à la fois son incapacité actuelle au sentiment national et la douleur de ne pouvoir s'en passer. Cette aspiration au volontarisme national, celle,

1. Flaubert.

par exemple, d'un Séguin – et qui assura en partie l'élection de Chirac –, il faut, je crois, en saisir à la fois la nécessité et les limites.

La nécessité d'abord parce que sans ressort national nous n'aborderons pas paisiblement le monde nouveau. Seule une nation retrouvée nous permettra d'entrer sans faillir dans l'Europe à construire. Mais voyons aussi les limites de cette aspiration qui charrie encore le vice d'un retour illusoire au cocon protecteur d'un système révolu. Nous nous perdrons à perpétuer une politique de panier percé et un régime d'assistance qui a infantilisé, déresponsabilisé une masse de citoyens. L'Etat volontaire ne peut plus être l'Etat-providence et la République réinventée ne peut plus être celle d'un clanisme vieillot et tutélaire.

Sur les Français, disait Chamfort, pèsent deux périls : l'humeur mélancolique et la fièvre patriotique. Pour quitter la première sans tomber dans la seconde, il suffit, contre vents et marées, de réapprendre et de réenseigner le civisme. La vraie démocratie redevient une idée neuve en France.

(14 septembre 1996)

——— Démagogies

Nous voici à la veille d'une élection présidentielle dans une de ces périodes énervées où les démocraties voient s'aggraver leur mal consubstantiel : la démagogie. Un mal avec lequel elles doivent composer. Ainsi tient-on pour acquis, dans presque toutes les grandes démocraties, que seuls les débuts et milieux de mandat permettent aux pouvoirs élus de servir le bien public. Les fins de mandat, on les concède peu ou prou à la démagogie électorale. Rien de nouveau sous le soleil : depuis les sophistes de l'Athènes antique jusqu'à nos bateleurs de télévision, le démagogue se fait élire en offrant au peuple le blé en herbe, et « après nous, le déluge ! ». Ses recettes sont éprouvées. Enflammer les passions élémentaires, telle la xénophobie. Ou promettre le beurre et l'argent du beurre. Exemple : laisser trop de citoyens rêver qu'une production stagnante et des recettes égales n'empêcheront pas que croissent dépenses de santé et retraites. Vous connaissez la chanson !

*

Le talent des hommes d'Etat est donc de négocier au plus près entre la nécessité d'être élus et l'art d'« extraire le diamant des foules impures [1] ». Ils se voient rejetés s'ils imaginent le peuple plus vertueux qu'il n'est. Mais ils déchoient s'ils exagèrent, à l'inverse, l'« impureté des foules ».

Un exemple de cette déchéance par mépris des foules, c'est le comportement du pouvoir socialiste lorsqu'il dut, en 1983, abandonner, le dos au mur, le calamiteux Programme commun de la gauche qui l'avait fait élire en 1981. Après que sa fidélité européenne et atlantique eut brisé son utopie collectiviste, Mitterrand eût pu, sans démagogie, admettre qu'une page était tournée, que le constat d'échec constituait pour tout « le peuple de gauche » une leçon utile et peut-être inévitable, et qu'il était temps de définir une nouvelle plate-forme. Or, ce n'est pas du tout, vous le savez, le parti que prit le Président. Il ne cessa d'affirmer qu'il suivait, vers l'horizon socialiste, la même route droite, alors qu'il avait pris un virage en épingle à cheveux. C'était tenir les citoyens pour des dindons, et les militants socialistes pour de commodes renégats. En fait, je suis convaincu que les malheurs du Parti socialiste datent de cette auto-amnistie intellectuelle. Beaucoup d'électeurs se sont, alors, convaincus que le Parti socialiste n'était plus qu'une mécanique de pouvoir sans but, sans programme, sans conviction. Une coquille vide, pour des places et prébendes.

Et cela quand la société moderne est habituée au constat d'erreur, dans les techniques comme dans les affaires ! Pourquoi la politique seule s'en tiendrait-elle au rituel primitif de l'infaillibilité du chef ?

*

A côté de cette perversion démagogique – celle qui tient l'électeur pour bon à berner, mais inutile à convaincre – nous voyons, sous nos yeux, se développer un autre trait du démagogue, qui est la peur de la réalité. J'entendais, l'autre jour, Lionel Jospin – angoissé de voir les étudiants mis en branle si près des élections – se défendre mordicus d'avoir introduit le moindre soupçon de sélection dans le cycle scolaire et universitaire. Il n'est ni le premier ni le seul à caresser ainsi la jeunesse pour lui complaire. Mais ce discours est indigne, parce qu'il institutionnalise le mensonge. Car, dans la vraie vie, la sélection est partout : elle fleurit dans le sport, les arts, le commerce et l'industrie. Il n'est pas de semaine où l'on ne distribue des médailles à quelque « sélectionné », tandis que la presse s'emplit de classements de toutes natures où les premiers ne sont pas les derniers. Pourquoi donc endormir la masse scolaire et universitaire dans un cocon irréel ? Pourquoi substituer à la sélection du mérite celles de la chance et de la naissance ?

1. Renan.

Le drame de notre système éducatif n'est pas d'avoir mal maîtrisé la démocratisation de l'enseignement : aucune nation moderne n'y a bien réussi. Non. Le drame c'est d'avoir *théorisé* la démagogie éducative : celle qui ôte aux enfants l'enseignement des vertus d'effort et de compétition. Celle d'avoir voulu le bac pour tous, et bientôt l'université pour tous, alors qu'une sélection avouée et bien conduite eût ouvert à ceux qui, ici, échouent d'autres filières mieux assurées, là, d'échapper au chômage terminal. Il n'est pas de domaine où le dévoiement du principe égalitaire n'ait suscité tant d'insupportables inégalités.

Mais voyez : en investissant la morale éducative, la démagogie ne fait qu'alimenter son propre vivier. Car la démagogie n'est combattue que par la valeur du peuple. Et le peuple ne vaut que ce que l'éducation en a fait.

(7 mars 1992)

——— L'inégalité

Sur la route de l'Elysée, il n'est pas un candidat qui ne croisera le regard d'un chômeur. Pas un qui ne verra bouger, derrière le chômage, ces silhouettes, couleur de misère, qui emplissent nos gares, nos rues, nos bouches du métro et serrent le cœur. Leur sort constitue le stigmate insupportable d'une nation développée. Voici le temps des squatters, de l'Abbé Pierre, des restaurants du cœur : la vieille charité dégringole des siècles passés vers de nouveaux *Misérables*. Mgr Gaillot, destitué par la hiérarchie vaticane, accompagne sous ses chères caméras la contestation de ces « exclus », avec la même angélique et insolente douceur qu'il mettait jadis au service du Parti communiste, de l'OLP ou de Cuba.

Colère ici, résignation là, incompréhension, désarroi partout ! La compétition présidentielle n'échappera pas à ce fond de décor. Certes, il n'est pas de bonne politique qui ne soit fondée d'abord sur le froid exercice de la raison, mais il faudra composer avec l'émotion de ce scandale : un peuple européen, qui compte parmi les riches de la planète, voit sous ses pieds le gouffre d'une fracture sociale. Une nation à qui l'on promet les cent fleurs de la reprise économique n'est pas certaine de voir résorbée cette plaie du chômage, ce comble d'inégalité.

*

En fait – ce n'est pas une découverte ! – la France reste devant l'inégalité sociale comme une poule inquiète devant un couteau. Tout le monde sait bien que la seule égalité certaine entre les hommes c'est, comme le disait mon compatriote aveyronnais Fabre, « celle de tous devant l'asticot ». Mais chacun sait aussi que la grandeur d'une civilisation se mesure à l'effacement progressif des plus cruelles disparités. On ne peut pas grand-chose contre l'inégalité de nature, mais on peut beaucoup pour l'égalité des chances, et l'adoucissement du sort des faibles. La France fut, plus que d'autres nations, taraudée, depuis la Révolution, par le désir de cette égalité dont le mot figure au fronton de la République. On y croit, depuis deux siècles, que « la perfectibilité de l'espèce humaine n'est autre chose que la tendance vers l'égalité ». Dans ses tréfonds, l'idéal républicain supporte donc mal que « l'idée d'égalité – universalité des hommes, qu'il affiche comme son fondement, soit constamment niée par l'inégalité des propriétés et des richesses [1] ».

D'avoir dû constater que l'utopie égalitariste du communisme a conduit au désastre, c'est déjà une souffrance pour les hommes généreux et aveugles qui ont cru à ses mirages. Mais que les efforts coûteux, quoique moins chimériques, de l'Etat-providence n'aient pas empêché nos rues de s'emplir de nouveaux gueux, c'est un autre douloureux sentiment d'échec qui gagne, cette fois, tous les hommes de bonne volonté, de la gauche à la droite.

Déjà, dans l'impatience de la détresse, on voit ici et là réveillées tantôt les illusions collectivistes, tantôt les recettes expéditives du populisme. La conscience ne viendra pas si vite aux multiples catégories d'une nation émiettée, que le système est calmement à revoir de fond en comble, que l'excès d'égalité, en bridant la croissance, a créé de l'inégalité, que le chômage à taux lourd est lui-même à maints égards une conséquence de l'Etat-providence, que notre régime d'assistanat vient d'atteindre la zone critique des effets pervers. Et qu'une plus grande égalité réelle ne se conquerra désormais que par l'équité, la liberté créatrice, la concurrence et la sélection. Cette conviction venue un peu de la droite et beaucoup de l'expérience se trouve déconsidérée par le conservatisme d'une gauche archaïque. Elle pénètre mieux la gauche moderne. Mais elle est loin encore d'avoir droit de cité tant l'empreinte mentale, morale de l'Etat-providence pèse sur un peuple qui n'a quasiment rien connu d'autre que le maternage d'Etat. Bref, il n'y aura pas de réformes des structures sans révolution des mentalités.

---

1. François Furet : *Le passé d'une illusion* (Robert Laffont-Calmann-Lévy).

Le temps vient où il faudra coûte que coûte quitter l'équarrissage égalitaire pour traiter, cas par cas, les inégalités qui refont surface. Car traiter également des inégalités irrépressibles, c'est leur rajouter de l'inégalité. Un exemple entre cent : comment imaginer que le collège unique qui a accompli, sous Giscard, le rêve égalitariste du plan Langevin-Wallon de 1947 puisse ne pas accroître l'inégalité croissante des enfants des beaux quartiers et ceux des banlieues pauvres avec leurs quota d'élèves immigrés ?

Que l'absolutisme de l'égalité tue la liberté, tout le monde aujourd'hui l'a désormais appris et vérifié dans les catastrophes communistes. Mais que le désir excessif d'égalité puisse dans nos sociétés européennes nuire à l'égalité réelle, voilà qui relève, encore chez nous, du paradoxe. L'Allemagne, elle, a accepté d'en faire le constat et de limiter en conséquence son Etat-providence. Pour la France, comment faire pour que la machine vire de bord sans aller au fossé ?

(21 janvier 1995)

——— L'impuissance publique

Ce chômage si établi qu'il engendre sous nos yeux une « tiers nation » de nouveaux misérables, ces peurs et crispations devant le nouveau désordre mondial, nous ne trouvons, pour les affronter, qu'une croissante impuissance publique.

On en accuse tantôt l'Etat obèse, tantôt un système institutionnel byzantin. Et les plus frustes s'en prennent à toute une classe politique qui n'en peut mais.

Mais on n'évoque, dans ces procès à l'emporte-pièce instruits par la crise, que les manifestations récentes de cette impuissance. Semblable à une péniche habituée depuis des décennies à naviguer, d'une écluse l'autre, sur les canaux de la croissance régulière, nous voyons soudain, en pleine lumière, notre démocratie désemparée par son ballant, et rétive à la manœuvre dès lors qu'elle n'est plus halée par la certitude d'un Progrès assuré. En réalité, ce défi des temps nouveaux ne fait que révéler crûment un mal déjà bien enkysté : la société, en se transformant dans ses tréfonds, a depuis longtemps affaibli la « machine » démocratique. La démocratie n'est nullement en péril, mais le tissu civique se déchire.

*

La raison principale en est d'une grande banalité : l'individualisme réduit l'esprit public. Les démocraties d'Occident ont si bien réussi dans la conquête des droits personnels, et l'évolution des mœurs et des techniques a si bien nourri cette conquête, qu'il s'est créé une sorte « d'idéologie du moi » laquelle assèche peu à peu le sentiment d'adhésion, voire d'appartenance, à la collectivité élargie de la nation. Sans débat, les idées de patrie, de nation, et tout leur appareil symbolique perdent de leur intensité. Et plus encore chez les jeunes générations où l'absence de guerre a effacé cette composante tragique du destin collectif. Il n'y a nullement contestation délibérée de la nation, mais désintérêt, désaffection par démaillage progressif du tissu social. Le « souci de soi » efface le souci collectif. Et l'individu éteint, en lui, le citoyen.

La préoccupation croissante que l'homme d'aujourd'hui prend de son corps, de sa santé, de son « épanouissement », la lutte constante pour la consommation ont peu à peu réduit la part que chacun prenait aux intérêts collectifs, et donc à la politique qui les administre. L'échec retentissant des grandes idéologies collectives a tué le rêve, mais elle a tué aussi le sens du destin collectif. Tous les grands médias constatent ainsi, depuis longtemps, chez leur clientèle, le recul de l'esprit public au profit de Sa Majesté le « self ».

Quand Narcisse ne ramène pas tout à soi, le « moi » concentre désormais son intérêt sur les cellules sociales qui le touchent de près : la famille, les amis proches et le compagnonnage professionnel. Vision de Tocqueville annonçant, il y a plus de cent cinquante ans, une démocratie exténuée où « persisterait le sens de la famille mais non de la société » !

Pendant des siècles, la nation française a vécu sans l'adhésion individuelle de ses habitants : la férule monarchique assurait l'unité de direction. Depuis qu'elle est née, notre démocratie, forte de ses dogmes républicains issus de la matrice révolutionnaire, avait établi et vivement entretenu dans le peuple, autour de l'Etat jacobin, et des relais intégrateurs de l'Eglise et de l'Ecole, la présence du principe national. Au gré des idéologies régnantes, on en contestait la direction voire le régime, mais, en chaque Français, la présence intime du destin national perdurait. C'est ce sentiment qui se relâche.

Ainsi lorsque deux Français sur trois approuvent ces jours-ci la résistance des salariés d'Air France au plan nécessaire à sa survie, ce qui l'emporte dans l'opinion, c'est la sympathie pour le refus d'un sacrifice salarial qu'on ne voudrait pas soi-même consentir, et non la conscience que le déficit pèsera sur toute la collectivité. Ainsi s'accuse l'émiettement d'une société où chaque catégorie d'intérêts ne voit plus dans l'Etat qu'une providence à quoi extorquer des avantages spécifiques. La fonction arbitrale du pouvoir s'en trouve mutilée, tandis que sa dignité s'évapore dans la déconsidération dont il est victime. Le « Bébête show » n'est pas le bouffon épisodique d'un pouvoir souverain, mais la dérision quotidienne d'un cénacle désaffecté.

*

Il n'y a pas de recette simple pour la reconstitution d'un solide tissu démocratique. Elle se fera d'elle-même lorsque l'opinion pèsera, à ses dépens, les dommages que l'impuissance publique cause à la communauté. On peut espérer qu'alors des hommes d'Etat trouveront l'art de réveiller la conscience collective avant que quelque malheur intérieur ou extérieur ne le fasse à leur place. Et, bien sûr, redire, ressasser que l'Education reste le vrai rempart des peuples démocratiques contre la désertion des citoyens !

(6 novembre 1993)

——— La mort du Roi

Racontons l'affaire ainsi : la France souffre ces temps-ci d'une dépression nerveuse accablante. On la mène donc chez le psychanalyste. On l'allonge sur le divan, et, selon l'usage freudien, on la laisse parler et convoquer douloureusement sa prime jeunesse. C'est alors que d'une voix blanche, elle raconte comment, il y a bien longtemps, dans sa petite enfance de nation, elle a vécu la « mort d'un père »... Une scène primitive, un traumatisme originel que depuis des lustres son esprit occultait, refoulait.

Ainsi un roi décapité s'échappe, deux siècles après sa mort, des limbes de l'inconscient collectif, et revient, aujourd'hui, à la mémoire nationale. Réunis dans une bizarre connivence commémorative, trois grands hebdomadaires français mettent le ci-devant Capet à leur une. Notre République regarde enfin sans ciller cette tête coupée d'un roi de France.

*

On peut divaguer sur cette résurrection. Dans les souterrains de l'inconscient national quelques spectres engloutis nourrissent les mystères d'un peuple énigmatique : en apparence éperdu de raison, de logique, de clarté, mais reléguant sans cesse en ses profondeurs ses secrets de famille : ainsi la mort du roi ou Vichy...

Lorsque « la France s'ennuie », lorsque la nation rêvasse en son désarroi – comme aujourd'hui – il arrive que de son tréfonds les spectres émergent. Et que s'entrebâillent les placards sur des cadavres oubliés.

Que celui du roi décapité dégringole désormais dans plusieurs grands médias ne peut être imputé à notre seule frénésie commémorative. Ni même à l'activisme touchant et marginal de cette cohorte de monarchistes cambrés qui traversent les Républiques en portant l'honneur du roi en écharpe.

La résurrection du roi, le « réexamen » de sa mort obéissent à de plus troubles ressorts. Le premier tient à l'actuelle réécriture de la Révolution française. Depuis quarante ans déjà, des historiens « centristes » arrachent, une à une, les bandelettes de la momie « Révolution » exhibée au peuple, dans son cercueil de légende, par une tradition bicentenaire qui tenait plus de la « religion » que de l'Histoire. Cette Révolution embaumée, c'était le corps central du catéchisme laïque et républicain : son souci d'édification populaire y faisait le roi tout noir, Robespierre tout blanc et la Terreur sublime. Tous les petits écoliers de France y votaient des deux mains la mort de Monsieur Veto. En quatre décennies, ce carcan pédagogique a craqué.

La gauche française elle-même a conduit l'aggiornamento historique derrière François Furet. Et notre gauche socialiste au pouvoir, pourtant drapée – et jusqu'au ridicule – dans la pompe du Panthéon républicain, s'abandonna jusqu'à prostituer au monde entier, le 14 juillet 1989, dans un défilé délirant, une Révolution dénaturée. A la forte et farouche *Marseillaise* de Rude elle substituait une Barbarella psychédélique échappée du Bal nègre.

Sous cet éboulis d'idées mortes, et de symboles pulvérisés, voici donc la statue de Louis XVI exhumée de ses catacombes. Ce n'est pas une réaction monarchiste qui l'exhausse : c'est la religion des Droits de l'homme. 1789 prend enfin sa revanche sur 1793. Dans l'imaginaire national, l'arbre de la Liberté efface les bois de la guillotine. Soudain, le bon peuple ose se demander s'il « fallait vraiment décapiter le roi ». La France refait le procès de Louis XVI. Voici son verdict 1993 : elle n'acquitte pas la royauté ; mais elle vote sinon l'amnistie, du moins la grâce du roi, et son exil dans quelque Monaco. La sensibilité moderne ressent comme un « répugnant scandale l'assassinat public d'un homme faible et bon » (Albert Camus). Elle découvre que, dans l'Europe des Douze, six monarchies font bon ménage avec la démocratie. Et maintiennent, à leur manière, au long des siècles, la figure totémique de la nation.

*

Si l'on sonde plus avant, on voit bien que cette « résurrection » de Louis XVI est significative de la lente extinction, chez nous, du mythe révolutionnaire. La « légende dorée » de la République s'écaille sous nos yeux. Ce ne serait qu'anecdotique si la France n'avait longtemps édifié son idée de nation sur le mythe révolutionnaire, si l'exécution du 21 janvier 1793, en décapitant un roi vivant mais une monarchie déjà morte, n'avait été une sorte de meurtre rituel qui fonda la République.

Que la France moderne désacralise, démystifie le cérémonial révolutionnaire, qu'elle revisite placidement le procès de Louis XVI, ce n'est qu'un signe de plus que l'exception idéologique de la nation française tend à s'effacer. Dans cette évolution, la nostalgie monarchique qu'exprime notre actuelle Constitution – avec sa présidence prébendière et ses mœurs de cour d'Ancien Régime – n'apparaît que comme le pénible résidu d'un système en perdition.

Les Français ne veulent plus ni roi ni régicide. Mais un exécutif élu par la volonté populaire. Et destituable par elle. Sans drames.

(16 janvier 1993)

——— Révolution : mythe en péril

Spectaculaire quiproquo : le Bicentenaire va fêter une légende moribonde. Deux siècles durant, la France des rouges et des blancs n'a cessé de *rêver* sa Révolution dans la gloire ou l'opprobre. Or voici, justement, que ces rêves d'une postérité divisée s'effacent. Que le mythe bicentenaire de la Révolution expire.

Après un XIXe siècle partagé entre contempteurs et adorateurs de la Révolution, les clercs de la pensée dominante, enrôlés en notre siècle sous l'utopie marxiste, s'agenouillèrent devant elle en bigots. Notre enseignement public en fera la « légende dorée » de la République, et c'est cette légende-là que nos socialistes se réjouissaient de fêter. Mais patatras ! Les clichés se déchirent, les « saints » de la Convention dégringolent de leurs niches... Puisqu'il faut bien fêter, on fêtera ! Mais derrière la bimbeloterie anniversaire, les pendentifs à guillotine, les caleçons des sans-culottes et autres défilés Barnum, nous ne chercherons plus le « mythe fondateur de la France moderne ». Nous irons au spectacle.

Sous le piolet d'une nouvelle école historienne, la Révolution cesse, peu à peu, d'être ce bloc où les Droits de l'homme et la Terreur se trouvaient cimentés. Et leur « glasnost » exhume de terribles « points de détail » oubliés ou éludés dans l'hagiographie française : les noyades de Nantes, les « Oradour » de la vallée du Rhône et la réalité effroyable du « populicide » de Vendée.

Mais il y a plus ! L'idéologie agonise qui tenait dans ses rênes les maîtres de l'école historique marxiste. Ces maîtres-là, en vertueux croisés du Progrès, voyaient dans notre Révolution inachevée une glorieuse préface de la Révolution russe de 1917. Si la Terreur trouvait grâce à leurs yeux, c'est parce qu'ils la croyaient « nécessaire » et comme une étape cruelle mais initiatique vers la parousie de la Révolution universelle.

Au fil des temps, la théorisation robespierriste de la violence allait devenir la matrice avouée des révolutions modernes. Et ce sont, à notre époque, les massacres staliniens et le goulag qui ont conduit, peu à peu, à reconsidérer d'un œil moins idolâtre le mécanisme politique de la Terreur. Nous n'allons pas jusqu'à dire que Staline avait Robespierre dans son rétroviseur, mais nous découvrons entre eux l'identité du radicalisme révolutionnaire. « On peut se demander, dit sobrement Claude Lévi-Strauss, si quelques catastrophes contemporaines n'ont pas leur origine dans les idées et valeurs de 1793. » Autre question, sacrilège celle-ci : de même que le ver du goulag se trouvait dans le fruit révolutionnaire de 1917, de même, le ver de la Terreur se trouvait-il peut-être dans le fruit de 89 ? Tapi dans l'abysse de la raison raisonnante lorsqu'elle veut « régénérer » l'homme pour mieux refaire la société.

Le grand public participe aussi, désormais, à cette « démythification ». Son ouverture à l'Europe lui montre que 1789 avait inventé la souveraineté du peuple, mais non les libertés civiles, et que d'autres nations avaient conquis leur statut démocratique autrement que par le régicide. La télé l'instruit que, sur douze démocraties de la Communauté européenne, six sont toujours des monarchies où les citoyens ne sont pas moins libres que nous. Il se convainc que les progrès de la civilisation se gagnent mieux par la réforme que par le spasme révolutionnaire.

Le piquant, même, c'est qu'aujourd'hui un « droit-de-l'hommisme » bénin inonde toute la rétrospective de ses bons sentiments. Lorsqu'ils sont conviés à réécrire l'Histoire, nos téléspectateurs n'envoient plus Louis XVI et Marie-Antoinette au rasoir national : ils les verraient très bien en exil à Monte-Carlo. Ainsi les Français du Bicentenaire fêteront-ils 89 en censurant 93 : l'arbre de la Liberté leur masquera la forêt des guillotines.

Les moins assoupis s'éblouiront tout de même, je l'espère, de cet envol d'idées qui coururent le monde, et du théâtre pathétique où s'est jouée la prophétie tumultueuse des siècles à venir. Ils éviteront ainsi « les deux moyens de ne rien comprendre à la Révolution, et qui sont de la maudire ou de la célébrer ».

(15 mai 1989)

La démocratie d'opinion

« Pas vraiment triste mais très secouée, dans un état qui doit être celui des insectes en train de muer. » Cette sensation, que Sartre prête aux mutants, figure bien la démocratie française alors qu'elle se prépare à l'élection majeure de son régime. Cette anxiété vague, ce désarmement de l'esprit devant ce qui lui advient accompagnent, en effet, une grande mue : la démocratie d'opinion – celle des télés et des sondages – submerge la démocratie représentative.

Maints essais font ces jours-ci l'analyse, la chronique d'une mue annoncée. Car, il n'y a pas à s'étonner que la révolution des techniques et des mœurs bouscule les formes de la fonction politique. L'explosion des télés et radios a disqualifié, entre le pouvoir et le citoyen, les relais des élus. La marée des sondages assène sans cesse les caprices de l'opinion et brouille l'autorité de l'exécutif et du législatif. Surtout, le surgissement d'un individu-roi échappant peu à peu aux prescriptions civiques des anciennes « matrices » de l'Eglise et de l'Ecole, a ébranlé le système des hiérarchies traditionnelles. Comment imaginer que le déclin d'autorité du père, du maître, du « patron », ne mette pas en cause celle du politicien, et l'ancienne « verticalité » des pouvoirs de notre monarchie républicaine ? Comment ne pas voir que l'intrusion spectaculaire de la justice dans le pré carré de l'exécutif est à la fois le signe et l'effet de cette révolution insidieuse du citoyen émancipé ?

Le grand brassage des anciennes classes sociales (les chutes de la paysannerie et de la condition ouvrière), ainsi que la concentration urbaine (80 % des Français vivent dans villes et banlieues) forment un paysage nouveau, celui d'une immense « classe moyenne » délocalisée. Dans ce marais encore indéchiffrable, les anciens repères s'évanouissent : la gauche a perdu ses prolétaires ; et la droite ses vertus « bourgeoises ». L'effondrement de l'idéologie égalitaire a opéré un énorme glissement de terrain qui engloutit les constructions traditionnelles de la gauche. Et pas seulement la cathédrale marxiste. Car la démocratie sociale – celle de l'« Etat-providence », qui avait, chez nous, prolongé le rôle prescripteur et tutélaire de l'Etat par le maternage d'une protection sociale en expansion continue, cette démocratie sociale – Alain Minc le montre très bien – est elle-même en péril. La « mamma » étatique est sur le flanc.

*

Ainsi, la déconsidération du politique ne tient-elle pas, comme on ne le dit que trop, au seul discrédit que lui inflige la justice en mettant enfin le nez dans ses trafics d'influence. Elle tient d'abord au fait que la politique apparaît comme une machinerie inadaptée aux temps nouveaux. La société a débordé le politique : l'un et l'autre ne parlent plus avec une langue et des concepts communs.

Dans le nouveau « marais » se forment de nouveaux tumultes. Le chômage et ce qu'on appelle « l'exclusion » découragent l'interprétation et les recettes d'un autre temps. Le pouvoir, déconcerté, s'y efface devant l'humanitaire comme si la compassion et les palliatifs d'assistance faisaient une politique. Alors qu'une révolution impose de tout remettre en question si l'on veut quitter cette culture de l'assistanat où l'« Etat-providence » a plongé le pays, et qui le ruinera s'il ne s'en arrache pas.

*

Il est vain d'imaginer que l'on puisse réduire la pente irrépressible de la démocratie d'opinion : elle repose sur des techniques, des mœurs nouvelles, et les unes et les autres passent les lois. Mais il est tout aussi évident que la démocratie d'opinion, celle « d'une immense pression de l'esprit de tous sur l'intelligence de chacun » (Tocqueville), est grosse de dangers. Qu'elle dégénère sans frein, et elle nous fera rouler vers la démocratie directe, où les élus ne peuvent plus définir et défendre, dans la sécurité d'un mandat, les intérêts à moyen ou long terme de la collectivité nationale. Celle où l'empire de l'éphémère inhibe l'arbitrage délibéré et fait tanguer la nation avant qu'elle ne roule aux abîmes.

*

L'élection présidentielle qui est, soit dit en passant, le principal ornement de la démocratie d'opinion, offre l'occasion de repenser profondément la fonction politique, de réformer les institutions (cumul des mandats, quinquennat, etc.), et d'inventer une pratique renouvelée du pouvoir. En s'adaptant à la mue démocratique, le nouveau président devra en corriger les risques, jusqu'à redéfinir des zones-tabous où le pouvoir d'Etat serait restauré et renforcé. Sinon, gare !

La démocratie française n'est nullement menacée par une tentation destructrice, comme furent le fascisme ou le communisme. Elle n'est menacée que par la crise de son expression politique. Il lui faut, avec audace et imagination, un style nouveau pour une nation nouvelle. Et – démocratie d'opinion oblige ! – l'art et l'élan d'en convaincre des citoyens indociles.

(14 janvier 1995)

——— Le peuple et la foule

Comme les vieillards, nous remâchons le passé. Quand le présent nous angoisse, ce sont les sorcières du fascisme que nous brûlons et rebrûlons en effigie. La Serbie : fasciste ! Le Rwanda des Bahutus : fasciste ! (Et pourquoi pas celui des Batutsis ?) Berlusconi : fasciste ! Tapie : fasciste ! L'ami Lang s'alarme. C'est Tapie qui l'inquiète ? Non, Tapie, justement, il le trouve très bien. C'est l'autre, là, l'Italien désormais national et jadis socialiste.

Amalgames stériles ! Que le Mal en politique soit récurrent, c'est hélas évident. Mais tous les racismes ne sont pas fascistes, tous les génocides ne sont pas hitlériens. Toutes les Républiques exténuées ne sont pas de Weimar. Le mal qui les menace ne porte pas le même virus de la peste noire. Et l'avenir ne se lit pas dans le rétroviseur !

*

Des ferments qui firent autrefois lever, en Europe, le fascisme, on retrouverait, de nos jours, certains germes dans la crise économique, le chômage. Seulement, le chômage de jadis était sans secours, doublé d'une inflation ravageuse et d'un nationalisme revanchard. Et surtout – différence essentielle ! – le rêve gagnait, en ce début de siècle, d'une nouvelle société politique délibérément choisie, préférée, substituée à la société démocratique. Des religions de masse prétendaient tout englober de l'Etat, du zéro à l'infini, pour faire, fût-ce malgré eux, le bien de tous.

Ce furent le bolchevisme d'abord, puis le fascisme en Italie et enfin le national-socialisme en Allemagne. Dans tous ces cas, le système démocratique était contesté, attaqué, réduit par des doctrinaires (Lénine, Mussolini, Hitler). Ils ne pervertissaient pas la démocratie : ils la supprimaient au nom d'une recette miracle qui, un jour, ferait un paradis de l'Italie (Mussolini), de l'Europe aryenne (Hitler) ou de l'humanité (Lénine). La fin mirobolante justifierait les moyens. Ainsi les millions de morts de l'ère stalinienne, les camps soviétiques puis allemands, le parti unique, l'Etat policier, le génocide juif furent-ils, en l'occurrence, les serviteurs de doctrines forcenées.

Aucune doctrine de ce genre, aujourd'hui, dans cette même Europe. Aucun parti représenté dans nos parlements pour agresser la démocratie. Même dans l'Europe de l'Est, d'héritage communiste, aucun pouvoir, fût-il policier, n'échafaude une théorie résolument totalitaire. Il faut sortir d'Europe et aller jusqu'à l'intégrisme islamique pour trouver, en Iran, ou chez le « Fis » algérien, l'expression théorique et théocratique d'une négation délibérée de la démocratie.

Sachons donc de quoi l'on parle ! L'affreuse guerre bosniaque n'est pas la guerre d'Espagne. Aucune grande nation démocratique n'est encore gangrenée, comme l'Italie en 1925, l'Allemagne en 1933 et l'Espagne en 1936, par une doctrine proprement fasciste.

*

Si l'on a pourtant bien raison de s'inquiéter, en France ou en Italie, de la dérive du système démocratique, c'est pour d'autres raisons. La principale tient à la substitution progressive de la démocratie d'opinion à la démocratie de système représentatif. La nécrose des Parlements, la soumission outrée du pouvoir aux rumeurs de la rue, à la sondomanie de l'opinion, la puissance d'une télévision où, devant la foule cathodique, les bonimenteurs ont le beau rôle, tous ces phénomènes sont de mauvais augure. Un régime démocratique sain montre un pouvoir exécutif et délibératif protégé des caprices de l'opinion. Il doit faire respecter, hors les foucades catégorielles, des lois élaborées dans la patience du Droit. Nous en sommes loin ! Voyez à quelle impuissance se réduit, sous nos yeux, une majorité parlementaire pourtant massive et récente !

*

L'ennui, c'est que cette dérive vient des tréfonds de la société. Elle est liée à la misère civique de la nation, à la désagrégation du lien social, à l'irrespect des règles, à l'indulgence extrême pour toutes sortes de tricheries, à l'affairisme des grands et à la résignation cynique des petits, à la régression vers les passions de nature. Or, « de toutes les conceptions politiques, la démocratie est la plus éloignée de la nature. Elle attribue à l'homme des droits inviolables. Mais ces droits, pour rester inviolés, exigent une fidélité inaltérable aux devoirs... On n'y doit plus distinguer si c'est le devoir qui confère le droit ou le droit qui impose le devoir [1]... »

Hélas, par les temps qui courent, des droits vous entendez parler sans cesse. Mais des devoirs, jamais ! Résumons : aucun virus ne menace chez nous le système démocratique. C'est sa tête qui ramollit. Avec l'empire croissant du populaire, l'instantané gagne sur la durée, l'ignorance sur le savoir, le caprice sur la réflexion, et l'émotion sur la raison. Le danger est démagogique : car la démocratie se fait avec le peuple, mais sombre avec la foule.

---

1. Bergson.

(30 avril 1994)

Marianne, es-tu là ?

Marianne ne va pas bien parce que la République, l'idée républicaine, s'estompe lentement au profit d'une nouvelle idée de la démocratie. Une nation se décompose dont l'idée républicaine était le ciment : une nation hiérarchisée, verticale, avec à sa tête un Etat fort, un principe jacobin conforté, depuis la maternelle, par les institutions, entretenu par le discours politique, la confiance dans le progrès, et les idéologies des lendemains qui chantent. La République avait dans ses voiles le vent de l'Histoire. Elle rêvait un avenir collectif pour des individus peu rêveurs.

Mais la République s'évanouit. Ses caryatides se sont, l'une après l'autre, effondrées : la fierté nationale morte en 40, le prestige impérial coulé vingt ans plus tard à Alger, la morale laïque saccagée à l'école, le socialisme en capilotade et la vertu publique naufragée dans les « affaires ». A l'Elysée, le château du vieux monarque devient un Palais des brouillards, où n'errent plus que les spectres de trois Républiques.

La révolution des mœurs a mis cul par-dessus tête les représentations, croyances, valeurs qui fondèrent une certaine idée de la nation française et qu'on appelait la République. Et voici qu'à sa place se recompose une démocratie privée de ses anciennes hiérarchies et qui n'en a pas encore inventé de nouvelles. D'où cette ère du vide, cet effondrement des règles, cette disparition vertigineuse du principe de responsabilité, ces ghettos hors la loi, ces vastes zones mouvantes d'anarchie tempérée par la combine. 58 millions d'individus n'ont pas encore trouvé leur nouvelle manière de vivre ensemble. La nation défaite, et pas encore refaite, titube dans ses nouveaux espaces entre la région d'un côté, et l'Europe communautaire de l'autre. La demande avide de la Justice et de l'égalité par le Droit a remplacé les utopies moribondes de l'absolutisme égalitaire. La Société jette contre l'Etat les nouvelles puissances des juges et des médias. Entre rock et raï, des cultures venues d'ailleurs bousculent la légende d'Astérix. Le passé meurt, le présent se sent tout chose, et l'avenir lui-même ne se porte plus très bien.

*

Entre ce qui s'effondre et ce qui renaît, les politiques feignent d'organiser des mystères qui les dépassent. La droite et la gauche de papa gigotent dans une lave en fusion. Celui-ci prend son clairon et en appelle au « front républicain ». Celui-là nous ressort l'illusion d'un « cocooning » national dans le socialisme redistributeur. Cet autre caresse la folle chimère d'une France protectionniste qui, tirant sa richesse essentielle de ses exportations, claquerait tout de même la porte à sa clientèle. On fantasme sur une « autre politique » où l'artifice monétaire nous décrocherait d'une Europe qui garantit l'essentiel de notre sécurité. Une Europe qui constitue, pour la France, le seul et dernier levier réaliste d'une ambition nationale.

Car tout se tient désormais : le monde nouveau, compétitif, convulsif qui bouge alentour nous impose la solidarité européenne. Mais la solidarité européenne nous impose elle-même de suivre le train d'innovation et d'adaptation de nos voisins, à commencer par l'Allemagne. Ce train, à son tour, exige que nous nous réformions activement et profondément.

Nous le sentons, nous le savons. Mais comment faire ? Oui, comment ? Parler à Marianne, les yeux dans les yeux ? Qui sait ? Hello, Marianne ! Mais, où est-elle donc passée ?

(11 février 1995)

Pour un renouveau civique

Nos vœux pour baptiser l'an neuf sont, au fond, quelques dragées d'avenir que nous distribuons par tradition autour de nous. Hélas, ces temps-ci, il y a pénurie d'avenir. Les penseurs nous l'ont seriné tout au long de cette sale crise : c'est de l'avenir et du « sens » qui nous manquent. Ce qui revient peut-être au même : si nous avions une claire idée de l'avenir que nous voulons, cette clarté-là donnerait du « sens » à nos projets. Mais voilà, de cette clarté nous sommes, pour le moment, privés ! Et, dans notre aveuglement, nous voudrions qu'elle vienne de Juppé, de Séguin, des politiques, des « élites »... Les malheureux n'en peuvent mais. Car la nuit est noire et bien faiblards leurs lumignons.

La nuit est noire dans la caverne française parce que les croyances la désertent. Celles des religions de nos pères ; celles de la grande utopie socialiste qui fut, durant ce siècle, pour une moitié de la nation, la religion terrestre d'une autre Terre Promise ; celle, sous nos yeux, du libéralisme triomphant qui décourage les plus épuisés dès lors qu'il faut quitter le giron de l'Etat-providence pour affronter le monde extérieur et sa cacophonie marchande. Celles enfin que la tradition républicaine vouait au Progrès, celui des « Lumières », les bien nommées, lesquelles vacillent et plongent, à leur tour, dans l'obscurité la fille aînée des « Lumières » qu'est encore la France.

Nous affrontons, en somme, une crise gigogne : une crise sociale (celle du secteur public), une crise sociétale qui affecte toute la nation, une crise de civilisation qui ébranle l'Europe et l'Occident. Ça fait beaucoup à la fois ! Voilà pourquoi tant d'hommes se disent, de nos jours, plus « malheureux » que leurs pères matériellement plus démunis. Sur cette détresse morale, sur cette « galère » de tant de jeunes entre non-travail et marginalité, sur cette pathologie sociale, les artistes donnent de meilleurs coups de sonde que les sociologues.

*

Dans cette dépression, que la politique subit, la meilleure façon d'aborder l'an neuf, c'est encore de se dire que notre vieille nation peine plus que d'autres, à suivre le train du peloton ! C'est d'admettre que, chez nous, le passé – celui des modes de pensée – pèse encore lourd. (Tandis que les syndicats allemands proposent cette semaine un pacte pour l'emploi avec limitation des salaires, nos dinosaures syndicaux attisent les revendications en tous genres.) C'est de savoir aussi que notre créativité intacte nous donne les moyens de ne pas « décoller », et qu'il suffira de larguer peu à peu notre lourd handicap d'une culture d'assistance.

C'est de se dire que l'Europe communautaire malgré ses murs froids qui restent à meubler, à habiter, que cette Europe reste le seul édifice où « rêver » – s'il faut rêver – l'avenir français. Le seul qui puisse inspirer un imaginaire collectif. Le seul qui dans un monde dangereux puisse conserver la paix et une relative prospérité. Cette Europe – c'est vrai ! – est encore l'Europe des élites, depuis de Gaulle et Adenauer mais sans interruption jusqu'à Chirac et Kohl. Car ces architectes-là ont médité le passé, observé la dureté des temps et pesé les périls de l'isolement : ils veulent une Europe antisismique. Ils ont raison.

*

Leur défaut – chez nous surtout – c'est de galoper trop en avant de leurs peuples. Il est vrai qu'on n'entraînera pas, en France, un peuple désemparé, tuméfié, avec des bleus à l'âme, par des démonstrations au tableau noir sur les taux de change. Il faut que par l'épreuve ou la claire vision de son lamentable état de puzzle disloqué, la nation se ressaisisse. Une antique et périlleuse tentation – mais qui refait surface – est de la réveiller par des contes de fées nationalistes qui se terminent immanquablement en cauchemar. L'autre recette est de restaurer un civisme partout évanoui. De retrouver le souci national dans la bouche de nos princes républicains. L'introuvable « pédagogie » populaire après laquelle nous bêlons comme des moutons égarés ne s'exercera qu'à cette condition. On y méditera, par exemple, le désintérêt assumé du syndicaliste Blondel pour « l'intérêt général », un aveu qui restera comme un des plus symptomatiques d'une démocratie malade. Le civisme est l'oxygène des démocraties. Il est nécessaire à toutes. Mais lorsqu'une vieille morale issue du terreau chrétien s'effondre, le renouveau civique devient plus vital encore. C'est à lui d'inspirer un évangile sans messie, une morale pour hommes seuls, condamnés à l'art difficile de vivre ensemble.

*

Ce renouveau civique, c'est le vœu qu'au *Point*, mes amis et moi formons pour notre pays. Seule, direz-vous, une enfant peut y croire. Oui, mais cette enfant existe, un peu fugueuse, ces temps-ci, et un poète l'a nommée : c'est « la petite fille Espérance ».

(30 décembre 1995)

La Nation introuvable

« Péril national ! » Cette expression dramatique, le Premier ministre n'a pas craint de l'employer pour qualifier l'actuelle mélasse française. Il disait vrai. Mais je doute qu'il ait été largement entendu. Et que sa politique réponde à une telle alarme.

Ce risque majeur d'un pays surendetté dans un monde balayé par tous les vents d'une compétition impitoyable, n'obsède encore que les lucides, les actifs, les entreprenants. Il n'entame pas la résistance à la réforme de tous ceux que le scepticisme, le désintérêt national ou l'évasion civique maintiennent dans leurs cocons. Ainsi, la grève, mardi, de la fonction publique ne sera qu'une cérémonie coûteuse pour la nation, qu'on comparera amèrement à la récente décision de l'Allemagne de renoncer désormais à un de ses jours fériés traditionnels pour qu'une journée nouvelle de travail finance l'aide aux personnes âgées dépendantes.

En vérité, il n'est pas, contre un péril national, d'autre stratégie que « nationale ». Si nous en sommes encore dépourvus, c'est parce que le pouvoir n'en tient pas le discours, et qu'une société éclatée laisse s'évaporer la conscience solidaire d'une communauté de destin.

*

Le pouvoir, chez nous – qu'il soit de droite, de gauche, du centre ou d'ailleurs –, n'entraîne plus, n'inspire plus de large confiance, déconsidéré qu'il est par la compromission de l'affairisme, sa langue de bois, et un électoralisme qui dévoie la politique en art publicitaire. Plus grave encore, il n'a depuis quinze ans jamais donné de perspectives claires de son dessein, si jamais il en eut. Il n'énonce pas bien – ne « communique » pas bien, comme on dit aujourd'hui, – parce qu'il ne conçoit pas clairement. C'est pitié de voir qu'une nouvelle présidence disposant d'une énorme majorité parlementaire n'ose user, pour aller de l'avant, de la hardiesse des commencements et paraisse toujours tâtonner, en colin-maillard, entre plusieurs directions.

Le seul prestige qui reste au pouvoir en France tient à la légitimité maintenue de l'institution présidentielle. Le Président dispose de vastes moyens exécutifs. Encore faut-il ne pas les dilapider dans le subalterne et les consacrer tous à la défense et illustration de l'intérêt national. Chirac le peut. Et qui d'autre le fera, dès lors que le péril devient, nous dit-on, « national » ?

*

Oui, qui d'autre le pourra face à un peuple disloqué par diverses fractures ? Celle que le Président dénonce entre les intégrés et les « exclus » n'est hélas pas la seule. S'y ajoutent la grande fracture mentale entre ceux qui suivent, peu ou prou, le train de l'époque, et ceux qui ont coupé les ponts (20 % d'illettrés) ; la fracture entre la fonction publique, protégée du chômage, et le secteur privé qui la finance sans protection ; la fracture entre les générations que creuse l'avantage actuel de la rente sur le travail ; la fracture entre les cultures, la judéo-chrétienne et l'islamique qui gagne du terrain. Jadis, on déplorait que le prolétariat, sans s'y intégrer, paraisse « camper dans la Nation ». Mais que dire désormais d'une Nation introuvable où ne bivouaquent que des individus nomades, des intérêts catégoriels, des groupements dépareillés, étrangers les uns aux autres et que rien ne fédère ? Comment demander un sacrifice à quiconque si nul ne sait à quel principe, à quelle valeur supérieure le sacrifice sera consenti ? Le sociologue Cathelat, au terme de sa vaste enquête annuelle, confirme le naufrage, dans l'opinion, de toutes les grandes institutions : Etat, Eglise, Syndicats, et le repli dans le « micro-social » (la famille, les proches, l'entreprise, le clan, la bande, etc.). Et il annonce une forte aspiration vers un « conservatisme refondateur », une demande de morale publique. Acceptons-en l'augure ! Le renouveau civique, ce serait déjà bien...

Pour sortir de l'écartèlement entre l'urgence de la réforme et la crispation sécuritaire, entre d'un côté l'évolution indispensable des systèmes de protection sociale et de temps de travail, et d'autre part le blocage buté du conservatisme syndical sur les fameux « acquis », pour réduire le fossé entre « Internet et la Mère Denis », il faudra bien en passer, un jour ou l'autre, par une reprise en main nationale.

Sur cette obligation, je crois juste le diagnostic de Séguin. Non que je partage ses allergies européennes, au contraire ! Mais je crois, comme lui que « la réforme est indissociable de la pédagogie et du rassemblement ». Et que « sans autorité de l'Etat, il n'est pas de contrat social durable entre les citoyens ». Nous n'irons pas vers l'Europe autrement que dans une nation retrouvée. Et si nous laissons la Nation sur le bord de la route, un Le Pen, un jour ou l'autre, la prendra en stop.

Tous ceux qui, en France, abordent le péril avec la gravité et la vérité qu'il mérite – un Barre, un Delors – souscrivent à cette nécessaire restauration de l'Etat et de la Nation. Il reste à Chirac de l'imposer. C'est affaire de fond et de forme.

(7 octobre 1995)

Grosse fatigue

« Grosse fatigue » est descendue sur la France. « Grosse fatigue », dans l'expression de la rue, c'est un état bizarre, une déprime collective à la française. Simple convulsion sociale et politique ? Oui et non ! Car cette « dépression » est aussi un vertige sur une faille abyssale entre une ère et une autre. Les crises de civilisation sont longues, très longues. Elles s'expriment en une chaîne d'éruptions diverses. Celle-ci en est une. Un symptôme. Il y en aura d'autres.

Le mal d'être s'est répandu dans les tréfonds de la société. Il trouve ces jours-ci un exutoire sur la scène politique et sociale. « Grosse fatigue » c'est, donc à la fois la gueule de bois du gréviste en fin de grève, l'accablement incrédule du petit commerçant ruiné par la grève, la dent du rêveur sur les pépins de la réalité. Mais c'est aussi une impression de gâchis flottant sur une nation en exil. Et sous une désinvolture de façade, un étrange abandon à la fatalité. Un sentiment d'errance sur le fleuve énigmatique de l'Histoire. Grosse fatigue sur un remous !

*

Avec un bric-à-brac d'archaïsmes en tous genres, le million qui défile exhibe sa reculade devant le monde moderne, sa peur d'une société libérale qui prend partout ses quartiers dans le monde. Elle n'a pas encore implanté en France sa culture d'hommes libres et adultes, ses mécanismes d'ajustement, sa machinerie souple et contractuelle.

Rien de tel en effet, derrière les épaisses murailles de nos châteaux forts d'Etat. Des syndicats sous-représentatifs, cramponnés à des sinécures concédées il y a cinquante ans, y allument, en apprentis sorciers, un feu qu'ils peinent à éteindre. Plus rien de solide n'existe en France entre le Pouvoir et l'Opinion. Alors la rue, magnifiée par l'outrance de l'audiovisuel, devient le théâtre d'une déprime pathétique. Elle exhale sa nostalgie de la « Mamma » étatique qui distribua si longtemps mais à crédit, espérance, assistance et faux diplômes, autant d'ersatz désormais épuisés du bonheur collectif.

Dans les sociétés libérales, le bonheur est d'abord privé. Il est dans le pré ou dans la ville, dans le culte de Dieu ou la dignité de l'Homme, dans le travail ou le loisir, dans l'amitié ou dans l'amour. Mais quant à l'amour, le libéral des temps nouveaux n'attend certes pas qu'un Pasqua le lui chante, et que l'Etat tutélaire rêve à sa place son avenir.

La France, elle, n'a pas encore viré sa cuti. Beaucoup de Français demeurent orphelins d'un avenir venu d'en Haut : c'était celui, jadis, de la Terre promise dans l'au-delà chrétien ; ce fut ensuite celui des « lendemains qui chantent » dans l'utopie égalitaire, celui des libéralités d'un Progrès dont la certitude vacille. Et leur désarroi devant cette ruine des idoles, leur misère – plus spirituelle qu'économique – se tourne, dans une rage sommaire, sans perspective ni projet, contre le grand Dispensateur que menace le dépôt de bilan. L'Etat, ils ne savent pas encore que c'est eux, que c'est nous !

*

Leur coup de lune n'est pas, direz-vous, réservé aux salariés du secteur public. Certes ! Et c'est bien pourquoi bon nombre de salariés du privé consentent aux grévistes la tolérance qu'inspirent une angoisse commune et, dirait-on, une révolte par procuration. Mais pour soigner son malaise dans les psychodrames de la rue, le « privé » n'a ni la garantie de l'emploi, ni la capacité de tenir des millions de citoyens à sa merci. Il a plongé, bon gré mal gré, dans le monde moderne et appris à nager. Il vit déjà dans une autre culture. Il inspire un nouveau syndicalisme encore vagissant, de nouvelles élites encore tâtonnantes, un nouveau réformisme encore fragile mais qui retient, par exemple, quelques socialistes de la « deuxième gauche » ou une Nicole Notat de sombrer dans la houle du passé.

*

Au point où nous voici rendus, le Pouvoir ne peut plus reculer sans grand dommage pour la Nation. Il n'a déjà que trop consenti au diktat des cheminots. Avec ce résultat inique qui laissera des traces : parce qu'en France le droit de grève n'est plus contrarié dans les services publics, comme en Allemagne ou en Grande-Bretagne, les citoyens paieront un régime de retraites proprement exorbitant à ceux qui ont la plus forte capacité de nuire.

Quant à l'hallali que sonnent, autour de Juppé, les slogans des « manifs » mais aussi quelques lions en peluche de sa majorité, craignons d'y voir l'offrande d'un bouc émissaire pour une nouvelle reculade !

Que Juppé ait, dans sa nature, je ne sais quoi de « pète-sec » qui sied mal au téléthon politique à la mode, c'est en effet possible ! Mais l'affaire de la Réforme dépasse, et de loin, le cas Juppé. Ce qui est en jeu c'est le statut de la nation. S'il fallait, par malheur, que la France renonce à son rang et « décroche », alors que ce soit, du moins, en toute vérité, par décision démocratique. On verrait alors que la partie n'est pas perdue d'avance.

(16 décembre 1995)

——— Décembre noir

Au « Café du Commerce » national, personne qui n'ait son idée sur le pourquoi et le comment de ce décembre noir. Dans la cacophonie, bien sûr, puisque à gauche ou à droite, dans le public ou le privé, chez les vieux ou les jeunes, en Alsace ou en Provence, chacun voit midi à sa fenêtre. Mais sur le résultat, la conscience nationale, s'il y en avait une, devrait mettre tout le monde d'accord : c'est une défaite française. Une défaite de l'économie française par la chute de l'activité qui alourdira une conjoncture déjà sinistre ; une défaite consécutive par la rechute prévisible du chômage ; une défaite de la nation française qui aura, sur plusieurs fronts, reculé devant la réduction de ses déficits publics ; une défaite de la démocratie française devant la rue.

*

Pour une nation qui prêche volontiers son modèle démocratique à la planète, c'est pitié de constater qu'elle vient, chez elle, de l'écorner sérieusement ! Que dire d'autre lorsque la rue impose son veto, pour plusieurs dispositions capitales, à une réforme débattue et votée par son Parlement ? La légitimité de l'Etat s'en trouve ébréchée, et d'abord son droit à conduire des réformes sociales. Curieux qu'on s'alarme si peu d'une telle perversion ! Sans doute la rue a-t-elle déjà, dans le passé, étouffé des lois sous ses tempêtes sans que notre démocratie fasse naufrage. C'est vrai ! Mais, ce coup-ci, on a poussé très loin le bouchon.

Jamais, en effet, le dévoiement du pouvoir syndical dans les services publics n'avait à ce point affirmé la nuisance d'une minorité sur l'ensemble de l'activité publique. Jamais ceux qui détiennent quelques leviers stratégiques de l'économie (SNCF, RATP, la Poste) n'en avaient abusé à cette extrémité pour soumettre une volonté d'intérêt général à leurs intérêts catégoriels. Les cheminots français qui ont – par la garantie de l'emploi, leurs conditions horaires et leurs régimes de retraites – le meilleur statut du monde, ces cheminots, champions européens, depuis 20 ans, des journées de grève, ont démontré leur capacité à faire chanter l'Etat et le Public. Abus qui violente des droits élémentaires ! Abus qui a ruiné des milliers de citoyens jetés comme du fret périmé dans les poubelles de la grève ! Abus inconnu dans la quasi-totalité des nations policées, et jusqu'en Italie où un service minimum est assuré.

Il est naturel que l'Etat consente des déficits contrôlés à certaines de ses entreprises publiques pour des services mesurables (TGV, Aménagement du territoire, etc.). Mais il est insupportable qu'il laisse filer, comme jadis au Crédit Lyonnais, des déficits incontrôlés pour l'octroi de privilèges exorbitants. Certains de ces services publics sont devenus des « combinats » qui ruinent la Nation. Et l'idée paraît stupide de couler dans le bronze de la Constitution ces machineries déglinguées, rafistolées par l'impôt, et qu'il faudrait, au contraire, expédier à la réforme.

*

Ce qui, dans cette grève, titille les penseurs, c'est qu'en dépit de toutes ces vilenies, bien des salariés du Privé ont toléré, voire approuvé les militants du statu quo. Indéniable. Mais évitons de trop théoriser sur ce comportement. Car on y trouve de tout : certes, la compassion pour une angoisse commune mais aussi l'abandon ignare à la fatalité. Et je me garderai d'en déduire un acquiescement général aux grévistes. Sous la rampe télévisuelle, l'énorme théâtralisation de la rue n'a que trop incliné les émotifs à surévaluer ses manifestants. Quelques clercs, quelques médias en ont perdu la boule. D'un million, on est passé à deux, puis ces jours-ci, sur telle radio, à « plusieurs millions ». Quelle blague !

Peut-on suggérer, de surcroît, que les silencieux et les travailleurs sont aussi des citoyens, et que les urnes, en démocratie, sont plus parlantes que la rue ? Ce qui nous fut exhibé du communisme en carte Vermeil et de la « haine de classe » chez des retraités de 50 ans sentait le moisi d'une Révolution égalitaire que l'Histoire a mise au placard. Comment prendre toutes ces feuilles mortes pour de frais bourgeons ? Jospin, en tout cas, avec ou sans lunettes, ne s'y est pas trompé : il ne s'est pas baissé pour les ramasser.

*

L'évidente angoisse devant le chômage, devant l'avenir, cette crise mentale dont le spasme social fut un révélateur parmi d'autres, il est vain d'imaginer que l'Etat puisse la soigner en agitant son panier percé. Il y a, dans le monde moderne, de l'infantilisme à demander à l'Etat de distribuer du bonheur privé comme on demande aux psychotropes de médicaliser le malaise existentiel. Qu'il faille réveiller le sentiment national évanoui, sans doute ! Mais que ce soit par le civisme et la vérité des faits, et non pour « faire rêver », comme on dit, un peuple d'ilotes. « Faire rêver » sur des mirages, ce fut la recette des thaumaturges des années 30. « La faute majeure des Français de ce temps-là – et pas seulement de leurs gouvernants – ce fut de continuer de raisonner comme s'ils étaient seuls au monde ou comme si les autres devaient régler leur conduite sur nos intérêts. »

(23 décembre 1995)

La « déprime », et après...

Songeant à ce Décembre noir, ne trouvez-vous pas piquant que dans un temps où l'économisme règne, où les chiffres sont rois, où les statistiques prétendent s'imposer aux préjugés, où les sciences et techniques exaltent le rationnel, force soit de constater que le « mental » (déprimé), les croyances (délirantes), l'émotion (confuse) nous mènent encore par le bout du nez ?

L'état de dépression – pour les peuples comme pour les individus – installe son prisme de désespérance, peint la réalité en noir et tue la confiance. Il se peut qu'en somme, le malheur principal des Français – tel fut, avant la crise, le diagnostic de *Time* – « c'est d'abord qu'ils se croient malheureux » –, entendez qu'ils exagèrent les souffrances inhérentes à toutes les sociétés humaines, qu'ils développent plus que d'autres un culte compassionnel, une idéalisation médiatisée de la victime, de toutes sortes de victimes. Il n'est pas un étranger qui ne s'étonne, chez nous, de cette nationalisation de la plainte, laquelle ronge l'énergie et corrompt la lucidité, voire le simple bon sens.

Autant dire que les « résistants » – qui sont, Dieu merci, plus nombreux qu'on ne dit – doivent s'armer de courage et considérer d'un œil sceptique le défilé des boucs émissaires qui leur est, chaque jour, proposé : la classe politique, l'Europe de Maastricht, l'Economie de Marché, l'Asie, l'Islam, etc. tous ligués, dirait-on, contre le bonheur français.

*

« Pédagogie, Pédagogie... » prescrivent donc nos docteurs. Ils ont raison, mais ce n'est pas si simple. Outre la réalité, bien massive celle-là, du chômage des jeunes et de l'angoisse naturelle des familles qui ne prédisposent guère à la sérénité, outre la crétinisation médiatique qui distribue plus de clips émotionnels que d'informations raisonnées, outre la régression culturelle et l'illettrisme qui ruinent l'entendement, la nécessaire évolution rencontre, chez nous, « une tradition antilibérale et antimoderne si consubstantielle à notre République, qu'elle renaît à chaque occasion [1] ». C'est elle qui résiste à ce truisme, que le Marché (comme la démocratie dont il est l'oxygène) est le pire des systèmes... à l'exception de tous les autres. C'est elle qui rêve sans nulle cesse d'évasion dans des systèmes illusoires, au lieu de se demander comment organiser la réduction des inégalités excessives qu'entraîne, en effet, un Marché livré à la seule jungle.

En fait, la fameuse « pédagogie » devrait d'abord apprendre aux Français qu'ils ne sont pas seuls au monde, et que l'interdépendance des sociétés et des nations n'a cessé de s'accroître depuis un demi-siècle. La globalisation mesurable et accélérée du commerce charrie des conséquences positives et négatives. Pour les têtes froides, le solde, malgré le chômage, reste à l'évidence créditeur pour les peuples. Mais la pénible résistance aux adaptations qu'elle impose ne souligne, elle, que le négatif. Et produit, par spasmes, des inhibitions conservatrices.

Devant un processus si fatal et général, la discorde politicienne paraît bien dérisoire : l'art politique qui s'impose à tous est désormais de se colleter avec la réalité pour mieux l'humaniser. Ce qui, chez nous, fut réussi pour la douloureuse révolution agricole, pour les charbonnages, pour la sidérurgie, pour Renault, peut et doit être obtenu pour les services publics. Il importe, finalement, assez peu, qu'un socialisme européen moderne y pourvoie aussi bien, ou

1. François Furet.

mieux, ou plus mal que les droites classiques. L'intérêt de la nation toute entière est de ne pas renâcler devant l'obstacle. Aujourd'hui, c'est Juppé qui est en selle. Demain, peut-être, un socialiste. Les jockeys changeront, mais ni le cheval ni l'obstacle.

*

L'obstacle majeur restera le même qui tient à la disparité croissante entre l'espace politique – celui de l'Etat-nation – et l'espace économique désormais bien plus vaste. Jean-Claude Casanova montre très bien que l'autonomie des gouvernants diminue alors que l'impatience des gouvernés s'accroît. Tout l'univers capitaliste connaît ce souci. Mais les Français en rajoutent. Par filiation jacobine, étatiste, ils attendent toujours tout – et toujours plus – du pouvoir quel qu'il soit alors que ce pouvoir n'a plus la capacité de faire la pluie et le beau temps, comme Mitterrand a dû, contre son gré, le constater en 1983.

Autre handicap pour les politiques : beaucoup de nos contemporains associent de plus en plus leur idée du bonheur à la consommation, à l'avoir qui dépend de l'économie plutôt qu'à l'être qui dépend d'eux-mêmes. On ne chante plus guère en travaillant. L'envie, aiguisée par l'imagerie médiatique des biens d'autrui, avive la demande inextinguible du « toujours plus », et la course éperdue au progrès matériel. Au point que des catégories pourvues d'emploi exhibent leur « malheur » autant et plus que des chômeurs en vraie détresse. Au point que la revendication acharnée finit par devenir, ici ou là, une maladie qui se prend pour un remède. Vain remède qui ne soignera pas les solitudes, les familles dissociées, et le mal d'être existentiel. Toutes misères d'une société qui cherche encore de nouvelles boussoles.

(6 janvier 1996)

La dimension française

Secoués par la mondialisation, dessillés par le miroir européen, nous mesurons enfin, moins de gré que de force, notre singularité. Nous découvrons que de force, notre singularité. Nous découvrons que notre fameuse exception française reste sans doute dans l'art de vivre un ornement du génie national. Mais qu'elle aura couvert aussi de ses artifices un lent abandon de la nation à l'engourdissement. Et perpétué l'échec à définir une juste dimension française.

Ainsi errons-nous de l'illusion où l'on se surestime à la dépression où l'on se sous-estime.

*

Cet isolement vient de loin. Il fut d'abord de croire que le miracle gaulliste de 1940 avait fait de notre pays le vainqueur d'une guerre que nous avons perdue. Pour enterrer ce traumatisme, de Gaulle et Jean Moulin ont jeté sur le chagrin et la pitié français un voile de légende. Mais, sous le voile, le spectre bouge encore. Le sursaut, ensuite, des trente glorieuses années d'après-guerre, le tissu industriel recréé, le statut stratégique reconquis grâce au nucléaire, tous ces coups de collier ont bien réveillé la nation et conjuré son déclin. Mais une outrecuidance euphorique – née peut-être de cet orgueil gaullien qui porta la nation au-dessus d'elle-même – nous a fait oublier ce que le monde sait : que la France n'était plus et ne pouvait plus être ce qu'elle fut.

Dans l'univers alors stable des Etats-nations, nous avons d'abord goûté aux drogues douces du protectionnisme, de l'inflation et des dévaluations. Puis à la drogue dure d'un socialisme étatique qui distribuait plus qu'il n'avait. A l'extérieur, nous tenions le rôle ambigu d'une grande nation moyenne. Avec un ancrage, Dieu merci, toujours atlantique et européen, mais des échappées confuses dans des rêveries post-coloniales, un tiers-mondisme fumeux, un mondialisme de parade. Vient aujourd'hui l'épreuve de mettre notre pendule nationale à l'heure du temps universel.

*

A l'intérieur, la culture étatiste nous a égarés dans deux impasses ruineuses. La première est l'obésité de l'Etat et une dépense publique en tonneau des Danaïdes. Cette semaine encore, Jean-Claude Casanova relevait d'une étude sérieuse [1] que les effectifs des administrations publiques représentent 25 % de l'emploi total en France, contre 16 % en Allemagne, qui n'est pourtant pas un pays sous-administré. Aucun autre des sept grands pays industrialisés ne connaît cette « défonce ». Autre bâtard du même Etat-providence : notre système de protection sociale de plus en plus perverti par « l'assistance généralisée et indifférenciée » [2]. Pour financer ces paniers percés, une cascade d'impôts écrase les entreprises et les particuliers. Et cette fiscalité abusive nous isole. Contre ces dérives, le tandem Chirac-Juppé rame éperdument dans de gros remous et, dirait-on, remonte insensiblement le courant.

Pas facile ! Car ces dévoiements ont gravement contaminé les esprits. Une opinion infantilisée attend tout de l'Etat, et souvent la

---

1. « Rexecode », Perspectives économiques N° 53 *(Le Figaro)*.
2. Raymond Barre, *(La Tribune)*.

lune. Il faudra une « révolution culturelle » pour retrouver le sens perdu de l'initiative, de la responsabilité et du civisme. Lorsque nous nous résignons à de croissants avilissements démocratiques, nous n'imaginons pas l'apitoiement inquiet qu'ils soulèvent ailleurs. Ainsi de la grève-thrombose des routiers ou de la séquestration du gouverneur du Crédit foncier.

*

Pendant ce temps, sur l'échiquier international, l'effondrement de l'Empire rouge dévaluait notre ticket stratégique de l'Europe. Et la réunification allemande attire vers elle le centre de gravité démographique, économique et stratégique de l'Europe. Dans ces bouleversements, notre politique étrangère peine à trouver ses marques. Elle se disperse encore en foucades diverses, tiraillée entre, d'un côté, ses ambitions d'ancienne grande nation habituée à donner son grain de sel sur l'universel et de l'autre, ses moyens de puissance moyenne. Ainsi prétendons-nous tenir la dragée haute à une Amérique impérieuse, au Proche-Orient, dans la région des Grands Lacs africains, dans la refonte de l'Otan, dans ses relations avec l'ex-URSS... Pourquoi pas, en effet ? Mais avec quel levier sinon le levier européen, qui ne lève encore que des espérances ?

Nous ne ferons pas, je le crois, l'économie d'une sérieuse cure de réalisme. Elle n'invite à nul défaitisme tant nous conservons d'atouts. En Europe d'abord, à la condition de ne pas prétendre y dicter nos tables de la Loi. Dans le monde ensuite, où l'image française fait encore, ici ou là, recette. Mais, pour cela, il nous faut encore découvrir notre vraie « dimension ». Et ne pas la chercher dans le rétroviseur !

(8 février 1997)

2. *MORALE ET POLITIQUE*

L'argent

Nos politiques sont-ils simples têtes de Turc dans une crise morale de société qui les dépasse ? Ou bien sont-ils responsables d'une croissante indignité publique ? Nous n'en saurons jamais rien : le politique est à la fois le montreur et la marionnette du théâtre social. Retenons seulement ceci : la question morale commence d'angoisser le bon peuple. Elle surgit, chaque jour, à marée basse des journaux télévisés : quand l'actualité nous découvre une délinquance proliférante qui gagne le sport, la police, l'administration, l'Etat. En fait, la question morale déboule le plus souvent autour de l'argent.

Les relations des Français avec l'argent sont – vieille histoire ! – équivoques. On sait que l'héritage culturel catholique de la nation a longtemps entouré l'argent d'une aura de péché et de secret. Que ce malaise a étouffé, chez nous, le capitalisme triomphant, de modèle protestant et anglo-saxon, où l'argent s'exhibe comme glorieux attribut de la réussite sociale. Que ce comportement trouble a longtemps nourri la répulsion de la gauche française pour l'argent (« qui salit, qui corrompt... qui enrichit en dormant », etc.), et fortifié son adhésion à la grande utopie égalitariste.

Depuis quelques années, la rapide désaffection de l'idéologie socialiste dans notre pays et, depuis un an, l'effondrement historique des régimes communistes ont affirmé, chez nous, par contrecoup, le triomphe du libéralisme. Il a porté l'argent au pinacle. Mais trop haut, trop vite pour une société qui n'y était pas préparée. D'abord, le système américain de l'argent-roi ne fait pas – et ne fera pas – rêver un Européen civilisé. Mais il se trouve, de surcroît, qu'aucun des garde-fous des sociétés libérales de type anglo-saxon n'établit ici son cordon sanitaire moral et juridique. Ni la presse et l'opinion, ni le Droit, n'agissent en gardiens efficaces de la vertu publique. On le voit bien, par exemple, dans ce marécage des fausses factures. Notre classe politique, incapable de s'accorder sur un système clair de financement, comme il en existe presque partout ailleurs, plonge dans ce scandale : des hommes qui votent la loi la détournent à leur profit.

Durant des lustres, les pauvres, ou, comme on dit, « les défavorisés » disposaient en France de plusieurs baumes pour endurer leur condition. Chez les uns, les viatiques privés de la résignation chrétienne et de la consolation par l'au-delà jouaient un rôle intime mais puissant que le déclin des croyances a laminé. Pour d'autres, cette religion de substitution que fut le marxisme a, pendant un demi-siècle, fait rêver au paradis terrestre de la société sans classes. On sait ce qu'il est advenu de cette espérance-là. Et comment son échec a, du même coup, dévalué une forte partie du syndicalisme français. Pour d'autres encore – enseignants, magistrats – la dignité de la fonction et la reconnaissance publique les faisaient sinon riches, du moins respectés. Ce que Péguy appelait « l'élégance spirituelle » gardait, face à l'argent, son rang. On sait ce que la paupérisation de l'Etat et la décrépitude des Eglises, de l'Ecole, de la Justice ont fait de cette « élégance ».

Alors, au désespoir de ces demi-solde de croyances en déclin, l'argent s'instaure en un seul instrument de mesure de l'individu. L'argent en fait « trop ». Bon serviteur, il devient mauvais maître. Contre le culte du Veau d'or, beaucoup commencent de renâcler, et jusqu'aux « cols rayés », de moins en moins éblouis par ses prestiges. Ils ne le combattent plus, mais ils s'en écartent : ils trouvent dans la sphère privée, ou le retrait du « cocooning », un refuge contre l'arrogante sanction du « fric » et de ses hit-parades. Et quelques-uns redécouvrent soudain, derrière Rousseau, qu'« on a de tout avec de l'argent, hormis des mœurs et des citoyens ».

Imaginer que le politique puisse, dans une telle décomposition, constituer un îlot de vertu et de stabilité, c'est absurde ! Mais le politique ne reste pas, pour autant, sans devoirs ni moyens. Entre un univers qui s'effondre (celui de l'Etat-nation et de son ancienne morale) et un avenir inconnu (celui de l'Europe et de la mondialisation des échanges), la démocratie française erre dans un terrain vague : les malins et les riches le tiennent pour un providentiel espace libertaire, et les pauvres pour une jungle. Le politique, sans réduire la libre et créative valeur du marché, peut et doit rendre ce terrain habitable. Et d'abord l'éclairer d'une nouvelle *morale civique*, où l'argent se retrouverait sous la surveillance du Droit. S'il échoue, la démocratie fera, dans le noir, de mauvaises rencontres.

(26 novembre 1990)

Le marécage

Un Romain téméraire osa dire, un jour, à l'empereur Caligula, perclus de vices, qu'il n'était qu'un gredin. « Tu n'as pas tort, répondit Caligula, mais crois-tu que mes sujets valent mieux que moi ? » Belle insolence de despote ! Notre classe politique pourrait la reprendre à son compte. Oui, avouerait-elle, elle patauge dans le marécage des « affaires ». Oui, elle s'y déconsidère... Mais guère plus que beaucoup de ces grenouilles qui clabaudent contre elle. Car le marécage est partout.

Il gagne le sport et ses combines, les affaires et leurs dessous-de-table, la construction et le trafic des permis, la police et ses « ripoux ». Vous le respirez dans l'air du temps, dans l'argent-roi, dans les férocités de la jungle économique, dans le triomphe des marchands de vent, et l'exaltation de ces carrières plaquées or aux vitrines des télés. Un homme d'esbroufe y vaut cent fois un homme vrai. Alors, donc, le bon peuple se dégoûte de ce que ses élus ont bricolé à leur profit la roue de la fortune. Le bon peuple voudrait ses élus impeccables. Mais pourquoi donc ? Ces élus sont les siens. Et ils lui ressemblent.

*

La classe politique a commis, il est vrai, deux péchés majeurs. Le premier fut de ne pas mesurer la courbe fabuleuse des dépenses de campagnes électorales et d'imaginer que le classique trafic d'influence à la française (permis de construire, hypermarchés, commissions clandestines de ventes d'armes, etc.) suivrait le train accéléré du financement coûteux des partis. Impossible. Alors, le système, déjà scandaleux, dut être complété par un arrosage plus direct, celui des fausses factures. La « pompe à phynances » du Père Ubu.

La seconde faute, ce fut l'amnistie. Une faute pour des faiseurs de lois que de les façonner à leur service. De laver l'argent sale en famille. Même si c'était pour remettre le compteur à zéro pour l'adoption, en 1990, de la nouvelle loi Rocard. Cette loi, les connaisseurs doutent d'ailleurs qu'elle apporte l'assainissement désiré. On verra. Elle n'aborde pas, en tout cas, avec la vigueur nécessaire la limitation des dépenses médiatiques pour les grandes campagnes. Toujours est-il que l'amnistie ne « passe pas », qu'elle reste sur l'estomac populaire. L'opinion sait bien que les partis ne pouvaient se financer par l'opération du Saint-Esprit. Mais la vérité, c'est que l'opinion ne veut pas le savoir.

L'opinion ne veut pas le savoir parce qu'elle trouve, dans sa désaffection désabusée, l'occasion commode de dénoncer à bon compte chez l'élite politique un mal qui la ronge elle-même. Ce mal tient, pour l'essentiel, à ce que nos mœurs politiques et notre Droit sont trop avachis pour suppléer une morale privée déclinante. Et cela dans le temps même où le libéralisme triomphant déchaîne, sur les ruines de l'utopie égalitariste, les prestiges et licences de l'argent-roi. Sur ce chapitre, le pape, dans sa dernière encyclique, a fait faire à l'Eglise beaucoup de chemin. N'en déplaise aux curés marxisants, il reconnaît avec force « le rôle pertinent du profit (...), du marché, de la propriété privée, de la libre activité économique ». Mais il souhaite aussitôt, « et pour les encadrer, un contexte juridique ferme ». On ne saurait mieux dire : c'est la vraie loi du vrai libéralisme. La liberté dans le Droit. Celle que nous ignorons. Les Français croient que la démocratie, c'est l'élection. Non : c'est l'élection plus le contrôle des pouvoirs. Quid, chez nous, des contrôles ?

*

L'Amérique, dont je ne ferai certes pas un modèle absolu, a, du moins, un Droit, une presse, une opinion publique pour garde-fous. On n'y tolère pas l'étouffement des affaires dans le je-m'en-foutisme sceptique et l'oubli. La rigueur n'y néglige pas les puissants. Imagine-t-on, en France, le plus proche collaborateur du Président épinglé pour avoir abusé, dans ses loisirs, des avions de l'Etat ? L'idée ferait rigoler dans nos chaumières. Parce que l'opinion, en France, est insolente, mais docile : insolente comme « Bébête show », mais docile aux combines des caciques. Jean-Denis Bredin note que la France, qui fut jadis « révolutionnaire et servile », n'est plus révolutionnaire, mais de plus en plus servile. Avec une opposition molle, un Parlement asthénique, des syndicats éteints, des citoyens réveillés pour défendre des intérêts particuliers ou catégoriels, mais assoupis quand il faudrait défendre l'intérêt général. D'ailleurs, de quoi se plaint-on ? Puisqu'il nous reste la frime, des commémorations et des jeux.

Il est vain d'espérer une prompte réaction populaire à cet avilissement de la morale privée et des vertus politiques. Mais un sursaut, peut-être ? Offrir au Droit, aux juges, à leur indépendance, les moyens juridiques et matériels d'une nation civilisée. Et, pour aller aux racines du mal, donner aux enseignants le goût et les moyens de fabriquer non plus des masses, mais des citoyens... Je rêve, ou quoi ?

(13 mai 1991)

Pour les juges

Bernard Tapie ; Didier Pineau-Valencienne. Entre eux, rien de commun ! Sinon que leurs mésaventures nourrissent le grand Guignol européen de l'argent et de la Justice. En Italie, une caste au pouvoir depuis quarante ans est lessivée ; en Grande-Bretagne, Robert Maxwell, grand charlatan de la gauche européenne, se suicide sur un gouffre d'escroqueries ; en Allemagne un géant immobilier, Jürgen Schneider, est en fuite ; en Espagne, c'est le patron de la Garde civile... Partout, la campagne électorale européenne se traîne à l'ombre de scandales éclatants.

*

D'où vient cette chienlit ? De loin ! A l'évidence du grand déclin, dans nos sociétés européennes, des prescriptions de l'ancienne morale courante, d'inspiration religieuse. Les curés, c'est un fait, économisaient bien des gendarmes, et le frein moral, la conscience individuelle du « péché », entretenaient, dans la société, le souci d'« honnêteté ». Du temps de l'adage populaire « qui vole un œuf vole un bœuf », le consensus des tabous enlevait bien de la clientèle aux juges de paix. Ce système des interdits s'est déchiré avec le tissu chrétien. Sous la tutelle médiatique du Veau d'or, les réussites d'argent s'accommodent aujourd'hui de pratiques qui hésitent entre le permis et le défendu. Dans l'espace extensible qui les sépare, se déploient à leur aise toutes sortes de filouteries. Ainsi, 16 % de jeunes de 18 à 30 ans – dixit un récent sondage – souhaitent-ils à Tapie, virtuose épinglé de la triche en tous genres, le plus glorieux destin national.

Et ce n'est pas tout ! Comme pour sanctifier de son autorité ce dévoiement général et progressif, le pouvoir lui-même n'a pas craint de chercher ses ressources dans la combine et la tripatouille. Les fausses factures pour améliorer l'ordinaire des campagnes électorales ont inauguré, en fanfare, une ribambelle d'« affaires ». Tandis que pots-de-vin et dessous-de-table envahissaient les plaines de la République, que la régionalisation ouvrait, sans contrôles, de nouvelles vallées au clientélisme marron, on aura vu, dans les sommets, un compagnon du chef de l'Etat convaincu de délit d'initié. Il s'est trouvé – fait inouï – un gouvernement pour accueillir en son sein un cascadeur jonglant aux bords de la carambouille et dont personne ne pouvait alors ignorer qu'il serait un jour pourchassé par ses créanciers, le fisc, les douanes et trois ou quatre juges.

Complot ? Sans doute ! Mais pas celui que déplore Tapie. Le vrai complot, ce fut, en sa faveur, celui des réseaux complices de pouvoir et d'argent qui l'ont couvert d'une manne de crédits insensés ! Complot de banquiers, d'affairistes, de politiques fascinés par l'esbroufe et entonnant sa douteuse renommée depuis les grandes orgues de l'Elysée jusqu'aux petits pipeaux d'un Parti radical en goguette. Le tout, au mépris de la règle commune, réservée, elle, au fretin des citoyens sans titres et autres contribuables !

*

Il ne faut pas s'étonner que contre cette marée, la Justice – ici comme ailleurs – élève la seule digue qui vaille et qui est celle du Droit. Les juges défendent la République lorsqu'ils s'attaquent au triomphe des tricheurs. Ils protègent un ensemble de règles sans lesquelles toute vie collective devient une jungle.

Que certains magistrats, sous les projecteurs, se montent le bourrichon, c'est sûr. On doit dénoncer leurs dérives, comme celle de l'usage abusif de la détention préventive. Mais il faut, pour l'essentiel, soutenir le combat des juges, parce qu'ils sont désormais les meilleurs fantassins de la démocratie.

« La morale publique, disait Napoléon, est le complément naturel de toutes les lois ; elle est à elle seule tout un code. » Or, comme ce code s'effondre, les juges doivent affronter, avec les seules lois, une immoralité publique qui gagne de larges courants de la société. La Justice, hélas, est pauvre, elle est lente et, entre la mise en examen et le verdict, une durée trop longue dessert, devant l'opinion, sa vertu d'exemplarité.

Surtout – autre et terrible handicap – devant les fluidités nouvelles de l'argent, le raffinement de ses circuits, la vitesse des transactions, la législation française des affaires reste empotée, et impotente. Comment établir, dans une multinationale du type du groupe Schneider, la chaîne des responsabilités de la présidence aux filiales ? En matière de délits d'initiés, de fraude fiscale, la Justice française ne peut aligner ni la jurisprudence ni la rigueur du droit américain des affaires.

Aux Etats-Unis le chef du cabinet du président Clinton, qui avait utilisé un hélicoptère officiel pour ses loisirs, a été chassé cette semaine de la Maison-Blanche et contraint de payer les heures de son vol abusif... Nous rions en France de cette raideur morale. A tort ! On gagnerait à méditer l'exemple qu'elle donne à la nation. Et d'abord à ceux qui se déplacent sans yacht ni hélicoptère, payent leurs impôts, remboursent leurs dettes et pratiquent, sous le ricanement des malins, le civisme élémentaire qui est l'oxygène des démocraties.

(4 juin 1994)

Bibi fricoteur

Si vous doutez des ravages de cette variété moderne du populisme qu'est le télépopulisme, regardez bien comment se développe, sur vos écrans, la résistible ascension de Bernard Tapie, dans le grand Guignol de ses démêlés avec les instances judiciaires ou sportives. A regarder ma télévision, je vois un sympathique aventurier harcelé par l'odieux complot de mauvais chats fourrés pour l'empêcher de conquérir la bonne ville de Marseille. Dans l'amalgame propre à ce genre, les excités qui brûlaient un drapeau français près de la Canebière, c'était le « peuple-de-Marseille » ; et le héros qui allait délivrer les forces rayonnantes de la joie, de la jeunesse et du sport dans une ville ravagée par le chômage, et opprimée par les pontes parisiens, c'était Tapie. Alors, leur beau rêve, les lendemains qui chantent sous Notre-Dame-de-la-Garde, c'était ce martyr d'une conspiration de ronds-de-cuir, empêcheurs de botter en touche, misérable banc de sardines anonymes qui bouchent le Vieux Port !

Que le rêve soit truqué, pas un mot ! Que le délit de corruption fût tenu pour avéré par 26 dirigeants de football sur 26, pas un mot ! Que les 250 000 F de la corruption versés et perçus soient un fait démontré, silence ! Le délit est enfoui sous la procédure et la télé n'en a cure. Elle raconte la geste de Bibi Fricotin. De Bibi fricoteur, elle s'accommode.

Le compagnon de Tapie, Bernès, qui n'a pas la rouerie de son maître, laissait, lui, passer le bout de l'oreille. Il disait en substance que le football professionnel était ravagé de combines. Sous-entendu pourquoi seule Marseille devait payer ? Il disait que l'équipe, la ville, la gentille jeunesse de Marseille qui doit s'exalter dans les stades sont injustement punies. Sous-entendu : on ne va pas faire six caisses d'un trucage puisque le bonheur de Marseille est en jeu. Bref il fallait que les magistrats de justice et le tribunal sportif fussent des militants clandestins de la méchante droite pour briser ainsi la carrière du Robin des bois, Robin des villes de la nouvelle gauche, porté tout à la fois par les ailes du progrès et de l'Elysée.

De cette énorme farce médiatique, on retiendra quelques leçons. La première est que, dans ce genre de comédie, la majorité silencieuse est de plus en plus silencieuse : je parle de celle, spectatrice ou pratiquante de sport, et qui croit qu'un sport miné de tricheries devient une foire d'empoigne livrée au fric.

La seconde, c'est que les lenteurs ajoutées de la justice et des instances sportives sont de plus en plus néfastes : on oublie le délit, et les truqueurs se mettent à l'ombre des maquis de procédure.

La troisième, c'est que la politique, lorsqu'elle grenouille dans ces sentines, devient elle-même un sport déconsidéré où la rigueur, l'esprit de vérité, et la loyauté sombrent l'un après l'autre. Pauvres radicaux de gauche, tombés de l'estime à l'épate et de Mendès à Tapie ! !

Ce que raconte en somme cette histoire édifiante, c'est la saga d'un enchanteur pourrissant juché sur quelques décombres de la morale publique.

(26 avril 1994)

Le sang contaminé

La justice, la politique, l'opinion, ont, toutes trois, jugé, chacune à sa manière, cette sinistre affaire du sang contaminé. Et aucune des trois ne s'en tire sans dommages.

La justice, elle, a des circonstances atténuantes. Elle n'a rien trouvé dans son code entre l'empoisonnement et le délit plus bénin retenu contre les inculpés. D'autre part, les officiels de la santé ne lui ont pas facilité la tâche. Enfin, sept ans plus tard, il est difficile de mesurer le contexte, le climat dans lequel s'est perpétrée cette abomination.

Mais la politique s'en tire plus mal encore. Fallait-il, dira-t-on, traîner les politiques devant la Haute Cour ? Je crois que non, et pour deux raisons. La première est que la Haute Cour de justice, depuis trente-quatre ans qu'elle existe, n'a jamais fonctionné. Et la deuxième que la Haute Cour évoque le sentiment d'une faute impliquant une responsabilité lourde, alors que la notion d'empoisonnement n'avait pas été retenue contre Garretta, et ne pouvait donc pas l'être contre les ministres.

Par contre, il est évident que les ministres auraient dû être sanctionnés. La Constitution, on le sait, interdit leur comparution en justice pour des actes commis dans l'exercice de leurs fonctions. Mais au moins eussent-ils dû démissionner ou être démissionnés. Radiés, en quelque sorte, comme Garretta l'est de son Ordre médical. Il faut que le pouvoir en France soit bien fatigué pour ne pas apercevoir le danger de confirmer l'opinion dans son idée que les notables socialistes, spécialistes de la défausse, après s'être auto-amnistiés dans l'affaire des fausses factures, se défilent ainsi à nouveau dans cette sinistre affaire de sang contaminé.

Après la justice et la politique, que dire des médias ? Rien de bon ! Une chasse à courre derrière le seul Garretta, une danse du scalp, une sorte de cérémonie de vengeance expiatoire par lynchage médiatique, rappelant un cérémonial de société primitive. Car enfin Garretta a, lui, été condamné. Il s'est livré. Il reconnaît sa faute, même s'il en discute le degré. Beaucoup d'autres, aussi coupables que lui, ne l'ont pas été. Si l'on peut comprendre les violents sentiments de vengeance des hémophiles contaminés, il est pénible de voir tant de médias sonner l'hallali d'un seul homme. Il est vrai que pour réchauffer le chaudron des sorcières et l'irrationnel des foules, on trouvait au chevet de cette histoire funèbre deux grandes figures mythologiques de la condition humaine : le sang et la mort.

(31 octobre 1992)

——— Responsable jusqu'où ?

Il n'y a, par les temps qui courent, aucune autorité qui vaille. Et pas même l'autorité céleste, celle de la fatalité, qui file un mauvais coton. Nos sociétés demandent de plus en plus à la Justice de disputer au destin d'anciennes prérogatives. Tant mieux ! Mais cette ambition tonique et qui nourrit le progrès ne va pas, comme on dit, sans bavures.

Voyez les catastrophes dites naturelles. Quand une rivière sort de son lit, le reproche jaillit aussitôt d'avoir laissé construire sur ses rives. Et il est vrai que l'appétit des promoteurs joint à l'imprévoyance publique encourt, quelquefois, fort légitimement, une responsabilité démontrable. Mais lorsqu'il s'agit d'un déluge qui se produit tous les deux siècles, on va tout de même chercher noise, comme à Vaison-la-Romaine, à un préfet octogénaire, depuis longtemps à la retraite, pour lui reprocher d'avoir manqué, il y a 30 ans, de prévoyance sublime en ne déclarant pas inconstructibles des terrains épargnés depuis Louis XV. J'entendais dimanche à la télé le commentaire impitoyable d'un petit Français sur les systèmes antisismiques japonais à Kobé, comme s'ils pouvaient quoi que ce soit devant un séisme de force 7, soulevant une ville comme un château de cartes. A ce compte-là, je conseillerai à la mairie de Mulhouse de se souvenir qu'un tremblement de terre ensevelit leur ville au XIVe siècle...

Pour l'affaire épouvantable de la tribune effondrée du stade de Furiani, de nombreuses et pitoyables victimes voudraient – elles le crient ! – que la justice réserve à tous ceux qui sont dans le box le sort de ce prévenu qu'un fusil anonyme avait, par avance, exécuté. Pitoyable justice qui doit démêler l'écheveau inextricable de responsabilités que fomente surtout la fièvre inouïe du football et du lucre qui l'environne ?

De même dans l'affaire du sang contaminé par le sida, il est clair que des considérations économiques ont cyniquement bousculé, chez plusieurs responsables directs, l'appréciation du risque. Mais alors où s'arrête l'échelle des responsabilités ? Dans le cas de Fabius, aujourd'hui poursuivi, est-il évident qu'un Premier ministre eût à trancher lui-même ? Dans la médecine, tout aussi désacralisée que la politique, les chirurgiens échaudés par les procès se font de plus en plus donner des décharges écrites, avant de passer au bistouri.

Dans l'ordre politique, ajoutons que depuis l'effondrement de l'utopie communiste, la passion égalitaire demande de plus en plus à la Justice de réaliser, au moins devant la loi, une égalité qu'elle attendait, jadis, du « Grand Soir » ! Entre nous, c'est un progrès ! Encore faudrait-il que cette pauvre Justice, chargée, accablée de tant d'espérances confuses, puisse avoir les moyens d'occuper sereinement ces nouveaux territoires sans perdre le juste sentiment de ses impuissances. A moins d'introduire, dans notre code, le recours du Conseil d'Etat contre les décrets de la Providence !

(24 janvier 1995)

Le trio des casseroles

Quand l'Etat français peut ajouter son autorité institutionnelle, l'arrogance clanique de sa haute administration et l'affairisme, alors le pire est assuré. Et le scandale du Crédit Lyonnais restera comme un Tchernobyl financier, un cas d'école pour comprendre notre société anonyme d'irresponsabilité illimitée.

Le Crédit Lyonnais est une banque d'Etat, et l'Etat y règne en satrape. Dès lors qu'en son opaque souveraineté, un signe vient du sommet pour bénir la gestion la plus délirante, tout devient possible. Mais enfin, direz-vous, les membres de son conseil d'administration ne sont pas des enfants ? Non, certes, mais ce sont des muets du sérail. Ils règlent leurs silences sur celui du sultan, sur celui du grand vizir, et leur silence vaut acquiescement.

Que trois, parmi les plus spectaculaires acrobates financiers d'Europe, aient pu contribuer à cette ruine exceptionnelle n'est pas innocent. L'Anglais socialiste Maxwell, aventurier escroc, paradait dans les sommets de notre pouvoir, qu'il contemplait avec gourmandise du haut de l'Arche de la Défense. L'Italien socialiste Paretti s'introduisit en France en missionnaire de la filière politico-financière italienne. Il prit en toute simplicité, au siège du Parti socialiste, un bureau et des cartes de visite, et la rose à la main, se présenta au Lyonnais avec l'entregent d'un Cagliostro soutenu par le trône. Quant à Tapie, autre mirobolant de finance, plus ses affaires périclitaient sous le bluff, plus il montait dans la considération du Prince qui en fit, à l'effarement des honnêtes gens, un ministre de la République.

Pour corser ce scandale de République bananière, il fallait d'autres ingrédients. Le premier fut un patron mégalomane, enivré par la volonté de puissance et les mirages du Veau d'or. Mais enfin, direz-vous, cet homme n'était pas seul ? Non, en effet. Mais outre qu'il avait le soutien d'un pouvoir ravi de ses complaisances, ce banquier avait le privilège de figurer dans l'aristocratie du Tout-Etat qui se tient les coudes. Il aura ainsi suffi d'une cinquantaine d'hommes de pouvoir ou serviteurs du pouvoir pour opérer ce « casse » sans précédent dans les caisses publiques.

Car ne croyez pas que le scandale était imprévisible, non ! Tous les banquiers d'Europe faisaient depuis longtemps des gorges chaudes avec le Lyonnais. Au *Point*, du temps même où prospérait encore le trio des casseroles, celui de Maxwell-Paretti-Tapie, nous avons plusieurs fois donné de la trompe. En vain ! Le pouvoir haussait les épaules. Quant aux caciques du Trésor ou de l'inspection des Finances, combien prenaient un air navré pour murmurer : « Mais non, mais non, tout ça n'est pas si grave... »

En vérité, quand alors nous en parlions, nous étions largement en dessous de la vérité. L'an passé, quand le scandale a éclaté, nous étions encore en dessous de la vérité. Et dans le dernier bilan, 500 rames de TGV Atlantique, 100 000 logements sociaux, 500 000 places de crèche... je ne crains qu'une chose : être encore en dessous de la vérité. Alors, à votre santé, bonnes gens, et à vos poches !

(17 janvier 1995)

Le désir de morale publique

« La politique n'est pas une logique. C'est une dynamique [1]. » Une dynamique – faisceau indéfini de forces en mouvement – dont le tourbillon engloutit ces temps-ci le pouvoir. Mais elle aspire aussi, dans le même vortex, toute la classe politique et syndicale, et, au-delà, une certaine forme de la démocratie française.

Nous vivons, en fait, une période de révolution non violente où la société, dont l'ordre ancien s'est effondré, se découvre comme déstructurée, dépressurisée. Dans cette ère du vide, de la solitude existentielle et de l'angoisse économique – et qui n'est pas propre à notre pays – on aperçoit, en France, en Belgique, au Tessin suisse, en Lombardie, en Autriche, la poussée de ceux qui souhaitent la reconstruction musclée d'un ordre à l'emporte-pièce. Il me semble que, parmi eux, les zélateurs d'un « ordre nouveau » sont moins nombreux que les orphelins d'un ordre ancien.

Dans toute l'opinion, en tout cas, on distingue la recherche, encore confuse, d'une nouvelle relation de la politique et des citoyens. Le désir de reconstituer une morale publique, où la disposition, fût-elle effrénée, des libertés privées imposerait d'autant plus à la vie collective de nouvelles obligations, de nouvelles rectitudes. Trois exemples.

*

Les dégâts considérables provoqués dans la classe politique par les « affaires » sont le fruit évident d'une répulsion nouvelle de l'opinion. Comme les partis politiques ne sauraient se financer par les seules cotisations de militants de moins en moins nombreux, comme la médiatisation accélérée impose aux campagnes électorales des coûts élevés, toute la classe politique se finance par le système des fausses factures. Le délit devint si naturel que, lorsque le pot aux roses fut découvert, le pouvoir socialiste pensa que l'effacement de la faute dans l'amnistie passerait comme lettre à la poste. Après tout, se disait-il, il y avait peu d'enrichissements personnels, et le cas n'était donc pas si pendable. Terrible erreur ! L'amnistie est restée en travers de la gorge de l'opinion. Celle-ci ne l'a pas encore digérée.

Mais il y eut pire. Et ce fut de voir le pouvoir socialiste, si volontiers prêcheur et discoureur sur les poisons de l'argent, frayer de si

---

1. Ce mot (de Daladier) est rapporté par Maurice Faure.

près avec quelques grands acrobates de la finance, qui gagnent tant d'argent « en dormant », sans doute parce qu'ils dorment plus vite que les autres. L'Amérique ne discourt pas, comme M. Mitterrand, contre l'argent, mais elle dispose d'un droit impitoyable pour les délits qu'il engendre. Dans notre système public et privé, la corruption fait des progrès effrayants. Mais notre organisation juridique de défense est faible. Pour cette raison même, la politique devient suspecte. L'opinion, là-dessus, ne va cesser d'exiger des changements radicaux.

*

Deuxième exemple : la règle du jeu politique. Voilà des lustres que la France est une des seules démocraties au monde à changer sans cesse le mode de désignation de ses élus. L'extravagance qui consiste à laisser au pouvoir en place la possibilité de changer le mode de scrutin au mieux de ses intérêts, cette extravagance a toujours été acceptée, en dépit du bon sens démocrate, comme une sorte d'apanage gallican. François Mitterrand le tient tellement pour un ornement de l'art politique, qu'il ne se cache nullement à la télévision d'exhiber, non sans coquetterie, sa virtuosité dans cette pratique.

Mais voilà : là-dessus aussi l'opinion change. De plus en plus nombreux sont les Français qui voient, comme moi, dans cet exercice une plate canaillerie à supprimer. J'ai comme tout le monde mes préférences, et je préfère le scrutin majoritaire. Mais va pour n'importe quel mode de scrutin pourvu qu'il soit inscrit dans la Constitution et qu'on n'en change pas plus que de Constitution ! L'essentiel est de mettre enfin, avec une règle fixe, un peu de morale dans cet acte essentiel de la démocratie : l'élection.

*

Le troisième exemple touche à la politique étrangère. Là encore, la perception par l'opinion des intérêts nationaux évolue. Les Français suivent de mieux en mieux Bernard Kouchner, dont l'activisme et l'énergie médiatique s'inscrivent efficacement dans une tradition humanitaire et généreuse de la France. Mais ils suivent de moins en moins la vieille dame indigne du Quai d'Orsay lorsqu'elle a l'idée de « passer l'éponge » sur l'abomination d'un Etat terroriste, ou de s'exhiber dans la compagnie des bourreaux cambodgiens. Il y a chez l'avocat Roland Dumas – moins Talleyrand que Périgord – une préférence trop appuyée de la combinaison sur le principe, de l'alambiqué sur l'honnête, de l'incohérent sur le visionnaire, qui ne peut plus inspirer l'estime d'une communauté moderne de citoyens libres.

(30 novembre 1991)

——— Le sport s'encanaille

Patatras ! C'est donc le tour du football d'exhiber, menottes aux mains, corrupteurs et corrompus. Pénible pour ceux qui, pratiquant le sport, le tiennent encore pour un des derniers espaces de loyauté. Pénible pour les sportifs en chambre qui, devant leur téléviseur, se sentent vaguement cocus et redouteront bientôt que les boules du Loto, elles-mêmes, ne soient truquées. Cela dit, ce n'est guère une découverte pour tous ceux qui, abasourdis par l'insolence de l'argent dans le sport-spectacle, se doutaient bien que les proxénètes des stades s'aviseraient un jour d'en corriger la « noble incertitude ». Chez les « barons » à combines du football-business, le seul introuvable, c'est bien le baron de Coubertin, prophète d'un idéal défoncé par les marchands du Temple.

Le sport, si heureusement répandu dans notre société, si bien servi par la télévision, si bénéfique à l'équilibre privé, se dégrade par sa gloire publique. Déjà avili par la frénésie de ses tribus de supporters peinturlurés, qui vont au stade comme des Balubas à la guerre, infecté par les mauvais philtres de toute une pharmacopée de dopants vétérinaires, abaissé par sa proximité nouvelle et crapoteuse avec la politique (Tapie et l'électoralisme marseillais), ou la diplomatie (les acrobaties du Comité olympique), voici que le sport professionnel s'encanaille sous le gros Veau d'or hormoné qui nous sert d'idole. Le collage du professionnalisme et de l'argent présente du sport une face de brute ou de voyou. Ce qui était – et reste, Dieu merci, pour des millions de sportifs – « un art, une recette morale dont l'exercice est physique » selon Giraudoux devient, sous nos yeux, une jungle mercantile, un cirque de Bas-Empire où l'on achève bien les champions.

*

Quelle déchéance pour l'institution sportive que de se montrer, dans ses fédérations, ligues et autres comités, souvent si débile devant les chevaliers d'industrie qui assassinent sa réputation avant d'en appeler in extremis à la justice pénale pour qu'elle fasse, à sa place, la lessive ! Vous me direz que la politique a, dans notre société, donné le ton, puisque c'est encore la justice qui supplée son impotence à extirper les diverses corruptions qui la rongent.

Pauvre justice, si appauvrie, si mal servie par l'Etat, et qui tient bon, s'arc-boute contre l'éboulis des règles, monte au front, bon fantassin d'une démocratie trahie, à l'arrière, par tant de fripons !

*

Car ce que la justice découvre, ce n'est, je le crains, qu'une poignée de délits dans une marée délétère. Nos confrères des rubriques sportives ont maintes fois – sans pouvoir en produire des preuves recevables en justice – respiré les vapeurs de corruption qui montaient des vestiaires. Au grand casino du sport-spectacle, il faudrait une police, une brigade des jeux pour ces jeux-là.

Et s'il s'agit des compromissions du pouvoir et de la politique, vous n'oublierez pas que c'est à la juridiction boursière américaine que nous devons d'avoir, à l'origine, déterré cette affaire Pechiney qui ne fut, sans doute, ni la première ni la dernière du genre.

Quel incroyable vertige aura donc fait tourner autour du pouvoir socialiste une telle noria d'aigrefins et de flibustiers ! Des requins dans le vivier politique, ce n'est pas une nouveauté dans notre histoire. Mais a-t-on jamais vu un pouvoir, si ardent à sermonner « l'argent qui corrompt », s'énamourer pour des escrocs (Maxwell, Paretti), échanger séné et rhubarbe avec un Pelat, frétiller autour de Tapie, victime, même s'il est innocent, de sa réputation de funambule de finance. Bref, béer devant les nouveaux héros des temps modernes, proposés à l'admiration des foules, sur un yacht blanc, entre seau à champagne, téléphone portatif et glaïeuls.

Et combien d'autres, dans l'entourage du Prince, auront été tourneboulés par ce miroir aux alouettes ! Ni coquins ni tricheurs, eux, mais simplement grisés, emportés, avec toute une nomenklatura, dans les mirages de l'ostentation et de la vie à grandes guides sur le char de l'Etat. Je parierais que Jacques Attali, esprit visionnaire, subtil et généreux, n'aura dû ses maladresses londoniennes qu'à de mauvaises habitudes contractées, jadis, dans un palais où l'on méprise l'argent, mais pas assez ceux qui le tripotent. Splendeurs et misères des courtisans !

*

Convenons, en somme, qu'il est vain de compter sur les règles mal en point d'une morale privée en pleine mutation. Pour une nation fraîchement convertie au libéralisme – et que ses restes d'économie mixte soumettent à toutes les promiscuités de l'argent et de l'Etat – il n'est que temps d'inventer, sur le modèle anglo-saxon, une morale civique où l'argent se retrouverait sous la surveillance plus étroite du Droit. Faute de quoi, la démocratie française, en ne se respectant plus, perdra le respect de tous.

(3 juillet 1993)

La révolution des juges

Vivons-nous une révolution judiciaire? Oui! Ce n'est pas une réforme parce qu'elle échappe, pour l'essentiel, à la conduite concertée de l'Etat. Et c'est bien une révolution parce qu'elle modifie la relation des trois pouvoirs – exécutif, législatif et judiciaire –, au détriment du politique et au profit de l'initiative judiciaire. Cette révolution de la justice – disent ceux qu'elle inquiète – détruit l'équilibre fameux, nécessaire à l'harmonie démocratique. Franchement, je ne lui vois pas ce défaut. Il me semble, au contraire, que son coup de balancier rétablit un équilibre qui était en perdition.

*

Une évolution foudroyante a bouleversé, en deux générations, les relations du citoyen à toutes sortes de pouvoirs, ceux des Eglises, de la maîtrise enseignante, de l'autorité parentale, de la domination masculine, et que sais-je encore. Elle ébranle partout des hiérarchies jadis acceptées. Comment imaginer que le pouvoir politique n'en serait pas, au premier chef, désacralisé? Et avec lui le statut des divers « puissants » – administratifs ou économiques – qui jouissaient, par complaisance, de privilèges illégaux. C'est donc portés par une revendication nouvelle du citoyen que les juges investissent d'anciennes places fortes. Ils ne s'attaquent nullement aux principes de notre ordre politique ou économique mais à des perversions de la loi entretenues par la tolérance, accrues par l'incivisme de l'époque, exagérées ensuite par l'intensité de l'échange économique, facilitées enfin par le maquis des nouvelles complexités financières.

Ainsi de l'abus de biens sociaux, bien mal défini dans le Code mais qui n'est jamais qu'un vol pur et simple de la propriété collective d'entreprise. Ainsi, surtout, du financement des partis politiques. Ce mastodonte de la magouille française, au fil des surenchères médiatiques et ruineuses des campagnes électorales, est devenu le fruit d'un « pacte » détestable : le pouvoir national, régional, municipal y trafiquait, contre rétribution, sa capacité à décider de ceci ou de cela, depuis la construction d'une piscine ou l'établissement d'une grande surface jusqu'à la conclusion d'une grande commande publique. Au pinacle du système, vous trouvez les corruptions organisées des puissances pétrolières, et celles des marchés d'armes à l'étranger, qui occultaient, dans le secret des commissions mirobolantes versées aux clients, le retour vers l'Hexagone de considérables subsides politiciens. Toute cette dérive pourrissait l'Etat et corrompait la Nation. Ainsi la nouvelle génération des juges ne paraît-elle si iconoclaste que parce qu'elle investit des labyrinthes trop longtemps cadenassés. Elle agit en communion avec l'opinion pour s'attaquer à « l'illégal toléré devenu l'illégal intolérable [1] ».

*

Sans doute s'est-il opéré dans la conscience collective un transfert de la revendication égalitaire : l'échec de l'utopie égalitariste se compense peu à peu dans le désir d'égalité devant la loi. En somme, le peuple de gauche, dirait-on, renonce à l'utopie d'un changement de société, se résigne à l'économie de marché mais veut au moins que, faute d'y atteindre une impossible égalité des conditions, la justice veille à y rétablir l'égalité des droits. Si bien qu'au fond notre Justice, dans ses nouvelles ardeurs, loin de déstabiliser le Système, joue plutôt le rôle d'agent intégrateur d'un nouveau consensus.

Elle devient la médecine d'une démocratie malade. Elle sert une nouvelle exigence démocratique pour faire évoluer la France vers les normes occidentales de la transparence. Car enfin, voyez donc jusqu'où nous étions descendus ! Mesurez la marée des trafics d'influence, l'immense réseau des corruptions en tous genres, l'arrogance inouïe de l'immunité politique qui fit, sous Mitterrand, nommer ministre un artiste épanoui de la carambouille dont personne ne pouvait ignorer qu'il serait un jour rattrapé par ses escamotages. Quelle misère, pour toute la gent politique, de constater, encore aujourd'hui, que dans ce cinéma incivique de Tapie l'écharpe de député paraît constituer l'ultime rempart du délit ! Qui ne voit, de même, que ces temps-ci, en France, et comme en 1848, il se disait de plus en plus, dans les classes populaires, que tout ce qui se trouve au-dessus d'elles est incapable et indigne de les gouverner [2] » ?

*

Quelques magistrats, proteste-t-on, mettent de la frénésie à leur mission, et c'est vrai. Certains dénaturent leur zèle par soumission aux derniers relents de la vindicte de classe, et c'est vrai. Il faut améliorer la formation des juges d'instruction, réformer, au prix indispensable de nouveaux postes à créer, le processus solitaire de la mise en détention provisoire, afin de ne pas y tolérer une sorte

1. Pierre Truche, président de la Cour de cassation.
2. Tocqueville.

d'acompte sur condamnation. La sérénité, certes, n'est pas la muse des révolutions.

Mais on doit aussi se dire que « la multitude des magistrats tempère les excès de la magistrature [1] ». Et que la magistrature, en son ensemble, devient assez consciente du service éminent qu'elle rend à la démocratie pour ne pas se discréditer dans des passions subalternes.

(20 juillet 1996)

L'autre fracture

« Fracture sociale ? » Oui, mais laquelle ? Ces temps-ci, éclate celle qui sépare d'un côté la France qui travaille, veut travailler et se bat. Et de l'autre, la France aux semelles de plomb, campée sur ses « avantages acquis ».

Lorsque la seconde, dite de service public, asphyxie le service du public, lorsqu'elle fait galérer des millions de Français et d'abord les plus modestes, ceux qui n'habitent pas les centres-villes, étonnez-vous que le fossé se creuse ! Qui donc aggrave cette fracture-là sinon les seigneuries syndicales qui font injure aux vrais chômeurs, mais injure aussi à la majorité démocratique en abusant de leur capacité de nuisance générale pour protéger leurs intérêts particuliers ?

Par quelle déchéance une société civilisée accepte-t-elle qu'une minorité arraisonne des millions de citoyens qui n'en peuvent mais ? Et qui donc installait, mardi, ce pesant contraste parisien de militants rameutés par les cars syndicaux et défilant, comme aux temps jadis, au son de l'*Internationale*, et les centaines de milliers d'otages pérégrinant de l'aube au crépuscule ou englués dans les embouteillages ? Qui donc défend le droit au travail de ces fourmis ? Qui protège les petites entreprises que la grève assassine ? Fracture sociale ? Oui, fracture croissante qui sépare ceux qui rament pour conjurer nos banqueroutes et ceux qui n'en ont « rien à cirer ».

*

Combien de grévistes des services publics ont-ils l'excuse d'un savoir dévoyé, drogué par la démagogie syndicale ? Eh bien, beaucoup ! Beaucoup à rester décervelés par la grande illusion qui,

1. Montesquieu.

depuis plus de vingt ans, leur cache la faillite de l'Etat-providence. Bernés par les mensonges de toutes les campagnes électorales ! Combien ont cru aux contes de fées d'une Sécurité sociale dont la défonce serait sans fin renflouée par la pluie d'or de l'Etat ! Mais qu'est-ce, en l'occurrence, que l'Etat payant, sinon cette cagnotte nationale – la vôtre, la nôtre, la leur – où les actifs ne suffisent plus à entretenir les chômeurs, les « exclus », les soins abusifs, les médecins inciviques, et le simple allongement de la durée de la vie, sans compter, bien sûr, les faux chômeurs, les faux « exclus » et tous les finasseurs de la grande tricherie nationale !

Oui, beaucoup ont encore l'excuse d'avoir été magnétisés par l'enchanteur Merlin, qui durant les 14 ans de son règne, leur a chanté la cantilène des « avantages acquis » – mais acquis sur qui ? payés par qui ? Quand leur a-t-on dit que cette berceuse appartenait au vieux répertoire d'une utopie égalitaire dégonflée par tout l'Occident, et désormais refusée par tous les socialismes, y compris le nôtre ! Oui, ils ont l'excuse d'avoir été roulés dans la farine par l'asservissement multiforme de l'Etat à l'endettement : celui flamboyant des années Tapie ; celui souterrain des gribouilles de l'Etat actionnaire, modèle Crédit Lyonnais ; celui de l'incurie d'entreprises publiques comme Air France ou la SNCF. Toute une noria de « paniers percés » !

Combien, parmi les grévistes, réalisent que la vache à lait n'a plus rien à tondre dans nos prés, et flageole ? Quel gréviste compare ses propres conditions à celles de ses pairs – bientôt ses concurrents – dans un monde qui rentre chez nous par portes et fenêtres ? Et combien de cheminots s'imaginent ainsi en « damnés de la terre », sans réaliser que leur statut – en horaires et régimes de retraite précoce – est le plus généreux du monde ?

En fait, l'entendement chez tous ces illusionnés a fait glisser la notion du « droit de » au « droit à ». « Personne, écrit justement un de mes confrères, ne conteste que chacun ait le droit de travailler, de se loger, de vivre décemment, voire d'être heureux. Où rien ne va plus – et voici le passage du " droit de " au " droit à " – c'est quand on considère que c'est à l'Etat de procurer aux citoyens les moyens de jouir de ces droits-là [1]. »

*

Il est temps que la France moderne sorte son syndicalisme de la naphtaline. On avance une réforme de la Sécurité sociale attendue depuis 20 ans, et Blondel (FO) n'aperçoit d'abord qu'une caisse qui lui échappe : « C'est un rapt », avoue-t-il d'emblée. Ensuite de quoi, il oppose placidement son idée du syndicalisme (« se cram-

1. Thierry Desjardins : *Lettre au Président...* (Laffont).

ponner aux acquis ») à ce qu'il appelle « l'intérêt général » et dont il dit se désintéresser comme si le sort de ses mandants n'était en rien concerné par « l'intérêt général ». Enfin, il gémit sur la réforme : « C'est une révolution ! » Pour tout fieffé conservateur, chaque réforme, en effet, paraît une insupportable révolution. Il est parfait, Blondel !

Par chance, et face à ce syndicalisme de guerre froide, voici quelques lueurs : Nicole Notat (CFDT), peu complaisante pour le pouvoir, refuse néanmoins de lui opposer un « non » puéril et brutal. Un groupe d'experts socialistes lui emboîtent le pas. Ils ont raison. Si la Sécu refuse de se laisser opérer, c'est à la morgue qu'elle ira.

Nous n'en sommes pas là. D'une façon ou d'une autre, la volonté de la majorité démocratique s'affirmera. Toute la France n'a pas voté la grève qui affecte toute la France. Loin de là !

(2 décembre 1995)

3. *NAUFRAGE D'UNE UTOPIE*

——— La crise de l'Utopie

Le bruit du désastre communiste enfle. Depuis la « glasnost » de Gorbatchev, depuis les craquements de la Pologne et le massacre de Pékin, il se déclare, chaque semaine, une petite ou une grande faillite. A Hanoi et Bucarest, à Moscou et La Havane, on fait désormais silence sur les catastrophes des « pays frères », comme on ne parle plus de corde dans la maison d'un pendu ! Car le communisme – où croupissent plus de deux milliards d'hommes – se dévoile enfin, et jusqu'en ses sanctuaires, comme la grande calamité du XXe siècle.

Devant ce naufrage, nous restons, chez nous, quasi sans voix. L'interminable erreur de tant de nos intellectuels si longtemps chavirés par la grande illusion léniniste les maintient-elle encore ahuris devant les ruines du Temple ? Redoutons-nous vaguement, dans nos routines, que, toute la banquise communiste se mettant à fondre à la chaleur de la liberté, les courants imprévisibles du dégel ne deviennent plus dangereux pour nous que l'équilibre bien balisé de la terreur ? Ou bien pressentons-nous que la « décolonisation » sera longue et périlleuse ?

Il n'est pas inutile, en tout cas, de méditer, à l'usage des candides, sur l'origine de cette tragédie. De rappeler que la machine communiste fut la fille chérie de l'Utopie majeure du XXe siècle. Que la révolution russe de 1917 illumina jadis l'espérance des déshérités, qu'elle se fit croyance, puis dogme, et que des millions d'hommes généreux s'enrôlèrent sous sa bannière, le cœur en fête, à la conquête des lendemains qui chantent. Car voici la faille : c'est parce que le communisme a cru tenir le sésame du « Bien » collectif qu'il ne cesse de glisser, depuis, vers le « Mal ». C'est parce qu'il rêva de substituer à la promesse invérifiable du paradis céleste la promesse vérifiable du paradis terrestre qu'il a produit cette caricature sinistre de l'Eden, cet astre mort où la liberté ne pousse pas.

C'est l'intégrisme laïc et la fureur idéologique du communisme qui lui ont fait refuser l'évidence et décider, sous Lénine, sous Mao, que si le peuple résistait à sa médecine, c'était le peuple qu'il fallait changer. Pour avoir voulu cet « homme nouveau », ce peuple « régénéré », le système n'aura enfanté qu'un croyant de type nouveau, un fidèle sans foi, une termitière de matricules, une Eglise de fonctionnaires à la langue de bois et aux yeux de plâtre. Terrible déchéance d'une religion de substitution conçue pour dispenser le bonheur civil et qui n'aura réussi que dans le militaire. Comme toutes les dictatures, en somme, depuis que le monde est monde.

De cet échec historique quelques vérités simples (et provisoires) émergent : la première, c'est que si notre démocratie capitaliste l'emporte aujourd'hui, c'est par la modestie de sa doctrine. Elle sait qu'elle n'est pas un système idéal ; elle s'adapte sans cesse ; il lui suffit de se savoir *préférable* et faite pour des hommes qui ne sont pas tous nés « bons ».

Deuxième leçon : il n'y a pas de « sens » de l'Histoire. Voyez plutôt ce qu'il advient à notre liberté bicentenaire, fille des Droits de l'homme de 1789. Elle était, disait-on, illusoire et « bourgeoise ». Il fallait, pour la fortifier, que soit « achevée » notre Révolution inachevée de 1793 : ainsi le « voulait », paraît-il, le sens de l'Histoire. Mais l'Histoire, sans consulter personne, a changé d'avis : notre liberté « bourgeoise » et « rétrograde » de 1789 fait aujourd'hui rêver la terre entière, et devient, comble de tout, révolutionnaire. Car, entre-temps, la révolution « achevée » en 1917 a empli les prisons et vidé les magasins. Tandis que notre brave liberté « bourgeoise » prenait ses aises dans une société où s'embourgeoisait le citoyen.

Nous voici du moins, quant à nous, protégés pour longtemps des vertiges de l'Utopie. Craignons plutôt d'être guettés par ceux du vide. Dans notre atonie civique, politique, syndicale, nous conservons les formes de la démocratie, mais nous perdons, peu à peu, le goût de la servir, et jusqu'au désir de la vivifier. « La démocratie est bonne fille, disait un burgrave de la IIIe République. Mais pour qu'elle reste fidèle, encore faut-il lui faire souvent l'amour. » A Pékin, à Moscou, on voudrait bien !

(12 juin 1989)

Le mort de l'année

C'était à l'heure des cafés-cigares d'un dîner officiel de François Mitterrand, en visite d'Etat, il y a cinq ans, à Moscou. Comme son hôte, un Tchernenko égrotant, lui dépeignait le marasme de l'agriculture soviétique, notre Président lui demanda : « Depuis combien de temps, au juste, cette crise s'est-elle installée ? » Surprise : en pouffant, un apparatchik souffle à Tchernenko cette réponse : « Depuis 1917... » Renseignement pris, l'apparatchik, c'était le dauphin : un certain Gorbatchev.

Cinq ans ont passés, Gorbatchev a remplacé – et comment ! – Tchernenko. Mais sa boutade de 1984 paraît aujourd'hui si tristement véridique aux peuples frères de l'empire soviétique qu'elle est devenue un constat banal et qui n'amuse plus personne. C'est bien, en effet, « 1917 », la révolution d'Octobre et le léninisme que veulent éradiquer les foules de Prague, de Budapest et de Leipzig. C'est le même léninisme que dépiautent, jour après jour, en URSS même, les pionniers russes, baltes, arméniens, géorgiens de cette contre-Révolution rampante dont on ne sait plus si Gorbatchev en est encore l'inventeur ou déjà l'otage. Et bien qu'il lui arrive encore de se dire « néoléniniste », comme pour maintenir, en orphelin de sa propre histoire, un fil avec le père fondateur. Autour de lui, au pays des icônes, les iconoclastes pullulent. Dans les décharges soviétiques, on voit les premiers Lénine de plâtre rejoindre à la casse les statues démantibulées du petit père Staline.

Lorsque nous eûmes, au *Point*, à décider – tradition de décembre – quel serait notre « homme de l'année » 1989, nous savions que nous l'irions chercher, une fois encore, dans l'ébranlement majeur de l'Est européen. Qui succéderait à Gorbatchev, choisi par nous dès 1987 pour avoir établi le constat de faillite ? En 1989, dans les tempêtes de l'actualité, le ballet aimable et novateur de la glasnost et de la perestroïka avait cédé la vedette à un séisme historique : l'agonie du communisme. Sur elle planait un fantôme. Notre homme de l'année sera ce fantôme : Lénine.

Lénine est notre « mort de l'année » 1989 parce que 1917 meurt en 1989. Parce que son milliard d'effigies n'a cessé de répandre, depuis un demi-siècle, de Moscou à Pékin, de Sofia à La Havane, la figure emblématique du plus grand rêve du siècle, de l'utopie d'une religion terrestre qui conquit un tiers de la planète, d'un empire étendu sur tous les continents qui fit trembler le monde sous la puissance de ses armes, qui expédia des centaines de millions d'hommes au cimetière et le premier homme dans l'espace, et qui est aujourd'hui ce géant convulsionnaire veillé par des milliards de téléviseurs.

Lénine est notre « mort de l'année » parce qu'il fut le prophète du « socialisme scientifique » qui s'éteint aujourd'hui dans la faillite « scientifique » d'une Eglise aplatie dont il avait posé la première pierre. Parce que la momie embaumée de son cadavre, exhibée, pour le culte, dans le mausolée de la place Rouge, a englobé – en poupée russe – Staline, Khrouchtchev, Brejnev, et tous les gérontes en chapeaux mous du Kremlin qui, après lui, soumirent, durant soixante-dix ans, à sa règle despotique les peuples jusqu'au goulag, l'économie jusqu'à la ruine, la presse jusqu'à la censure, la science jusqu'au lyssenkisme et les arts jusqu'au « social-pompier ».

Le symbolique, je le sais bien, exagère en décidant que ses soixante-dix ans de communisme, que ce bloc d'Histoire est sorti tout armé du crâne lisse d'un exilé fiévreux, d'un comploteur d'arrière-salle qui dissertait, à la Belle Epoque, du sort de l'humanité devant les chopes du Cygne blanc, à Zurich, et dans les bistrots de Montparnasse, où il promenait sa redingote couleur de muraille, déjà plissée dans le sens de l'Histoire. En réalité, Lénine, visionnaire et bureaucrate – doctrinaire avant le pouvoir et Machiavel après –, n'a tracé l'avenir qu'en pointillé. Mais Staline et ses clones – de Kim Il-sung à Ceausescu – aplatiront les peuples, et plieront l'Histoire selon son pointillé. Le coup de force par lequel Lénine confisque en octobre 1917 la révolution de février au profit de son Parti bolchevik, c'est le coup de grâce à la révolution populaire, le geste fondateur du parti unique et du totalitarisme moderne. Tout en découle, dans la termitière. Du zéro à l'infini. Voilà pourquoi, en cette année, il affronte une seconde mort. Mais que, cette fois, la gloire déserte.

(25 décembre 1989)

Sur la tombe des prophètes

« J'étais un con » : c'est l'explication que Georges Boudarel donne à son aberration de jeunesse qui le fit endoctriner sans pitié ses malheureux compatriotes prisonniers d'un camp du Vietminh l'an 1953. Cette lapidaire autocritique, vous ne la trouverez guère répandue chez les intellectuels égarés dans les deux séismes idéologiques du siècle que furent le fascisme et le communisme. Dommage ! Elle dit déjà beaucoup.

Lisez, pour aller plus avant, ce roman d'aventures intellectuelles de Bernard-Henri Lévy [1], cette confession d'un enfant du siècle promenant les lueurs bougées de son flambeau sur les tombeaux de nos calamiteux prophètes. Mieux que dans sa série télévisée, et par la grâce d'une écriture frémissante, vous saisirez comment de pures idées, d'abord jeunes vierges d'acier, devinrent de sinistres sorcières rouillées. Comment la petite fille Espérance tourna en vieille Faucheuse de l'assassinat collectif. Comment Antigone se fit Athalie.

*

Qu'il s'agisse d'artistes magistraux usant en politique du crédit de leur œuvre ou de simples clercs quittant le fief de leurs compétences pour les Champs-Elysées de l'incompétence publique, le trait commun demeure celui de la dévotion soudaine ou progressive à une utopie : celle qui va, croient-ils, changer, pour le meilleur, la Politique, la Société, l'Homme lui-même... Vous trouverez bien, ici ou là, de moins ambitieux ressorts : la vanité d'un élitaire d'être honoré par la rue ; le vertige, pour quelques fascistes, de succomber au prestige esthétique de l'Ordre ; sans compter la vieille déférence du clerc français pour les hochets des Princes. Mais, pour presque tous, l'utopie reste bien, quoi qu'ils en aient, un « idéal » d'essence religieuse. Ces hommes qui furent pour la plupart des agnostiques ou des athées se font, nolens volens, les prophètes, puis les servants d'une religion terrestre. Dans leur ciel vide de Dieu brille une constellation d'idoles que domine la déesse Révolution.

Contre la médiocrité trop humaine de nos démocraties, ils élèvent des absolus : ainsi, chez les fascistes, la pureté de la Race ; chez les communistes, la pureté du Peuple. Architectes d'abstractions, ils échafaudent, du zéro à l'infini, des constructions mirifiques dont rien n'arrêtera le chantier infernal. Aux certitudes des religions révélées des temps jadis, ils substituent jusqu'à l'absurde des certitudes pseudo-scientistes.

Que vous cédiez ou résistiez aux partis pris de ce livre, ce qui vous submergera c'est la rumeur du siècle. Et cette fresque ténébreuse où l'on voit de si grands esprits naufragés dans de si basses eaux mythologiques ! Un Drieu La Rochelle abîmé jusqu'au suicide dans la fascination des rituels de Nuremberg. Un Sartre, grand-papa gâteau, grand-papa Mao, humilié par ses Gardes rouges jusqu'à plaider la cause du terrorisme. Un Foucault,

---

1. Bernard-Henri Lévy : *Les Aventures de la liberté* (Grasset).

contempteur de la prison française, soudain foudroyé d'espérance par les geôliers khomeynistes. Terrible !

*

Mon seul regret, c'est qu'en BHL l'artiste, l'homme de cœur, parfois l'ancien disciple, ne puissent se déprendre d'une indulgente tendresse pour ces bouches d'ombre, et, par comparaison, d'une dépréciation relative, chez les autres, de la vertu de jugement. C'est la première, pourtant, des vertus publiques, et qui, elle, ne se mesure pas à l'esthétique ni au sentiment. « Tout le monde » ne s'est pas trompé, comme on voudrait le faire accroire, sur Mao : ni Simon Leys ni Revel. Ni Aron, dont BHL ne reconnaît, dirait-on, qu'avec regret la rectitude et l'impavidité d'esprit au milieu de tous ces délires. Dans le timbre même de la voix d'Aron, BHL voit je ne sais quoi de terne et d'appliqué, où je n'entendais, moi, que des sonorités de passion contenue. Bonheurs et limites du subjectif.

Plus étonnant, ceci : BHL dessine, *in fine*, et pour *interpréter* ces dérives totalitaires, l'antique absolution, celle de leur « nécessité » historique : est-ce que toutes ces atroces aventures n'auraient pas, d'une certaine façon, été « nécessaires » pour que, sur leur ruine, triomphe la liberté ? Je ne suivrai pas BHL sur cette vieille pente « historiciste » : elle mène aux gouffres qu'il dénonce. Dans le siècle, de grandes sociétés modernes – les anglo-saxonnes, par exemple – ont échappé, dans leur santé, à ces maladies totalitaires et à leur prétendue « nécessité ».

Au fond, la trahison marxiste des clercs d'après-guerre mérite les mêmes jugements que Benda portait à la trahison fasciste des clercs d'avant guerre. S'il faut aux hommes libres une morale de la pensée, elle doit – Benda le dit très bien – ne sacrifier qu'à ces valeurs « statiques et désintéressées que sont la Justice, la Vérité et la Raison ». Autant dire que le clerc qui les servira devra « déclarer aux hommes que son royaume n'est pas de ce monde ».

(25 mars 1991)

La rose et l'artichaut

Le socialisme français est un artichaut que le pouvoir effeuille. En dix ans, il s'est vu arracher la magie collectiviste, le talisman des nationalisations, le gri-gri de la relance inflationniste, le béguin tiers-mondiste version Nicaragua, l'antimilitarisme « Cachez-moi ces chasseurs-bombardiers » du Salon du Bourget 1981, le laïcisme ultra, le moralisme de l'argent, et j'en passe. Restaient l'utopie éducative, avec ses mirifiques « 80 % de bacheliers », les placebos antichômage et la passoire de l'immigration clandestine : trois larges feuilles de l'artichaut que Mmes Cresson et Aubry commencent de dépiauter. Après ? Il restera à liquider le fond, c'est-à-dire la manie fiscale, la ponction obligée du contribuable pour combler le panier percé de la Sécurité sociale, et le juvénilisme culturel et médiatoc, genre hip hop. Mais, déjà, la géhenne du militant socialiste, c'est d'avoir devant lui cette jonchée d'illusions perdues. Le pénible avec l'artichaut – disait déjà Coluche – c'est que plus on le consomme, et plus il fait de volume.

*

Quel sera, pour la gauche, le destin électoral de ces multiples abjurations ? Dira-t-elle, comme le travaillisme britannique, qu'elle a beaucoup divagué mais beaucoup appris ? Ou continuera-t-elle de psalmodier, sans crever de rire, la rengaine de la « continuité » ? Entre nous, peu importe ! L'important, c'est que le socialisme – qui est au pouvoir – ramène, enfin, vaille que vaille, son troupeau à la réalité. Si la bergère Cresson, sur l'immigration et l'école, redescend des alpages, eh bien, tant mieux ! De la poudre aux yeux électoraliste, dites-vous ! Et après ? Du populisme à la Sans-Gêne ! Et alors ? Pourvu que quelques mots de vérité commencent de perforer les tabous. C'est peu. Mais c'est aussi beaucoup.

Ce qu'on salue, en somme, c'est l'enterrement d'un dogme. Pour le reste, on voit bien que le « plan » sur l'immigration est insuffisant, que la régularisation effarante de clandestins est excessive, que la procédure de la loi Joxe est trop lourde, exige d'autres moyens de justice et de police. Il faudra bien en venir, un jour ou l'autre, à un système des quotas nationaux et professionnels comme le font maints pays civilisés. Et, pour tout dire, il faudra à nouveau légiférer.

Mais le mérite d'Edith Cresson, c'est de s'écarter de la vulgate socialiste, qui veut que la vertu de la gauche se jauge à l'aune de sa tolérance. Alors que le débordement d'une immigration incontrôlée étrangle toute espérance d'une intégration réussie. Alors que le plus efficace garde-fou contre le racisme, c'est justement la maîtrise de l'immigration. Par quelques mots – et qui ne sont, en effet, que des mots – Edith Cresson rompt avec une religiosité bénigne, avec, chez les plus simples, l'aveuglement des bons sentiments et, chez les roués, le cinéma du moralisme. Si, sur le marché de Bamako, l'écho de sa foucade et le bruit d'une nouvelle rigueur française ruinent les vendeurs d'eldorado et découragent leur clientèle d'émigrants clandestins, Edith Cresson n'aura pas mis en vain les pieds dans le plat.

*

Voyons, pour être juste, que sur l'école la même Edith Cresson, il y a moins d'un mois, tirait un trait sur toute la philosophie socialiste de l'Education qui mena au désastre que l'on sait. Et que Martine Aubry, en refusant de convoquer contre le chômage une nouvelle dose de stages-parkings et d'« emplois bidons », s'inscrit dans la même heureuse rupture.

Le péché majeur du socialisme français – ou de ce qu'il en reste – demeure « culturel ». C'est sa croyance dans les vertus d'une bonté rêveuse, d'une providence étatique, lesquelles infantilisent, en fait, le citoyen et inhibent, chez lui, toute responsabilité individuelle. Les Français, les jeunes Français – et les immigrés qui vivent sur notre sol – ont, quoi qu'on raconte, beaucoup reçu des générations précédentes : la liberté d'abord, mais aussi des opportunités scolaires et une protection sociale rarement égalée dans le monde. Ce que ces jeunes n'ont pas reçu, c'est le goût d'en être dignes et la nécessité des contraintes. Ils n'ont pas appris qu'avant de consommer il faut produire, tenir sa place active dans la collectivité, et pour cela apprendre. Et faire effort pour apprendre.

Les Français – dixit cette semaine l'OCDE – entrent plus tard que les autres Européens dans la vie active et en sortent plus tôt. Bref, l'artichaut socialiste garde quelques feuilles.

(13 juillet 1991)

Dracula et le système

La libération – furieuse et sanglante – de la Roumanie, c'est un tournant. Avant elle, l'énorme processus de « décolonisation » des démocraties populaires restait chaotique mais pacifique. Les foules de Leipzig ou de Prague imprimaient bien une dynamique populaire qui débordait Gorbatchev, mais vaille que vaille, la révolution anticommuniste ouverte était, jusqu'à présent, évitée. Or, voici qu'en Roumanie la révolte populaire a déchiré le voile sous lequel le communisme tente de sauver les meubles. Voici qu'en Roumanie l'Histoire fait de l'« anticommunisme primaire ». Elle substitue les cauchemars et les vérités de la tragédie aux rêves d'une réforme paisible mais équivoque.

Les délires du « Dracula des Carpates », ses corridors secrets, meurtres en coulisses, défenestrations et poison, tout ce bric-à-brac d'épouvante n'aura pas détourné le peuple roumain de la question essentielle, celle que pose un anticommunisme à bon droit primaire : est-ce que le système communiste contient, dans sa nature, de tels vices qu'il puisse donner naissance à un Ceausescu ? La réponse est oui. Le système du parti unique enfante le guide, le *conducator*, comme l'arbre porte le fruit. Le maître du parti peut être soit un tyran (Ceausescu ou Staline, qui fut mille fois plus sanguinaire, Kim Il-sung, etc.), soit un timonier fatigué (Brejnev), soit un robot (Honecker), soit, en sa version latine, un *lider maximo* (Castro) ; il peut être, quand la ruine se déclare, un syndic de faillite déguisé en despote éclairé (Gorbatchev). Mais tous sont héritiers légitimes du Système. Non, les tyrannies les plus féroces ne sont pas des aventures dévoyées hors du Système. Elles sont les avatars occasionnels mais naturels d'un Système dévoyé. On sait tout cela depuis quarante ans. Quand on veut savoir.

On ne s'étonnera pas que des communistes roumains, leur veste à peine retournée, aient liquidé, avec le feu vert de Gorbatchev, Ceausescu en cachette du peuple, dans l'obscurité stalinienne d'un procès bâclé, devant un tribunal anonyme et débile. Le procès de Nuremberg du communisme, celui de ses « crimes contre l'humanité », reste à instruire. Juger dignement Ceausescu, c'eût été tirer le premier fil d'une histoire abominable encore enfouie : tout eût défilé. D'où l'escamotage. Ceausescu rejoint ainsi Staline, Mao, Pol Pot dans le bois mort des branches pourries du Système. Les communistes les arrachent pour éviter que les peuples n'arrachent, enfin, le communisme.

Il n'est pas réjouissant de constater que devant cette tragédie libératrice la France du Bicentenaire aura paru bien falote pour appuyer le camp de la liberté. Nous nous sommes distingués – et tant mieux ! – dans l'aide humanitaire, mais notre diplomatie a paru trop soumise au jeu de Gorbatchev, comme si nous redoutions, avec lui, l'ivresse des libertés retrouvées. Cette complaisance aura même inspiré, durant quelques heures d'égarement, cette suggestion insensée que Moscou intervienne pour mettre fin aux désordres armés. Aurions-nous oublié que le peuple roumain, dans sa simplicité, sait que l'Union soviétique a importé chez lui le communisme, la Securitate et une pénurie alimentaire aggravée par le tribut céréalier que la Roumanie payait au *big brother* ? Ignorons-nous que l'Union soviétique est le dernier peuple de l'Est privé des perspectives d'élections libres que réclamait Sakharov ? Et qu'il n'est, de par le monde, aucun pays de régime communiste, aussi modéré soit-il, où un homme libre voudrait vivre ?

Chez nous, l'interminable aberration sur la nature du communisme devrait inspirer la méditation, plutôt que la jactance, aux communistes, et d'abord à Marchais, qui bronzait idiot sur le yacht d'un Ceausescu « globalement positif ». Mais la leçon s'adresse aussi à tous nos anciens dévots des religions marxistes. A ceux qui furent les adulateurs de l'effroyable révolution culturelle de Mao, les Ponce Pilate du Cambodge, les admirateurs sartriens de Castro, bref, à tous ceux qui tirent aujourd'hui vanité de leur abjuration tardive pour bomber le torse sur les dépouilles d'un système auquel ils ont accordé extase inepte, compagnonnage indulgent, passivité ou complaisance. A tous ceux qui éludèrent la vérité par mille contorsions théoriques, raisonneuses ou diplomatiques.

Le jour où le bilan sera fait des massacres du communisme sur la planète, on découvrira qu'il aura fourni avec le fascisme le couple damné du XXe siècle. Fallait-il, pour l'apercevoir, que la vérité se lève dans les charniers ?

(1er janvier 1990)

L'adieu à la rose

Pierre Mauroy ne sera plus le premier secrétaire du Parti socialiste. Mais, tout ensemble, c'est un certain socialisme qui quitte la France. Delors, Rocard, Fabius – les trois vainqueurs de la partie de chaises musicales – sont les rescapés de ce socialisme en perdition. Pourtant, ils servirent, eux-mêmes, comme Mauroy, sous le même capitaine en des fortunes malencontreuses. Mais aucun de ces trois miraculés ne se trouve, comme Mauroy, mêlé à la légende du vieux socialisme, associé comme lui à sa mémoire. Et, pour tout dire, usé, comme lui, par son passé. De cet état, Mauroy tire, non sans abnégation, la leçon. Et sa révérence.

C'est que Pierre Mauroy est au socialisme français ce que Michel Debré fut au gaullisme : saint et martyr. Lorsqu'en 1981 un Mitterrand hiératique processionnait au Panthéon en portant sa rose comme un sacrement, Mauroy était, en Premier ministre, tout trémulant près du Prophète pour voir « le jour succéder à la nuit ». Las ! le temps a passé ; le ridicule couronne désormais ces sottises cérémonieuses de l'avent socialiste. Et Mauroy, qui chanta, sur les autels, l'aurore nouvelle, abandonne aujourd'hui un socialisme dans les ténèbres.

*

Le socialisme de Mauroy est mort en 1983. Pour comble de cruauté, de même que Debré, Premier ministre, dut enterrer son Algérie française, il revint à Mauroy, Premier ministre, d'enterrer son vieux socialisme. Peu de gens se souviennent aujourd'hui, et jusque dans son propre parti, qu'il fut en 1982 un des premiers à comprendre que sa machine allait dans le mur, un des plus ardents à montrer au Prince l'étendue de leurs illusions communes et que ce qui n'était qu'une calamité allait devenir un désastre. La chronique – ingrate – lui sait peu gré de son courage d'alors, celui de la résipiscence, et du retour à ce qu'il nomma la rigueur : ce fut sa meilleure action publique.

Mais voilà ! Le fringant Fabius, qui n'avait pas moins erré, recueillera, à sa suite, en deux coups de nageoire, le crédit du retournement effectué par Mauroy. Sur l'utopie moribonde, Fabius versera à pleins bords de la « modernité » de pacotille. Jack Lang donnera des fêtes, et passez muscade ! Bref, Mauroy restera Gros-Jean comme devant pour accueillir dans sa voiture-balai les éclopés du grand virage : les communistes cocus, les militants chagrins, et tout ces demi-solde du socialisme qui portent en écharpe la grande illusion de la fameuse « rupture avec le capitalisme ».

Mauroy, avec un cœur gros comme ça, aura été l'Obélix de la tribu socialiste. En fait de socialisme, il aura tout dit, et tout fait plus grand, plus gros, plus épais. Quand, dans les congrès du parti, il fendait la houle des postiers et des « instits », il flottait sur lui une brume de fraternité, le souvenir de Jules Guesde et des grands « barbus » fondateurs, la rumeur des préaux d'école et des cercles Léo Lagrange, où l'on refaisait le monde entre deux feux de camp. A force de chanter *Le Temps des cerises*, il se voyait sur les barricades de la Commune ; il se rengorgeait en missionnaire du « peuple de gauche ». Lui qui fut un anticommuniste solide voyait, retour d'URSS, « des progrès incontestables dans tous les domaines ». Lui qui, sous de Gaulle, fut le moins sectaire des socialistes, pourfendait la « France des châteaux... » Bref, il eut son coup de lune, et sa ferveur creuse et sonore faisait frémir les jeunes barbes et fuir les capitaux. C'était il y a dix ans. On dirait un siècle.

*

Mais le Parti socialiste, ce n'est pas seulement, chez nous, un parti de belles âmes. C'est une machine à clientèle politique, et un vivier pour des places. A ce jeu-là, Mauroy eut de bons maîtres : la SFIO, Guy Mollet, Gaston Defferre, le bonneteau des cartes de militants fantômes où le savoir-faire tripatouilleur des Bouches-du-Rhône avait gagné le Nord, « les Bouches-du-Nord », disait-on... Mais, jusque dans la manipulation des conclaves du parti, la manière Mauroy commençait de dater : trop bonasse, avec trop de bavures et trop d'embrassades. Sont arrivés les géomètres, en lame de couteau, de la bande à Fabius. Du travail au cordeau, à l'ordinateur et sans dentelle, pour découper l'influence, retourner le notable flottant, agripper le récalcitrant et ficeler un plan média. Une machine électorale à l'américaine bien diététique et performante, bien éloignée des gaufres et ducasses du socialisme « ch'timi ».

Va-t-on s'en plaindre ? Les militants, sans doute. Pas moi ! Ce qui s'annonce, derrière la prise de pouvoir de Fabius, c'est la naissance d'un parti démocrate à l'américaine, simple parti d'alternance et « de mouvement ». Le hic, justement, ce sera le mouvement. Car, entre le socialisme qui est mort et celui qui n'est pas né (mais sera-ce un « socialisme » ?), le pouvoir, en attendant, fait du surplace.

(11 janvier 1992)

4. L'ÉTAT-PROVIDENCE

——— L'Etat mamma

Depuis 25 ans qu'il existe, *Le Point* exprime sans varier deux convictions. Que la globalisation des échanges mondiaux nous apportera plus de soucis que d'avantages. Et que notre système de protection sociale, le plus cher et le plus contraignant du monde, n'est pas tenable en l'état. Le panier social, chaque année plus percé, pénalise si évidemment la nation que le système aurait dû, depuis longtemps, être sévèrement réformé. Alors, pour la première fois que, depuis vingt ans, un gouvernement y paraît résolu, nous ne pouvons qu'opiner.

Je n'évoquerai pas ici la nécessaire ponction fiscale à quoi l'on est réduit pour endiguer le déficit des comptes sociaux. Ni la relance sélective vers le bâtiment, les PME et l'agriculture, dont on ne jugera que plus tard les réels effets. (La relance viendra surtout des taux d'intérêt, lesquels ne baissent que dans la rigueur budgétaire, CQFD.)

Non ! Le plus important, à nos yeux, c'est bien la détermination affichée d'ajouter à ce traitement fiscal conjoncturel la chirurgie annoncée sur les retraites et la Sécurité sociale. Touchons du bois ! Et craignons encore que la vigueur des intentions premières ne s'étiole, au fil des jours, sous l'effet des oppositions catégorielles.

L'accélération qu'Edouard Balladur veut imprimer à ces réformes est, en soi, de bon aloi. De nos jours, ce qui n'est pas entrepris par un pouvoir démocratique dans les premiers mois de son avènement ne l'est ensuite jamais plus : la prochaine échéance électorale et sa démagogie auront vite fait d'inhiber tout ce qui paraîtra peu ou prou « impopulaire ». Edouard Balladur a, ces jours-ci, le rare bonheur de bénéficier d'un scrutin législatif triomphant, d'un effondrement du mitterrandisme qui compromet, pour un bon moment, le réveil socialiste, et d'une pédagogie brutale de l'opinion.

En revanche, son handicap, c'est le proche butoir – au maximum deux ans – de l'élection présidentielle. Il lui impose de « déminer » au plus vite la voie pour une candidature Chirac, sans être pour autant assuré que des effets positifs seront sensibles avant la grande échéance. Quant à la crise, elle joue un rôle ambigu. D'un côté, elle ruine la confiance, et fait lever le risque d'orages sociaux imprévisibles. Mais, de l'autre, elle instruit l'opinion sur l'idée que le temps n'est plus à la bluette. Le reste est affaire de chance. Mais la chance, il faut d'abord la vouloir.

*

Pour chacune des deux réformes – retraites et Sécurité sociale – l'intention affichée est d'éviter le précipice où nous allions tout droit. Et nullement de détruire un édifice qui nourrit encore, à bon endroit, l'orgueil national.

Reste que si l'on veut préserver l'essentiel des bienfaits de l'Etat-providence, ce ne sera pas dans l'homélie simpliste et mitterrandienne sur les « acquis sociaux ». Car un « acquis social » peut en chasser un autre et la générosité sociale tuer de l'emploi. Dans un petit manuel lumineux, une universitaire, Béatrice Majnoni d'Intignano, définit très bien quelles menaces redoutables le système affronte. D'abord, le vieillissement de la population, par une meilleure longévité de nos vies : il fera porter la charge de la solidarité sur de moins en moins d'actifs, au bénéfice de plus en plus d'inactifs. Presque toutes les grandes démocraties ont déjà renoncé à la retraite à 60 ans. Et les retraites précoces (cheminots, etc.), jadis consenties au nom d'une pénibilité du travail aujourd'hui fort diminuée, apparaîtront vite comme inconvenantes, et bientôt insupportables.

Second défi bien identifié : les largesses de la « mamma » étatique incitent les assurés sociaux à une irresponsabilité d'assistés. Enfin, les progrès de la médecine développent, en maints domaines, l'incitation à des traitements de plus en plus longs et coûteux. La « demande » de santé est, on le sait, infinie, mais sa « productivité », limitée. S'il faut aujourd'hui 3 heures 30 de travail à un manœuvre pour acquérir un quintal de blé, contre 201 heures en 1828, et 34 heures en 1946, il faut toujours le même nombre d'heures à une infirmière pour assister un grabataire. Nietzsche prophétisait déjà, il y a un siècle, un monde où « il y aura des petites joies pour le jour et des petites joies pour la nuit ; mais on révérera surtout la santé... » Nous y sommes !

*

Enfin – mais ce n'est pas le moindre ! – la mondialisation des échanges attaque en meute nos « acquis sociaux ». Si nous voulons en conserver l'essentiel, nous devrons inéluctablement dresser certaines barrières contre des biens produits, à des coûts salariaux trente, quarante, cinquante, soixante fois inférieurs aux nôtres, par les nouveaux coolies de l'industrie mondiale. Je ne suggère pas, on l'imagine, je ne sais quel protectionnisme national ; ce serait folie ! Mais la défense de l'Europe communautaire est, elle, non seulement viable, mais nécessaire. Le peut-elle ? Le veut-elle ? Dans sa réponse, l'Europe, ou ce qu'il en reste, joue l'avenir de ses Etats-providence.

(15 mai 1993)

—— Les dents du brochet

Cette crise profonde de l'emploi, la plus sévère du demi-siècle, est partagée par plusieurs pays riches d'Occident. Mais leur réaction immunitaire est plus ou moins vigoureuse. Chez nous, l'effondrement des défenses est catastrophique.

Ce qui est commun à tout l'Occident, c'est que dans la révolution technologique, informatique, la machine a brutalement dépossédé l'homme de millions d'emplois. C'est aussi que la globalisation accélérée du monde, le fourmillement universel des échanges, ont libéré des concurrences nouvelles, et avivé, chez nous, l'obsession de productivité au profit, encore, de la machine. Vous entendrez parler aussi d'une satiété nouvelle qui, dans les pays riches, pèserait sur la consommation. Mais je n'y crois guère. Car l'épargne qui freine la consommation est, pour l'essentiel, de protection : elle vient en Europe des angoisses conjuguées de la déstabilisation du continent, et de la spirale récessionniste qui fondit sur nous lorsque se dissipa le mirage d'une bulle financière longtemps nourrie par une folie de crédits à tout-va. C'est la loi de ces cycles : la défiance s'exagère, comme la confiance !

On peut tenir pour conjoncturelle cette crise économique de l'Occident. Elle passera : déjà l'adaptation des systèmes de production et la désintoxication financière s'opèrent sous nos yeux. L'Amérique amorce une véritable reprise, et son taux de chômage redescend aux environs de 6 %. Hélas, nous sommes, chez nous, bien loin de cette embellie. Car la reprise, en France, frémit ; la crue du chômage ralentit. Mais il ne baisse pas. Pourquoi ?

*

Impossible, pour l'expliquer, d'éluder cette corrélation de deux records spécifiquement européens : celui du taux de protection sociale et celui du chômage. L'Etat-providence a beau faire, il n'échappe plus à ce constat : sa « providence » laisse au fossé des millions de chômeurs. Voilà vingt ans qu'au *Point*, avec la simple expertise du sens commun, nous crions casse-cou devant cette surcharge fiscale et paperassière des entreprises, cette défonce des prélèvements obligatoires (44,4 % en France contre 30 % aux Etats-Unis), ce panier percé de la Sécurité sociale qui, tous, allaient nous mettre des bottes de plomb, alors qu'on voyait pointer, et d'abord en Asie, tant de compétiteurs aux pieds légers. L'épisode socialiste ne fera qu'accuser cette inconscience d'une vieille nation, éperdue de confort et de sécurité et qui ne voyait pas le monde bouger autour d'elle. Tombe donc, inéluctable, la sentence : la solidarité d'assistance écrase la solidarité du travail.

*

Comment remonter cette pente vertigineuse ? Il n'y a pas de conducteur qui puisse aujourd'hui virer carrément de bord sans faire capoter la voiture. Et pour une raison primordiale. C'est qu'en quarante ans le mal français de l'assistance a gangrené non seulement la pratique économique, mais les mœurs de la société tout entière.

En fait d'avantages acquis, le citoyen français s'est fait, comme le brochet, des dents rentrantes : il engorge bien et dégorge mal. Sur le régime des retraites, sur le déficit toujours renaissant de la Sécurité sociale, Balladur ne peut agir qu'avec une modération et une patience bénédictines. Mais il y a pire : c'est que la flexibilité, la mobilité de l'emploi se sont engluées ; que le sens même de l'effort et de l'initiative individuelle s'est assoupi dans les berceuses de la « mamma » étatique ; que, par exemple, le Smic joue contre l'emploi ; que le travail non qualifié a été dévalorisé par la démagogie d'un bachot pour tous, bachot au rabais qui détourne de l'apprentissage. Combien y a-t-il aujourd'hui de jeunes Français marginalisés qui acceptent de vivre, avec le RMI, dans une semi-indigence et refusent pourtant des « boulots » jugés par eux trop mal payés ? Et que dire d'un système d'enseignement qui continue de refuser la sélection et le mérite, et d'encenser un égalitarisme de pacotille qui tire tout l'ensemble vers le bas.

On reproche à Balladur ses rênes courtes et son petit trot. Mais qui donc pourrait galoper dans les sables mouvants de la cohabitation ? Après la présidentielle, on verra ! Et encore ! Car le chômage ne baissera pas, sans que soit restaurée, à commencer par l'école, l'idée morale que le travail se mérite et se conquiert. Sans qu'intervienne – au mieux par une pédagogie de crise, au pire par quelque séisme politique – une sorte de révolution culturelle : celle des mentalités.

(5 février 1994)

L'excès d'assistance crée le chômage

Il y a du pathétique à voir ce gouvernement affronter avec tant d'humilité le monstre terrible du chômage. La nouveauté, c'est que chacun comprend qu'il ne sera pas de sitôt terrassé et que les discours des « y a qu'à ceci », « y a qu'à cela » ne valent pas tripette. L'étonnante popularité de Balladur tient à ce constat mélancolique : l'opinion s'en remet à un médecin prudent et qui marche sur des œufs.

Les Français ressentent que le chômage devient, dans plus d'un pays riche, un phénomène historique, que dans la mutation technologique, les machines dépossèdent l'homme, et que nous ne sommes plus seuls dans le monde à détenir les machines. Double crise dramatique d'adaptation !

Mais, en France, on constate, *de surcroît*, deux caractéristiques associées : une protection sociale record et un taux de chômage record. La vieille recette socialiste consiste à accroître l'une pour soigner l'autre. Recette de Gribouille ! Car il faut évidemment réfléchir d'abord sur cette exceptionnelle corrélation. Et se demander si ce n'est pas *justement* l'excès d'assistance qui est la cause de l'excès de chômage. Si ce ne sont pas les fardeaux de l'assistance qui nous handicapent dans la course mondiale où tant de jeunes peuples industrieux rejoignent le peloton de tête. Bref, si la solidarité d'assistance ne joue pas contre la solidarité du travail. Si le Smic ne joue pas contre l'emploi. Si la prise en main par l'Etat de toutes sortes de défaillances individuelles n'a pas anesthésié ici ou là le goût de se battre. Si l'éradication progressive, dès l'école, de la sélection et du mérite, si la baisse des sacrifices consentis à l'apprentissage et à l'effort, si le recours à la « mamma » étatique n'ont pas, en quarante ans, diminué l'initiative et l'énergie individuelles.

Seulement voilà ! Quitter une telle pente supposerait, dès l'école, une révolution dans les lois et plus encore dans les mœurs. C'est encore impensable ! La méthode Balladur consiste – ainsi pour les retraites ou pour les dépenses maladie – à rogner peu à peu sur l'assistanat, en espérant rétablir une balance moins catastrophique pour l'activité. Comment rénover, brique à brique, la maison France sans casser la baraque ? C'est toute l'aventure ingrate que nous vivons !

Balladur rêve, j'imagine, en secret, d'aller plus fort et plus vite.

Mais il n'a pas les moyens politiques de le faire, et même de le dire. La cohabitation obligée est un système bâtard qui dévitalise le pouvoir. Il ne peut bouger que sur des franges et des marges. Avant 95, on gardera donc la même porcelaine nationale. Il faut en changer. Mais, pour le moment, pas question ! On n'y touche pas, justement, parce qu'elle est fêlée.

(1er février 1994)

Les juges de paix

Les peuples, selon un mot fameux, sont las quelque temps avant que de s'en apercevoir. Eh bien, le peuple français commence de s'apercevoir qu'il l'est. Le sentiment rôde que nous sommes rendus, comme en 1958, devant un obstacle qu'une République fourbue ne pourrait plus franchir. A l'époque c'était l'Algérie dont la tragédie ramena de Gaulle au pouvoir.

Mais aujourd'hui ? Aujourd'hui, on vous dit : le chômage, la France à deux vitesses, la révolte des pêcheurs, d'Air France, de l'école publique, etc. Toutes galères nées, en fait, de la crise brutale d'adaptation d'un vieux pays à un monde nouveau. L'opinion ressent tout à la fois la nécessité de réformer profondément sa vie publique et en même temps cherche encore, dans les nuages, comment refuser l'inéluctable, à savoir l'arrachement à des acquis, à des habitudes, à des métiers en perdition.

Simplifions : la France a devant elle, comme on dit dans le vélo, deux « juges de paix » : la protection sociale et l'école. La protection sociale excessive nous met par ses règlements et sa fiscalité les jambes en coton alors que, partout dans le monde, des compétiteurs, sans un poil de graisse, mettent soudain le nez à la fenêtre du peloton de tête. Conclusion : il faut l'alléger. Balladur a commencé de le faire avec les retraites et la sécu, mais il n'a pas encore muselé le monstre. Trop dangereux !

Quant à l'école, c'est pire. L'évidence, patente depuis vingt ans, c'est qu'il faut y rétablir, par le mérite, la sélection qui seule réinventera, à l'âge qui convient, l'apprentissage. Seulement voilà : essayez donc de prononcer le mot tabou de sélection ! Vous me direz que, dans la vie, la sélection est partout, et que dans le monde notre économie en subit partout l'épreuve. Mais à l'école qui prépare à la vie, sélection-connais-pas ! L'école, c'est le cocon des diplômes au rabais où 80 % des élèves devraient, dit-on, avoir le bac, pour rentrer tous ensemble dans une énorme couveuse à chômeurs.

Est-il possible de faire passer ces vérités ? Eh bien, je le crains, pas encore, ou du moins pas partout. Car l'idéologie de l'Etat-assistance a comme déformé, courbé sous elle les esprits. L'idéal de la protection, et ses innombrables substituts de tricherie, ont créé une sorte de culture cul-de-jatte où les redressés se cognent la tête à vingt-cinq faux plafonds. Le courage et l'effort figurent comme des vertus ringardes et attaquées, chaque jour, à l'acide de toutes les dérisions. L'opinion se plaint de tout, du chaud, du froid, de la sécheresse et de la pluie. On dirait que la moitié du pays voudrait être placée dans un dispensaire, sous thermostat à température constante. Hélas, de nos jours, le monde casse beaucoup les vitres des dispensaires. Voilà pourquoi Balladur rame comme un nouveau Necker dans la houle de réformes impossibles.

(22 février 1994)

——— L'impôt

L'impôt sur le revenu que vous devez, avant ce soir, déclarer, ne sort pas des normes raisonnables en Occident. Mais voilà : il n'est aucun contribuable qui ne pense, aussitôt, qu'il doive y ajouter la ponction des impôts locaux, des prélèvements sociaux et autres CSG, pour constater, à l'échelle nationale, un total de prélèvements obligatoires de l'ordre de 55 % chez nous contre 30 % au Japon, et 35 % aux Etats-Unis. Cette pesée globale devient calamiteuse. Serais-je inconscient, me direz-vous, pour oser protester contre un instrument redistributif de la solidarité nationale, alors que le chômage répand partout ses misères ? Eh bien, ma conviction – et comme je ne suis candidat à aucune élection, permettez-moi de vous la dire toute crue – c'est que, justement, cette saignée fiscale interdit à l'Etat toute relance susceptible de précipiter la reprise.

Pourquoi ? Parce que pour relancer, pour arroser l'économie, comme beaucoup le suggèrent, il faudrait que l'Etat s'endette encore plus et il ne le peut plus. Car si l'Etat nous accable tant, c'est qu'il est lui-même avachi sous le poids des dépenses publiques. La dette publique s'est multipliée par six en moins de vingt ans. Les impôts locaux ont augmenté quatre fois plus que les revenus des Français. Le tout produit, au fil des ans, cet éteignoir des énergies, cette épaisse graisse fiscale qui est, depuis l'empire romain, le trait des régimes finissants.

A moins de laisser couler la nation, n'importe quel pouvoir – de gauche, de droite, du centre ou d'ailleurs – butera, un jour ou l'autre, sur cette évidence : ses dépenses publiques font vivre la France au-dessus de ses moyens, et elles deviennent un terrible adversaire de l'emploi.

On ne pourra plus longtemps, sans catastrophe, se payer la scandaleuse gestion actuelle de la Sécurité sociale, on ne pourra plus tolérer un déficit de la SNCF de plus de 7 milliards de francs, ou d'Air France (encore 7 milliards), on ne pourra plus couvrir de subventions des entreprises qui refusent de se réformer, et des corporations qui descendent dans la rue avec une sébile dans la main gauche et un pavé dans la main droite. On ne pourra plus tolérer, dans un pays dont la dette ponctionne les 2/3 de l'impôt sur le revenu, que l'Education nationale ne songe qu'à augmenter ses dépenses sans réformer son système nécrosé. Vous me direz que c'est une montagne de réformes qu'il faudrait. Et que, pour le moment, chaque tentative de réforme provoque un tollé puis une reculade. Sans doute. Et alors ?

Vous voyez d'ailleurs que la campagne présidentielle débute en fête foraine : d'un côté les autos tamponneuses des candidats concurrents, de l'autre le toboggan démagogique des 35 heures, du « toujours plus » et autres chimères. Et peu de monde pour crier casse-cou dans un pays émietté où s'évanouit la conscience de l'enjeu national ! Nos hommes publics jouent avec le feu. Il n'y a pourtant qu'un jeu qui vaille aujourd'hui : c'est le jeu de la vérité. Il n'est pas à la mode, mais un jour ou l'autre il fera, bon gré mal gré, fureur.

(1er mars 1994)

Décoloniser la France

Il n'est pas d'obligation plus ardente pour le chef de l'Etat que de conduire une nouvelle décolonisation : celle qui libérera la France des carcans d'un Etat-providence recru d'échecs. La IVe République a péri de son impuissance à sortir la nation de l'enlisement algérien. La Ve République ira de même au fossé si elle ne rompt pas l'avachissement d'un pays assommé par la pesanteur de son Etat, englué dans la mélasse fiscale et paperassière, drogué par des conservatismes de caste, et où tout ce qui invente, travaille, produit et se bat se trouve empêtré, découragé par un système faisandé. Faisandé car sous le vertueux propos de « solidarité nationale », l'assistance se pervertit dans la combinaison, le clanisme syndical et le lent pourrissement de la vitalité nationale.

Est-il déplacé de comparer ce que fut pour de Gaulle le défi de l'indépendance algérienne, et ce qu'est aujourd'hui pour Chirac le défi de la modernisation française ? Oui, si l'on se réfère aux circonstances et aux résistances en effet incomparables. Mais nullement si l'on pense à l'enjeu : aujourd'hui comme hier, l'épreuve est décisive pour la France. Nullement encore si l'on se dit qu'un semblable arrachement au passé exige du pouvoir le même processus obstiné de volonté, de conviction et de ruse.

*

Cette perspective incite à porter deux regards distincts sur le départ de Madelin du gouvernement. On s'affligera d'abord de voir si vite écarté du pouvoir un homme dont le diagnostic s'accorde avec ce que nous serinons ici depuis vingt ans. On déduira que la France est décidément irréformable et vient au pathétique de ne plus supporter ni ses maux ni leurs remèdes. Cette déduction fut d'abord celle des marchés financiers. C'est celle, aussi, des désabusés qui ont perdu toute considération pour des pouvoirs qui, depuis vingt ans, observent le trou de la Sécurité sociale comme s'il s'agissait d'une catastrophe naturelle, et sucrent les fraises quand il s'agit de prendre ce monstrueux dossier à bras-le-corps. C'est celle, enfin, des silencieux qui attendent que la nation touche le fond et qu'un coup de torchon la tire brutalement hors de son lit.

Mais on peut entendre aussi dans l'affaire Madelin – c'est moins déprimant ! – le coup de trompette d'un certain réveil. Car enfin l'opinion et de même Chirac, voire Juppé, n'accusent pas Madelin de se tromper de cap mais seulement de rythme ou de manière. D'avoir parlé, si je puis dire, en éditorialiste plutôt qu'en praticien de la chose publique. D'avoir cru qu'on pourrait déclencher la nécessaire révolution des mentalités en début de mandat présidentiel sans ménager les vaches sacrées de l'enclos national. Ce faisant il a pris date, et Jacques Chirac se garde de lui claquer la porte au nez. Le Président, qui « met le temps de son côté », n'insulte pas l'avenir de Madelin. Et le salutaire diagnostic du « provocateur » monte insensiblement dans l'opinion comme l'eau dans la baignoire.

*

Ce qu'en vérité la nation commence de découvrir, c'est que la recette libérale n'est pas une lubie alternative de la droite. Depuis que la gauche française a rallié, avec l'Europe, l'économie de marché, toute la France fait, bon gré, mal gré, du « libéral » comme Monsieur Jourdain faisait de la prose. Non que le régime libéral soit une nouvelle panacée, mais tout l'Occident le juge préférable au socialisme collectiviste qui a fait faillite. Il a ses règles, dont les principales sont la responsabilité civique et l'ouverture à la concurrence nationale et internationale. Il tolère évidemment des différences dans sa pratique, entre la gauche et la droite. Mais il interdit à tous l'overdose socialiste, ce que François Mitterrand notait d'ailleurs ces jours-ci avec une résignation accablée.

Pour notre malheur, cette overdose socialiste – néfaste vestige d'une utopie défunte – donne encore à la France tout à la fois un taux record de protection sociale et un taux record de chômage. C'est que la « providence » d'Etat déverse désormais ses effets pervers, où le Smic joue contre l'emploi et le RMI contre le Smic. La défonce des prélèvements obligatoires ruine l'initiative, et la terrible surcharge des déficits décourage l'investissement international. Pis : le dévoiement français de l'assistance gangrène non seulement l'économie mais les mœurs. Une partie de la France n'a plus que la sébile pour horizon. Et le rituel de la plainte comme exutoire à ses renoncements.

Pour soigner un mal si profond, Chirac dispose des pouvoirs forts d'une monarchie républicaine et du champ élargi de l'appel référendaire. Il lui reste à trouver le bon moment et le bon terrain. Il a, dit-il, du temps. Mais en politique il est souvent plus tard qu'on croit.

(2 septembre 1995)

Le mal d'Etat

De nos jours, le citoyen français, au fond de son inconscient, se représente l'Etat en deux figures tutélaires : une paternelle, une maternelle. L'Etat-père assure les fonctions dites « régaliennes », de souveraineté, d'ordre, d'autorité. Et l'Etat-mère assure la protection sociale du citoyen dans les traverses de la vie. Le malheur, c'est que ce couple, chez nous, se dépareille, se porte mal. Et nous avec.

Le père, aujourd'hui dejeté, n'est ni respectable ni respecté : ses territoires se clochardisent (éducation, justice, ordre public). Pendant ce temps, la boulimie de l'Etat-providence engraisse une « mamma » obèse, exténuée par le maternage et qui fait sans cesse de la mauvaise graisse sur le dos de contribuables accablés. Un exemple : entre 1981 et aujourd'hui, nous aurons vu les prélèvements obligatoires (impôts divers plus cotisations sociales) augmenter en France de quatre points du produit intérieur brut et... diminuer de trois points en Allemagne : soit 400 milliards de francs d'écart [1]. Dans l'Etat français, la graisse de l'assistance a ruiné le muscle de l'autorité. L'Etat devient un dinosaure mou à petites têtes et petites pattes.

*

La petite tête ne maîtrise plus la croissance anarchique, tumorale, de la masse. On dit que la tradition idéologique française, monarchique, puis jacobine et napoléonienne, prédisposait à cette bouffissure de l'Etat. Possible. Mais, enfin, ce culte très français de la prépotence étatique allait jadis à un Etat fort, et non à un Etat obèse. A des préfets plutôt qu'à des nounous. C'est en réalité la greffe de l'idéologie socialiste sur la tradition étatique ancienne qui a produit le dinosaure.

Lorsque, après la guerre, le cours du temps et des techniques a liquidé une vieille France bourgeoise et rurale, ses hiérarchies et ses valeurs, lorsque dans la grande migration urbaine la nouvelle religion socialiste a conquis, chez nous, l'intelligentsia, l'enseignement, les principaux syndicats, une grande partie de la fonction publique, toute la gauche politique et le centre, alors, la fonction magistrale, arbitrale de l'Etat a commencé de dépérir. La haute stature du général de Gaulle a bien masqué, pour un temps, cette décadence des fonctions viriles de l'Etat. Mais les coups de boutoir du « toujours plus » et du clientélisme syndical allaient tout emporter au profit de la « mamma ».

Au régime, intenable à long terme, de la Sécurité sociale, la nouvelle vague socialiste adjoignit un système de retraites prématurées, un taux de salaire minimum néfaste à l'emploi et toutes sortes d'« avancées sociales » que n'équilibre aucune prospérité avançant du même pas. Se réalise la vieille prophétie de Bernanos : « Le pauvre, un jour, sera méconnaissable. On l'appellera chômeur, et il ira manger dans la main de l'Etat. » Comme l'avantage acquis est le maître mot des temps modernes, comme personne n'ose revenir sur plusieurs de ces concessions excessives, voici donc que notre Etat proliférant se trouve contraint, après avoir pressuré les citoyens, de se pénaliser lui-même dans plusieurs de ses missions. Plus l'Etat grossit, plus il se paupérise. Lorsque l'Etat est partout, comme dans les pays communistes, la maladie devient, tout le monde l'a vu, mortelle.

---

1. *Rapport sur la modernisation de l'Etat*, d'Yves Cannac (Institut de l'entreprise).

*

Personne ne songe, en France, à revenir sur les progrès sociaux qui distinguent les nations européennes ; personne ne prône ici la jungle américaine ; personne ne veut tuer la « mamma ». Mais il faut maigrir l'Etat avant qu'il ne nous entraîne dans sa misère. Pour quelques rares entreprises d'Etat qu'exige l'intérêt à long terme de la nation (l'atome, l'Espace), combien voit-on de nationalisations inutiles soustraire des pans entiers de l'économie aux sanctions de la concurrence et du marché ! Faut-il que l'Etat fabrique des machines à laver, des médicaments, des cigarettes, qu'il fasse de la banque, sinon pour se jeter, via quelque Crédit Lyonnais, dans des canailleries politico-financières, vers des Maxwell, des Paretti ? Est-il impossible de moderniser l'Etat en coupant dans le vif de ses multiples « machins » qui ne servent à rien ? D'opérer, par exemple, comme l'Allemagne, un traitement rationnel de l'assurance-maladie et des retraites ?

Réponse : oui, on dirait que c'est, chez nous, impossible ! Et d'abord parce que, aussi humiliant que ce soit, une majorité de nos compatriotes veulent à la fois une assistance infinie et un Etat redressé, le beurre et l'argent du beurre. Ils plébiscitent, à la fois, une politique libérale et les pires excès de l'Etat-providence. Qui osera les détromper ? Qui saura, pourra contrarier cette pénible régression démagogique ? Certainement pas un pouvoir aux abois !

(1er février 1992)

Les grandes grèves

La France est-elle en Occident ? Réponse : oui. Joue-t-elle, en Europe, le rôle de sa dimension démographique, économique, politique ? Oui ! La France vit-elle dans l'économie de marché où sa performance exportatrice assure une large part des revenus de ses citoyens ? Encore oui ! Ces énormes évidences, il faut, quand souffle l'irrationnel, bien se les garder à l'esprit. Elles vous diront alors ce qu'est la crise française : une crise violente de mutation. Un songe fabuleux a fait de notre pays une nation somnambule. Le réveil est périlleux. On s'en doutait.

Cette fracture pénible, sous nos yeux, n'oppose nullement – comme le veut une vieille rengaine – une France de « nantis » à une France de « laissés pour compte ». Elle oppose, à quelques exceptions près, la France du secteur privé à celle d'une forte partie du secteur public. Pourquoi ? D'abord parce que la longue déliquescence de l'Etat a laissé, dans son propre bocal, proliférer sans fin les illusions de l'Etat-providence. Alors que le secteur privé, immergé de force dans l'économie et la société modernes, devait innover, oser, s'adapter, l'Etat a anesthésié et engraissé ses bastions publics dans la quiétude des monopoles, et la drogue de l'endettement.

Le secteur d'Etat, avec son centralisme, avec la fixité d'une fonction publique encaquée dans ses grilles, avec l'obésité de ses grandes masses, au premier rang desquelles l'enseignante, est devenu en Europe un dinosaure oublié en cette fin de siècle.

L'Etat jacobin, derrière ses lourds remparts, a fermé portes et fenêtres aux grands vents du changement. Il a engendré, en vase clos, ses statuts de régimes spéciaux, ses privilèges, ses recrutements abusifs. Et dans ce confinement, ses agents se sont désespérés à constater que l'avenir n'était plus celui du *Temps des cerises*. Ils rêvent, dans la rue, qu'ils sont « le peuple ». Mais c'est une autre illusion. Ils ont, devant eux, un « peuple » qui trottine dans les grèves pour travailler. Et derrière eux, un « peuple » de chômeurs et d' « exclus » – dont une masse effrayante d'analphabètes – que la CGT et FO laissent à la porte de leurs officines.

*

Car, et c'est bien là le pathétique, ces masses en grève, ces défilés anachroniques promènent, avec des slogans flétris, les derniers vestiges d'un grand rêve évanoui. Ils jouent, dans nos rues, le psychodrame d'une révolution pour la protection de l'acquis et le maintien du passé... En somme, une révolution-involution : la première du genre !

Pourquoi, chez nous seuls, ce coup de lune qui épargne nos voisins ? Parce que la France est, de toutes les nations d'Europe, la plus idéologue, que le prurit égalitaire la tenaille jusqu'à draper d'idéal la grande passion nationale, la seule inavouée, celle qui nuit le plus à la félicité : l'envie. Parce que la nation française est fille de 1789, que l'utopie marxiste s'y installa en héritière de notre révolution et s'y enkysta, jusqu'à cette fin de siècle, dans « l'exception française ». Parce que cette idéologie défunte fait encore mal à toute une partie de la France comme, chez les mutilés, la douleur du membre perdu. Parce que cette masse française désillusionnée s'est en effet isolée, non pas seulement, comme on le serine, de ses élites, mais de tout le reste de la nation. Parce qu'elle demande du rêve de rechange et qu'un taux d'intérêt, en effet, n'est pas un horizon exaltant. Parce que la nation est désormais un champ de catégories disparates, et qu'aucun prophète national ne peut fédérer. Après l'allemande, la « réunification française » reste à faire : nous avons, nous aussi, quelques millions de Français échoués, mentalement décalés, à réembarquer sur le grand fleuve national.

*

On voudrait Juppé plus liant, plus rond, plus vicieux à la manœuvre. Bon, c'est possible ! Mais pensons, lorsque nous critiquons le cavalier sur l'obstacle, que personne n'a, depuis 20 ans, sauté celui-ci. Pensons d'abord que bien des politiques de substitution (europhobie, emprunt modèle Pasqua, etc.) ne sont à l'heure d'agir que poudre de perlimpinpin au service de la grande spécialité nationale : l'évitement. Or la vérité, c'est que, dans toutes les politiques possibles, les nations ankylosées et surendettées s'effondrent, et l'Histoire en regorge.

Pensons ensuite que la régression démocratique, sans indigner personne, fait des ravages insidieux. Elle s'établit dans l'empire exorbitant que le « droit de grève » exerce sur le « droit au travail ». Elle s'établit dans le recours abusif de la rue contre une décision discutée et votée par le Parlement.

Il faut sans doute savoir entendre la difficulté d'être d'une large part de l'opinion et qui la rend si tolérante aux grévistes. La France somnambule, il ne faut pas la brusquer, au risque de la faire tomber du toit. Mais il faut la réveiller. Et lui donner d'emblée une certaine idée de son avenir. L'avenir – les politiques devraient le savoir – reste la grande cause des infortunés.

(9 décembre 1995)

Le théorème de Caton

On l'appelait « l'exception française ». C'est elle qui nous fit si longtemps sacrifier, plus qu'aucune autre grande démocratie, à l'illusion collectiviste. On l'enterra dans les années 80. Mais trop vite ! Car sa greffe avait si bien pris sur le grand chêne de l'Etat (racines monarchiques et feuillage républicain), elle avait tant imprégné nos mœurs politiques, notre clanisme syndical, notre manie bureaucrate, elle avait si fort plié nos mentalités aux courbures de l'Etat-providence que feu l'exception française a en réalité proliféré. Elle a enfanté plusieurs « exceptions ». Le poison idéologique a disparu mais le sang de la République en reste vicié.

Prenez la Sécurité sociale, cas d'école de l'impuissance publique. La France est, maintenant, le seul pays développé dont les dépenses de santé continuent de croître plus vite que la richesse nationale. Quant au plan Juppé, châtré par les grèves de décembre, on ne le sent guère capable de terrasser d'un coup, et comme promis, le monstre du déficit. Il nous restera alors un impôt de plus (le RDS) et nos yeux pour pleurer. Sommes-nous pour autant mieux soignés que des Allemands ? Non !

Voyez le gouffre vertigineux de la dépense publique qui nous vaut – autre exception ! – le record absolu au sein du G7. Elle était de 46 % du produit intérieur brut en 1980 ; elle vient d'atteindre 56 % contre 53 % en Italie, 49 % en Allemagne, 37 % au Japon et 33 % aux Etats-Unis. Alors que tous nos partenaires concurrents réduisent cette dépense, nous en poursuivons l'inexorable dérive. Avec 5,5 millions de fonctionnaires, la France est de loin le pays où l'emploi public est le plus fourni, ce qui ne nous a pas empêchés de l'accroître de 7,2 % entre 1989 et 1994. J'emprunte ces chiffres à l'étude impressionnante de l'Institut français de l'entreprise, conduite par Yves Cannac, et que tout homme public devrait avoir à son chevet [1].

Dans la même série de records olympiques, on relèvera sans surprise que notre Etat-providence opère un prélèvement fiscal et social de trois points supérieur à celui de l'Allemagne pour un salarié gagnant le Smic, et de treize points s'il s'agit d'un cadre dirigeant. Ce cadre verse au total près du double de ce qui est pris par l'Etat à son homologue du Royaume-Uni [2]. Fantastique dépeçage qui ruine l'initiative, éteint la responsabilité individuelle, commence de faire fuir de jeunes talents à l'étranger et finira un jour ou l'autre par un coup de torchon politique des classes moyennes.

Enfin – et c'est le pire ! – le chômage devient en France la grande et incurable plaie nationale.

Autant dire qu'il fallait bien de l'outrecuidance pour croire que la recette française ferait florès à la réunion lilloise du G7 sur l'emploi ! Et que le cancre français du chômage alignerait la petite classe sur ses exploits. Pour quitter ce bonnet d'âne, Jacques Chirac a réchauffé, devant un parterre fort dégarni, le potage de la « troisième voie », mirobolante mixture entre le dirigisme étatique et le libéralisme anglo-saxon. Hélas, cette Arlésienne n'a pas fait rêver. Pas plus que n'a séduit cette fausse fenêtre, percée pour la symétrie, et qui vise à présenter comme également détestables l'échec du modèle social-étatique et la « précarité » de l'emploi à l'américaine. Dans leur plat réalisme, nos partenaires ont récusé

---

1. *Moins de dépense publique pour davantage de croissance, d'emplois et de liberté*, Institut français de l'entreprise.
2. *L'Etat-mensonge* de Christian Saint-Etienne (Lattès).

cette égalité suspecte et préféré l'emploi précaire au pas-d'emploi-du-tout.

Lorsque pour dauber sur leur manière nous y trouvons « plus de problèmes de santé publique, plus de personnes sans domicile, plus d'illettrisme et plus de délinquance », nous montrons, dans leur œil, la paille tandis qu'une poutre nous aveugle. Car notre chômage est, justement, une incomparable fabrique de pauvreté, de pathologies sociales, d'illettrisme [1] et de délinquance.

Certes, personne ne doute que le chômage soit un mal qui requiert, en des registres divers, une infinité de soins novateurs. Et qu'une flexibilité accrue pour engager et licencier, qu'une baisse du coût du travail n'en sont pas les seuls palliatifs. Seulement voilà : ces rudes piliers du libre marché sont sans doute imparfaits mais néanmoins nécessaires.

Car enfin, osons voir cette réalité que l'eurochômage est, pour une large part, un bâtard de l'Etat-providence [2]. Nos prothèses byzantines d'aides à l'emploi accroissent nos dettes publiques et nos impôts pour un résultat pitoyable. Comment persévérer dans une voie si funeste quand on sait qu'il existe un parallélisme qui en dit long, au sein du G7, entre le taux de dépenses publiques et le taux de chômage ? Dans les deux cas, nous avons le pompon ! Bizarre, non ?

Un grand serviteur de l'Etat – sorte de Caton – épris de justice sociale et pas reaganien pour un sou – convenait récemment de ceci : « J'en viens presque à ce théorème que la suppression d'un emploi public entraîne, en cascade d'effets induits, la création de deux emplois privés... » Alors, le jour – ce n'est pas demain ! – où la France sera pénétrée du théorème de Caton, nous respirerons mieux.

(6 avril 1996)

L'étouffoir fiscal

L'extravagante pesanteur de notre fiscalité est, pour l'essentiel, le vestige d'une socialisation née des espérances et illusions de l'après-guerre. Elle devient, avec la globalisation du monde, un handicap majeur. C'est parce qu'au sein de l'économie de marché

1. Une étude de l'OCDE (décembre 95) sur l'illettrisme place désormais la France loin derrière la Suède, les Pays-Bas, l'Allemagne et les Etats-Unis.
2. Voir dans *Le Débat* (mars-avril 96) : « L'Etat-providence dans la tourmente ».

nul n'est englué à ce point dans les vices redistributifs de l'Etat-providence que notre fiscalité est désormais la plus « socialiste » dans l'esprit, la méthode, et, je le crains, les résultats. Un foyer français sur deux paye, outre l'impôt sur le revenu, des impôts locaux en pleine flambée, la TVA, des taxes sur l'essence mirobolantes, et surtout de croissantes cotisations sociales sans compter les contributions dites exceptionnelles : l'ensemble représente une charge partout ailleurs inconnue. Notre ami Philippe Manière, dans un livre implacable [1], nous peint cet étouffoir fiscal.

On y voit comment l'Etat, aussi obèse qu'impuissant à rafistoler son panier percé, se résigne donc sans cesse aux expédients des impôts successifs. Réforme fiscale, Réforme de l'Etat, Réforme de la Sécurité sociale, autant de jolis ballons qu'on montre aux « petits-z-enfants » à l'heure électorale, mais qui, depuis trente ans, se dégonflent ou crèvent. Et voici les citoyens français dans l'état pitoyable de ne plus supporter, dirait-on, ni la fièvre fiscale ni ses remèdes.

Car tout se tient : la démagogie multiplie les demandes d'assistance, et le chômage les accroît. Mais, pour comble de malheur, tout indique que l'excès de dépenses publiques nourrit aussi le chômage. Résultat de ce cercle ubuesque : les impôts déferlent. « A 40 % de prélèvements obligatoires du PIB, nous entrons, disait Giscard il y a 20 ans, dans le socialisme. » Nous sommes à 47 %... indique l'aiguille de cette horlogerie infernale. Concluez !

Sans doute, Jacques Chirac et son gouvernement s'échinent-ils à la réparer. Mais outre qu'il a dû feindre, pour être élu, de conserver les « avantages acquis » sans les désavantages fiscaux qu'ils entraînent, le Pouvoir rencontre, dans une nation disloquée, l'hostilité vigoureuse des corporations d'intérêts. Chacune s'enferme dans sa casemate syndicale et tire sur ce tout ce qui bouge avec, pour armes, tantôt la grève tantôt le bulletin de vote. A ce jeu-là, ceux qui peuvent nuire « large » (cheminots, par exemple) sont les mieux protégés. Encore bravo !

*

Outre l'asthénie généralisée qu'elle entraîne en décourageant l'initiative, outre l'émigration de luxe qu'elle commence de provoquer chez les habiles et les talentueux, outre la fraude qu'elle encourage dans les pratiques « au noir » qui pullulent et nous fabriquent une nation de combinards, l'hyper-fiscalité nourrit un autre mal : elle instaure et accentue la division de la France entre la moitié des ménages qui payent l'impôt sur le revenu et la taxe

---

1. *De la pression fiscale en général et de notre porte-monnaie en particulier* de Philippe Manière (Plon).

d'habitation et ceux qui ne les payent pas et les verraient sans déplaisir augmenter (chez les autres). Pire encore, l'overdose fiscale creuse la fracture sociale entre assistants et assistés.

Les « assistants » forcés, ne sont pas tant les super-riches, les riches en capital, les héritiers de fortune. Car ceux-là profitent de la volatilité accrue de l'argent, le vaporisent aux Bahamas et passez muscade ! Non, les vrais « assistants » sont les salariés moyens et supérieurs qui voient le fruit de leur travail ponctionné au-delà du raisonnable. Quant aux « assistés », leur nombre ne peut que grandir. Car sous le noble manteau de la « justice sociale », combien de systèmes byzantins et abusifs font désormais « obstacle à leur réinsertion » ? Combien d'assistés ont intérêt à recevoir et à ne pas travailler ? Ce n'est pas moi qui le dis mais, outre l'OCDE, un austère rapport (enterré) de sages officiels [1].

Aussi bien, les payeurs ont cessé de percevoir la nécessaire utilité civique de l'impôt. Car à côté des investissements légitimes de l'Etat (sécurités intérieure et extérieure, écoles, hôpitaux, routes, etc.), ils voient surtout l'échec lamentable et ruineux des aides à l'emploi, voire de certaines aides au logement détournées de leur fonction sociale. Ils voient la litanie désastreuse des déficits des grandes entreprises publiques, la gabegie d'un Crédit Lyonnais, la soumission aux chantages de la Corse, les constructions pharaoniques de la régionalisation. Ils voient les torrents de subventions roulant vers des dizaines de milliers d'« associations lucratives sans but », vers des « animations » erratiques peuplées de maints tire-au-flanc, sans compter les prébendes drolatiques de la Culture officielle pour soutenir, à tous vents, les académismes de la modernité. Ils voient, partout, l'insolente prospérité des artistes de la sébile, et le grouillement de la grande tricherie nationale.

Quel respect, quelle estime le citoyen-payeur peut-il garder pour un Etat rapace, prompt à rançonner l'argent du citoyen, mais prompt aussi à le jeter par les fenêtres, avec une désinvolture monarchique ? En vérité, le couple infernal de la dépense publique et de l'impôt enfante dans la nation un nouveau Tiers Etat. Comme l'autre jadis, il expédie ses doléances. Et il attend.

(13 avril 1996)

1. Rapport Ducamin.

5. *LA TIERCE-FRANCE*

Les nouveaux gueux

Qu'il s'agisse de l'Amérique et de son capitalisme bagarreur ou d'une Europe éprise d'aménité sociale, partout les démocraties modernes traînent une masse croissante d'inadaptés. Des deux côtés de l'Atlantique des millions d'hommes vivent en dessous des seuils de pauvreté tandis que des hyper-actifs (ou des rentiers) prospèrent. Les Américains s'accommodent des duretés de ce « struggle for life » mais dans le Vieux Continent, les Européens se résignent mal à la « fracture ».

En France il n'est plus de jour où le sort des nouveaux pauvres ne dérange les égoïsmes les plus cadenassés : une clochardisation montante emplit les rues, les métros, les gares; des ghettos de misère nourrissent une criminalité croissante et l'islamisme missionnaire y pêche ses fanatiques. Une contre-culture de « haine » et de sape serpente sur les bitumes de l'exclusion. Et quand « Nique ta mère » vient à ses oreilles, toute une société de rassis et d'ahuris frémit de savoir sous ses pieds cette poche sociale de grisou. De nouveaux « gueux » remplacent les « misérables » du siècle dernier.

*

L'évidence massive, c'est que la plaie terrible du chômage nourrit, chez nous, l'essentiel de cette détresse. Mais non la totalité : on y compte bon nombre d'effondrements personnels contre quoi l'arsenal des politiques antichômage ne peut rien. Car cette multitude, abandonnée sur les bas-côtés de la croissance, aux Etats-Unis comme en Europe, n'est pas seulement victime de la fatalité des cycles économiques. Ses victimes sont les réprouvés d'un monde qui change trop vite, qui a vu s'effondrer les codes sociaux et moraux qui le rendaient intelligible, qui a supprimé des solidarités familiales, voire des barrières où les plus faibles trouvaient plus d'appuis que d'interdits. Une misère mentale se substitue ou se rajoute à la déchéance économique.

On sous-estime, je crois, la brutalité d'une mutation inconnue de notre espèce : le paysage naturel et humain d'un pays développé a plus changé depuis 1900 qu'entre l'homme de la Préhistoire et celui du début du siècle. A suivre le train vertigineux d'un monde qui ronge le temps et l'espace, où chacun court derrière son ombre, où l'utilitaire et l'outilitaire débordent l'utilisateur, le peloton s'épuise et s'étire : en queue, la voiture-balai des Etats-providence ne parvient plus à ramasser les traînards. Chez eux, « le biologique, disait en mai 68 de Gaulle, ne suit pas... »

Vient alors, chez les plus faibles, le sentiment qu'ils sont en effet « exclus » de la machinerie sociale, qu'ils deviennent des exilés d'un monde perdu, qu'ils n'exercent aucune responsabilité dans la communauté citoyenne. Le soupçon les gagne, qu'ils sont « manipulés » par les forces obscures du progrès technologique, opprimés par la mondialisation et autres loups-garous de l'imaginaire social. Aliénés non plus seulement, comme chez Marx, par des « gnomes » de la puissance capitaliste, mais par le progrès lui-même et son opacité. Par les diktats énigmatiques du « Marché », mais aussi par les machines informatiques, l'anonymat des masses urbaines, ou l'étouffoir d'une complexe mécanique sociale, dure aux indolents et aux rêveurs.

Tous les pays d'Occident subissent ce traumatisme. Mais aucun n'en dépérit comme la France, bourrée de tranquillisants, geignant dans la vaste maison de retraites (et préretraites) où l'Etat l'a droguée de baumes et d'illusions.

*

On ne guérira pas de ce handicap en un tournemain. Du moins une convalescence est-elle possible si l'on cesse de combattre le chômage par des emplâtres redistributifs. Tous les responsables politiques européens savent désormais que la seule recette qui vaille, c'est un engagement résolu vers une flexibilité accrue du travail, et les liquidations des dettes, pesanteurs et scléroses de l'Etat-providence qui a spectaculairement démontré ses échecs.

Mais chez nous – exception française ! – le constat dramatique de la fracture sociale renforce au contraire la résistance à la logique libérale. Reviennent les potions socialistes des Docteurs Miracle. Reviennent, sur tous les bords, les habituelles tentations de fuite, comme la dévaluation ou la désertion sournoise hors des engagements européens !

Et le pouvoir s'épuise à naviguer entre ce qu'il croit et ce qu'il peut. Tandis que la raison engage à la réforme, une sous-idéologie de la plainte appelle, chaque jour, chez nous, à des expédients dont l'Angleterre, l'Allemagne, l'Italie se sont débarrassés. Une certaine gauche française fait un Fort-Chabrol d'idées mortes. Nous voici, dirait-on certains jours, au point de ne supporter ni nos maux ni leurs remèdes. C'est pourtant aux remèdes qu'il faut se cramponner. Et réserver, ce mois-ci, le Père Noël aux bonheurs exclusifs des enfants.

(14 décembre 1996)

Immigration : le mal court

Le pire, dans ce qu'on appelle les « longues maladies », n'est pas qu'elles soient interminables, c'est qu'on s'y résigne. Ainsi de l'immigration incontrôlée et de ses ravages. Qu'une mini-émeute embrase une de nos banlieues-favelas, et toutes nos vigies s'égosillent au porte-voix. Mais, passé le spasme, on oublie la maladie, et plus encore les soins qu'elle requiert. Les Cassandre se lassent, et les pouvoirs font l'autruche.

La maladie est pourtant bien là. La pression de l'immigration clandestine déborde toujours les défenses qui lui sont opposées. Et l'intégration recule devant la résistance d'îlots étendus, constitués en marge de la communauté nationale, hors nos mœurs et nos lois. Ainsi glissons-nous lentement vers un modèle américain de communauté multiraciale. Mauvais modèle !

*

La pression de l'immigration s'universalise. Aux réfugiés politiques qui fuient une guerre civile, voire un génocide, s'ajoute désormais le flux considérable de ceux qu'on pourrait appeler des « réfugiés économiques » : ceux-là fuient la misère d'une terre stérile, d'un climat « inhumain ». Peu à peu délivrés de leurs résignations aux épidémies, aux famines, à la mortalité infantile, guidés par le grand tam-tam médiatique, ils accourent au grand banquet des riches. Sur le Nouveau Continent, l'immigration latino-américaine envahit plusieurs Etats du sud des Etats-Unis. Chez nous, en Europe, la masse des peuples d'Afrique – et d'abord maghrébins – exerce et exercera une pression qu'on pourrait dire naturelle et mécanique : celle de peuples pauvres et prolifiques proches de peuples riches et en relatif déclin démographique.

La France – chacun le sait – est la plus vulnérable : parce que son passé a installé chez elle une forte immigration africaine constituant une structure d'accueil, parce qu'elle a la meilleure protection sociale d'Europe et que ses idéaux et son droit universalistes lui ont masqué, jusqu'à l'ineptie, les dangers que son utopie faisait courir à son identité, la France détient en Europe le record peu envié de l'immigration non européenne. Comme, sur les 25 000 expulsions d'immigrés prononcées chaque année par nos tribunaux, les deux tiers ne sont pas exécutées, et comme il rentre chaque année environ 150 000 immigrants nouveaux (clandestins compris), on peut être assuré que ce record peu envié ne nous sera pas de sitôt disputé.

La vérité tient, malgré quelques sursauts, à la persistante débilité de notre appareil exécutif et législatif. Tant que les expulsions décidées par les tribunaux ne seront pas intégralement exécutées, la France, selon l'avis d'un connaisseur, passera, des Galapagos à Ceylan, pour le seul pays au monde où le clandestin a droit effectif de cité jusqu'à y manifester sur la place publique.

Une élémentaire restauration de l'autorité répandrait son effet dissuasif sur le téléphone arabe. Mais, au-delà, nos lois sont à réformer. Il faut que le regroupement familial soit réservé aux immigrés titulaires d'une carte de long séjour. Il faut bannir la tolérance polygame. Conditionner le séjour des « étudiants » étrangers en France au déroulement normal de leur cursus universitaire. Amender le système des prestations sociales pour que seuls les étrangers cotisants bénéficient de ses largesses en réformant, si nécessaire, la Constitution sur ce chapitre. Toutes ces mesures, d'ailleurs préconisées par l'opposition, sont d'une urgente évidence. Elles constituent l'ultime barrière contre les Rostock et Los Angeles futurs. Le socialisme tiers-mondiste, les Savonarole de l'antiracisme délirant et la chorale des belles âmes ne font que paver nos enfers de demain.

*

Dans la course dramatique engagée entre nos capacités d'intégration et le débordement immigré, il est clair que l'intégration marque le pas. Pour deux raisons : la première, qu'on vient de dire, c'est que le débordement excessif ruine l'intégration de même qu'un barrage rompu ruine l'irrigation. C'est ce débordement qui produit les « black powers » de certains ghettos, le scandaleux campement des Maliens nomades de Vincennes, les banlieues à risques, et qui fait peu à peu de la France la Rome introuvable de Juvénal.

La seconde raison, c'est que l'anémie d'un pouvoir en fin de course – sans volonté, sans projet, sans élans – éteint la voix de la République, brouille la figure tutélaire de l'Etat républicain. Comment un ectoplasme donnerait-il à la nation les formes nettes et nouvelles de sa volonté d'intégrer ? Déjà s'étend le fatalisme de l'informe, du patchwork culturel, de la jungle sociale que seuls régentent l'argent et la tricherie de l'incivisme. A François Furet, qui constate la perte de l'esprit républicain, Jean Daniel exhale cette juste plaine : « Faut-il baisser les bras et sur les flux migratoires et sur la babélisation des cultures ? » Non, bien sûr, cher Jean Daniel ! Mais si le socialisme français ne lève pas les bras, c'est qu'il n'a plus de bras.

(31 octobre 1992)

Sur les ghettos

La gangrène des nouveaux ghettos est le produit de deux longues maladies françaises : celle de l'immigration, celle de l'éducation. N'accusons donc pas, selon le cliché habituel, le chômage. Car les jeunes Maghrébins qui se défoulent en cassant et pillant ne sont ni préparés ni disposés au travail, si d'aventure il s'en offrait. Le sentiment d'exclusion qui les enrage, c'est un raté de l'intégration française. Il a deux causes majeures : la première tient aux débords d'une immigration incontrôlée, qui reste le plus redoutable adversaire de l'intégration. La seconde, c'est un système éducatif obèse et débile incapable de former ces déracinés à notre vie civique et professionnelle.

Admettre, sans ciller, que dix mille « clandestins » manifestent à Paris, c'est dire qu'il y a quelque chose de pourri dans la République et que les clandestins s'officialisent. Combien y en a-t-il ? Trois cent mille ? Un million ? Allez savoir ! Visas touristiques, demandes d'asile politique, filières souterraines : la passoire a mille trous. On sait aussi que tout, hélas, prédispose la France à cet envahissement : sa porte cochère méditerranéenne, l'ancienneté de ses liens coloniaux avec l'Afrique blanche et noire, la présence déjà acquise sur son sol d'environ huit cent mille citoyens français de souche maghrébine et d'environ deux millions de Maghrébins étrangers. Ajoutez-y la tolérance, unique au monde, de ces regroupements familiaux polygames et autres complaisances de notre niaiserie politique.

Une aberration de trente ans ! Dans ses vœux de nouvel an 1989, le président de la République se préoccupait encore, à peine réélu, de démolir les dispositions heureusement restrictives de Charles Pasqua. Depuis, MM. Joxe et Marchand, le nez sur la catastrophe, ont inversé, sans le crier sur les toits, la vapeur présidentielle. Mais la France restera encore, et pour longtemps, le fallacieux eldorado de tous les réprouvés d'Afrique.

Les premières victimes de cette politique calamiteuse ne peuplent pas les beaux quartiers. Ce sont les enseignants insultés, les commerçants ruinés, les policiers molestés, tous plus ou moins livrés par l'incurie à cette jungle. C'est aussi cette majorité silencieuse de beurs, de travailleurs maghrébins réguliers, tous paisibles et intégrables, et qui cherchent moins le droit à la différence que le droit à l'indifférence. Bref, un gâchis qui n'a pas fini de déchirer le tissu national !

Il n'y aura pas de politique des banlieues qui vaille tant que le flux des clandestins ne sera pas drastiquement réduit, c'est-à-dire découragé à sa source par une nouvelle réputation française de rigueur. L'Afrique compte des centaines de millions d'hommes pour lesquels les modiques faveurs de notre assistance sociale constituent un enviable pactole. Chaque fois que notre rigueur cède à la pression des faussaires, de l'antiracisme, au chantage à la compassion, aux sirènes concertantes de l'angélisme et de la démagogie, ce sont des squats que l'on peuple, de la « tiers-France » que l'on fabrique, de la violence que l'on inspire, de l'autodéfense que l'on provoque, des prisons que l'on emplit, du racisme que l'on nourrit.

(3 juin 1991)

——— Paysans

De toutes les mutations du siècle, la plus douloureuse pour la France aura été la longue, l'épouvantable saignée de la paysannerie française. La disparition de l'agriculture comme activité pilote de la vie humaine – « le plus grand événement du siècle », dixit Michel Serres – aura remué notre pays dans ses tréfonds : sur dix millions de Français qui travaillaient la terre au sortir de la guerre, il en reste un million, et sur ce million près de la moitié sont appelés à disparaître.

Cette révolution aura, du même coup, en deux générations, effacé une France multiséculaire : celle qui vivait au rythme géorgique, où la mythologie de la terre et du sillon inspirait aussi bien l'idée de la patrie que le sens de la propriété (immobilière et immobile), où une bourgeoisie toute proche, par le sang, du monde paysan entretenait, à petit feu, les traditions de patience, d'épargne, de méfiances et d'envies, dans un temps coulant au rythme des saisons. Cette France-là, celle des chemins creux, des notables et des comices, de l'instituteur et du curé, France conservatrice, villageoise et secrète, goûteuse mais confinée, économe mais malthusienne, cette France d'un XIXe siècle prolongé ratant l'essor industriel et repliée dans de petits lopins pour de grandes misères et de petits bonheurs, cette France-là expire. Alors, de grâce, soulageons ses victimes, mais sans pleurer à l'excès sur un âge d'or bucolique trop fantasmé !

*

C'est l'ouverture aux grands vents du commerce mondial qui

pourrit ce passé sur pied. Pour maintenir la paysannerie dans ses anciens apanages, il eût fallu mettre la France sous cloche, asphyxier toute la communauté nationale dans un protectionnisme suicidaire, compromettre notre tardive révolution industrielle et « portugaliser » la France. Une folie ! Car la réalité pour les paysans se trouve bouleversée par l'économie, la technique, la chimie, la génétique : il y a quarante ans, un paysan nourrissait cinq Français ; il en nourrit aujourd'hui trente. Et dans la concurrence mondiale, les prix agricoles ont baissé de plus de 50 % en dix ans.

Il reste que titubant entre la nostalgie protectionniste, l'illusion productiviste, abrutie de conseils contradictoires et de faux espoirs électoralistes, mécanisée mais surendettée, la paysannerie française vit encore les affres d'une « longue et cruelle maladie ». Elle veut vivre, prouver qu'elle peut produire : elle ne veut pas savoir que beaucoup de ses produits sont invendables au prix marchand, qu'ils ne survivent qu'à coups de subventions énormes, productrices d'excédents pyramidaux, lesquels ruinent les contribuables et handicapent toute la nation. La vérité, c'est qu'une France moderne peut conforter son remarquable crédit agro-alimentaire et garantir une agriculture profitable, exportatrice – et pas seulement dans le haut de gamme, où elle excelle – à 500 000 ou 600 000 exploitants. Les autres sont condamnés au départ.

Ce n'est pas une vérité nouvelle. On a feint, par commodité, de l'ignorer parce que, depuis trente ans, c'est l'Europe communautaire qui administre cette géhenne à coups de subventions, montants compensatoires et autres quotas. Et les politiques et syndicalistes français ne furent jamais fâchés de faire porter à Bruxelles le chapeau de médecines inéluctables. Mais nos politiciens ont trop trompé les paysans. Sans l'Europe, ce serait pire.

La nouveauté, par contre, c'est que les Douze ont décidé d'en finir avec ce mode d'assistanat, de réduire les subventions à la hache, et de remplacer l'aide aux produits par des aides directes et la mise en jachère d'une partie des terres. Ils ont raison.

Cette décision cruelle pour certains agriculteurs sert en fait l'intérêt général de nos nations, et d'abord celui de la France, premier pays agricole de la Communauté, où la révolution devient donc tout à la fois la plus pénible et la plus nécessaire. Contre cette politique agricole commune sainement réformée, l'opposition vient, en vain, de voter la censure. Mais soyez assurés que les plus lucides de ses censeurs se réjouissent, sous cape, que les socialistes assument seuls les inconvénients de l'inéluctable. Alors, d'un bout à l'autre du pays, les paysans hurlent, cassent, et voteront non à Maastricht. Ils sont enragés parce qu'ils sont désespérés.

*

Ce que nous vivons là, dans l'indifférence des villes, c'est un drame national. Comment la solidarité publique qui entoure tant de faux chômeurs comptés pour des vrais négligerait-elle, sans honte, les misères de Français qui s'échinent pour survivre et n'ont, contre eux, que la fatalité du monde moderne ? Les paysans condamnés sont nos nouveaux pieds-noirs. L'honneur national, s'il en reste, est d'accompagner généreusement leur arrachement. Cela sans nous effrayer, pour autant, du monstre tant exhibé de la « désertification » : l'espace français est aujourd'hui déséquilibré par l'exode rural, mais il reste un atout. Et il ne tient qu'à nous de le bien jouer. Il faut cesser d'entrer dans l'avenir à reculons.

(13 juin 1992)

Sur « l'exclusion »

Exclusion : le mot est trop expéditif pour la réalité qu'il prétend embrasser. Son usage abusif invite plus à la compassion qu'à l'intelligence. Car il y a toutes sortes d'« exclusions ». Le chômage, c'est entendu, en est le principal pourvoyeur, mais il n'est pas le seul. Tous les chômeurs ne sont pas, Dieu merci, des exclus. Et nombre d'exclus ne sont pas chômeurs, parce qu'ils ne cherchent pas d'emploi, ou sont trop las ou impotents pour en chercher : ils ont coulé. Et la prostration, la misère psychologique, parfois l'alcoolisme ou la drogue, les rivent à leur galère.

Il n'y a pas à s'étonner qu'une société comme la nôtre laisse tant de misérables à la dérive. Dans toute société, plusieurs principes modélisateurs concourent à faire de chacun un être social. Ainsi les croyances et valeurs communes que dispensent les Eglises et l'Ecole. Ainsi, la famille, première cellule de l'individu social : celle où l'on naît, celle que l'on fonde. Grand modélisateur aussi le travail et son système normatif qui lie la gratification à la règle. Mais si aujourd'hui, la perte d'emploi « désocialise » à ce point tel chômeur, c'est évidemment que les autres constituants majeurs du tissu social se sont, chez lui, effilochés. C'est que la transmission des valeurs patrimoniales s'est brouillée ou affadie. C'est que la crise du mariage a défoncé la famille, que les enfants de divorcés représentent 15 % de la jeunesse, qu'à Paris, un foyer sur deux est un foyer de femme seule, et qu'on ne compte plus les familles qui refilent leurs vieillards à l'hôpital ou à l'hospice.

*

L'individualisme a fait glisser l'aspiration au progrès depuis le collectif jusqu'au particulier : il a accru la liberté et le choix des satisfactions personnelles, mais diminué l'adhésion à des solidarités tutélaires. Je vois bien que, sous la décomposition des grands réseaux de jadis, il se reforme d'autres harmonies dans la « multiplication de petits groupes de réseaux existentiels », dans l'association élective autour d'intérêts immédiats, dans la défense corporatiste, dans une large palette de sentiments partagés et qui vont du dévouement à autrui jusqu'aux loisirs. Je vois bien, par exemple, que la catastrophe naturelle de l'inondation suscite, sous nos yeux, une entraide de proximité réconfortante. Mais l'essentiel demeure : la déchirure des liens sociaux primordiaux marginalise les plus faibles. Le sans domicile fixe est souvent un sans attache fixe. « L'exclu » est à maints égards une victime de l'individualisme souverain.

*

Il y a grand dommage à enfermer derrière cette dénomination d'« exclusion » des hommes et des femmes de destins fort divers. De placer dans un amalgame sommaire des catégories qui gagnent, pour être guéries, à n'être point confondues.

Distinguons d'abord la petite cohorte – mais elle existe ! – de ceux qui choisissent leur marginalité dans le même exil qui les fit aller autrefois vers Katmandou ou les chèvres du Lubéron. Voyons, ensuite, plus nombreux, les malheureux « cas sociaux » que ce siècle n'a pas inventés, et que des assistances jadis familiales ou villageoises ont exportés, aujourd'hui, vers les charités privées et publiques de la grande ville. Le RMI est utile quand il les aide à surnager. Il ne l'est pas quand il devient pour de « faux exclus » une ressource minimale qu'ils complètent, selon l'humeur et les saisons, avec des petits boulots clandestins, ce qui les dissuade peu à peu de rechercher un emploi régulier. Et enfin, vous recensez les plus nombreux de tous, ceux qu'un chômage soudain et l'absence d'immunités personnelles font tomber dans une déchéance humiliante qu'ils s'efforcent de cacher. Ceux-là c'est bien la plaie nationale du chômage qui les ruine. C'est bien de la puissance publique, de sa politique économique que leur sort relève.

Sur le chômage massif, voilà 20 ans que l'Etat français se casse les dents. Un enfant en conclurait qu'il faut repenser toute l'affaire. Et se demander si notre « Etat-providence » n'a pas rencontré sa limite, lorsqu'il recrée avec un tel chômage, une inégalité majeure. Mais le moins qu'on puisse dire, c'est que cette notion-là n'a pas encore conquis les foules.

Si bien que l'évocation permanente de « l'exclusion » indifférenciée réveille dans l'opinion, et d'abord dans le conservatisme syndical de ceux qui ont un emploi, les recettes partout dévaluées du socialisme redistributeur. Déjà, Marc Blondel (FO) ou Louis Viannet (CGT) s'expriment d'avance en cardinaux de la contre-réforme. Et le candidat socialiste, devant l'exclusion, débitera, je le crains, plus d'anathèmes que de vraies solutions.

(4 février 1995)

Sur le Front national

L'étonnement plaintif de la classe politique à découvrir l'implantation du Front national évoque celui d'un ivrogne invétéré découvrant sa cirrhose du foie. Quand on mesure non pas depuis les beaux quartiers, mais sur le goudron des banlieues, le carré noir de la morosité française : immigration, insécurité, chômage et corruption, alors on s'étonne plutôt que la République résiste encore si bien aux sirènes du Front national.

Fabius a très bien dit que le Front apporte de bonnes questions et de mauvaises réponses. L'ennui, c'est que les questions demeurent, mais que les bonnes réponses n'arrivant pas, un électorat excédé n'a pas craint de voir d'un peu de près ce que sont au juste ces « mauvaises réponses » de Le Pen. Sur le terrain municipal, ici ou là lorsque les quatre plaies conjuguent leurs ravages, alors la ville fait le saut ! C'est le cas à Toulon où l'ancien maire parrainait depuis 26 ans un système à combines, avant de se trouver en prison ; Toulon et ses pots-de-vin, Toulon et son milieu, Toulon où ces beaux exploits s'enracinaient sur 19 % de chômage.

Il est, par ailleurs, évident que la xénophobie est un ressort puissant et détestable du Front national. Mais – et c'est une autre évidence – ce rejet, avec ses composantes racistes, ne serait pas ce qu'il est, si une immigration largement incontrôlée n'avait laissé se constituer, avec une population étrangère à nos mœurs et à nos lois, des poches de non-droit où fermente l'insécurité. D'avoir abandonné à Le Pen l'exclusivité de la dénonciation, c'est une erreur fatale et qui génère les poisons attendus. Car il y a bel et bien des seuils de tolérance : ils ne sont pas, Dieu merci, ni statistiques ni légaux, mais ils sont dans les mœurs. Le discours de nos champions antiracistes n'est pas, lui, inutile, mais c'est celui des oies du Capitole. Ils cacardent sur le mal qui est aux portes, mais ne disent rien sur les conditions et les racines du mal.

Quant à l'insécurité déferlante en certains quartiers, on ne l'a que trop évacuée sous le discours lénifiant des belles âmes. Petite délinquance, nous disent-elles ! Eh bien oui, mais c'est elle qui ronge la vie, c'est elle qui chasse des zones de non-droit des Français de souche livrés aux cambriolages à répétition, et au vandalisme, c'est elle qui empêche les femmes de sortir le soir et qui angoisse les vieilles gens quand il s'agit pour elles d'aller à la Poste toucher leur pension. Quelle ligue des Droits de l'homme s'occupera de ces exclus-là qui n'ont, pour tare, que l'honnêteté de leur dénuement ?

Si, de surcroît, nos princes tombent comme des quilles sous les boules de la Justice, alors il ne faut pas s'étonner du dégoût expéditif qui précipite les plus exposés, les plus abusés dans les biscottos du Front national.

Il faut, certes, montrer et démontrer les périls des solutions lepénistes. Mais pour éviter les mauvaises réponses, il faut d'abord imposer les bonnes. Le péril démocratique n'est pas extrême : nationalement, Le Pen culmine dans les présidentielles à 15 %, mais il s'installe et l'affaire commence d'être sérieuse.

(20 juin 1995)

Le Pen et les races

Pour devenir, hélas ! chez les ouvriers et les chômeurs, le premier parti de France, le Front national aura bénéficié d'une xénophobie rampante que Le Pen entretient à petit feu depuis trente ans, mais tout autant de l'indigence de ses adversaires. Dans la tempête soulevée par ses propos sur « l'inégalité des races » nous avons un bel exemple de ce travail souterrain de l'inconscient collectif où le Pen excelle et devant quoi ses adversaires déraillent.

Quand il parle de « l'inégalité des races » tout le monde, compte tenu là-dessus de sa fâcheuse réputation, comprend que Le Pen veut dire qu'il y en a d'inférieures. Il n'a pas besoin de le dire, et s'en garde bien. Mais quand ses censeurs légitimes, emportés par l'hystérie, nient d'un bloc toute inégalité, toute différence, ils violentent, eux, le bon sens populaire qui constate que les Blancs ne sont ni noirs ni jaunes. Et que, jusque dans les souks de la Canebière, le Shanghai de Belleville, le Bamako de Barbès, il y a en effet de la différence et de l'inégalité dans l'air.

Pour confondre Le Pen, il faudrait que le grand public eût appris à distinguer la race, envisagée dans sa définition biologique, des groupes humains (blancs, noirs, jaunes, etc.) voire des ensembles religieux ou culturels que l'homme de la rue affuble tous, et en vrac, du même terme de « race ». Ainsi, le magistère antiraciste brave-t-il sottement l'opinion commune en affirmant que les races n'existent pas. Quid alors de la Constitution qui assure l'égalité des citoyens « sans distinction d'origine, de *race* ou de religion » ?

Pour extirper le réflexe raciste, il ne suffit donc pas de se jucher sur une certitude biologique récente qui heurte encore le sens commun. Il faut calmement montrer ce que la génétique, en effet, mais aussi l'Histoire nous apprennent. Et, par exemple, que les Asiatiques réputés par nos grands-pères inaptes au développement économique caracolent, cinquante ans après, dans la recherche et l'industrie. Il faudrait enseigner ce que la dépendance, peu à peu combattue, des climats et des sols inflige encore à différents groupes humains. Et qu'ils connaissent d'ailleurs, au fil des siècles, des rythmes variés d'épanouissement. Il faudrait apprendre aux jeunes Occidentaux que l'Afrique bantoue ou maghrébine ne leur est pas, à maints égards, « inférieure » lorsqu'on y mesure, non la réussite technologique, mais la valeur humaine des solidarités familiales : les jeunes n'y jettent pas leurs vieux dans des mouroirs. Bref, avec un bagage décent de réflexion, on conviendrait qu'un continent, comme le nôtre, qui vient de sombrer dans les abominations du fascisme et du communisme doit tourner sept fois sa langue dans sa bouche avant de parler de « races ».

Au lieu d'user de cette pédagogie, nos caciques grimpent aux rideaux. Certains prétendent réinventer l'interdiction de parti, d'autres veulent adjoindre je ne sais quelle byzantine « connotation » de l'incitation à la haine raciale aux textes fort suffisants qui la répriment. Absurde ! En démocratie, on combat la déviation par la conviction, l'action et le vote.

*

En vérité, avant que de s'égosiller contre le racisme, nos politiques eussent mieux fait d'en prévenir les causes. Le terreau du racisme serait, chez nous, moins fertile si une immigration incontrôlée n'avait défoncé des seuils non quantifiables mais bien réels de tolérance. On mesure chaque jour que l'hétérogénéité des cultures est grosse de drames, et plus encore quand la religion s'en mêle : voyez la Bosnie ! Chez elle, la France recueille, avec Le Pen, ce qu'elle a semé.

Ajoutez que l'idéologie rampante du « différentialisme » n'a rien arrangé. Loin d'en appeler au ciment national pour imbriquer, dans notre tradition républicaine, les droits et devoirs des nouveaux citoyens, nos pouvoirs ont succombé à un « communautarisme » débile qui a figé les différences au lieu de les réduire. Sous Mitterrand, un Conseil d'Etat, en ébriété juridique, alla jusqu'à légitimer tout un temps la polygamie, avant de bredouiller sur le voile islamique à l'école, tandis que l'Elysée bénissait d'un œil patelin l'activisme « tag » et « rap » d'un antiracisme de tréteaux. L'exorcisme antiraciste, modèle Benetton, aura ainsi essaimé du racisme à rebours. Résultat : la cote de Le Pen montait, ce qui, gênant la droite, émoustillait le Machiavel présidentiel. Mais c'est presque toute la classe politique – et d'abord une droite guindée, sans éloquence ni simplicité – qui aura désappris de parler au peuple, et abandonné au bord du chemin l'idée nationale au risque que Le Pen la prenne en croupe.

On dirait, à considérer le dernier incident, qu'elle n'a encore rien appris.

(21 septembre 1996)

La vitrine de Vitrolles

Sur la résistible ascension du Parti lepéniste, qui croire ? Les plus rassis font valoir que la poussée lepéniste dans la région Provence-Côte d'Azur s'exerce sur un terrain pourri, et qu'à Vitrolles, la batterie de casseroles du champion socialiste en faisait un adversaire idéal à croquer pour le Front. Evident ! Mais d'autres retiennent que le Front a, pour la première fois, décroché le cocotier dans un duel de second tour ; qu'il semble, pour ces tournois locaux, moins ostracisé que jadis. Et qu'en somme il se « notabilise ». Autre évidence !

Ne tranchons pas ! Il est probable que l'embourgeoisement municipal du Front peut encore servir sa progression. Mais comme son projet national reste sommaire et irréaliste, il me semble qu'on s'hallucine un peu vite sur le viol de la République par le ménage Mégret. Une volée de sondages plutôt concordants constatent d'ailleurs que si un quart de nos concitoyens disent partager « certaines idées » du Front, 70 % ne donneraient en aucun cas de responsabilités majeures au Parti lepéniste.

Le Front national présente ainsi un cas de figure classique des partis à clientèle dite « populiste » : ils donnent une estrade à la protestation populaire, mais ils sentent tellement le fagot qu'une majorité les tient écartés du pouvoir national. Le Parti communiste – qui a refilé bien des électeurs à Le Pen – fut nourri des mêmes colères, avec la même épure de succès municipaux et d'insuccès nationaux. Jamais il ne parvint à gouverner seul. Jamais il n'eût accédé au pouvoir sans Mitterrand qui s'en fit un marchepied électoral, remisé au placard après usage.

Si la dimension du Front national à la droite de la droite, et du PC à la gauche de la gauche distingue fâcheusement la France parmi les grandes démocraties occidentales, c'est qu'ils sont, l'un et l'autre, deux bâtards de l'exception française : celle d'un inquiétant découplage de la classe politique et de l'opinion. La machine démocratique française, rouillée, et déconsidérée, a rejeté, dans une sorte de hors-jeu démocratique, un nombre impressionnant de citoyens. De la représentation politique, ces oubliés de la tiers-France n'entendent que la langue de bois, ils n'en constatent que l'impuissance, ils n'en apprennent que les scandales. A Vitrolles, ils ont rossé Guignol politicien. Ce n'est pas une bonne nouvelle. Mais Guignol l'avait cherché.

*

Car la gauche et la droite ont beaucoup à se reprocher. D'abord les délits d'argent qui les précipitent devant les tribunaux. On compte en France des troupes compactes d'élus nationaux, régionaux ou municipaux en délicatesse avec la Justice. Or, même si, par les temps qui courent, nombreux sont ceux qui magouillent et trichouillent, ils n'aiment guère que les puissants magnifient leurs vices : le naufrage dans les « affaires » des dignités de l'élu – au sommet de l'Etat, au Parlement, dans les mairies – a partout ravagé le crédit des politiques et grossi les égouts de la République. C'était offrir à Le Pen une paire de bottes, et d'abord celle de l'égoutier !

La gauche, elle, en 14 ans de pouvoir, non contente d'endormir la nation dans le culte de l'Etat-providence et l'édredon du maternage, n'a cessé d'aggraver une politique d'immigration désastreuse. Elle a fait mijoter, dans des villes ghettos, le bouillon de culture du racisme et de l'insécurité. Loin de favoriser l'intégration, la gauche se mit, tout un temps, à encenser la « différence ». Et, plus inconscient encore, à dénoncer abusivement comme « raciste » « un attachement à certaines valeurs, un simple manque de goût pour d'autres, si bien que ceux à qui le reproche s'adressait se disent : si c'est cela le racisme, alors moi je dois être raciste... Ainsi fabrique-t-on pour le coup des racistes [1] ». Voilà, en effet, la bride lâchée à la xénophobie ! Voilà instillée l'utopie maléfique d'un rapatriement massif d'une foule d'immigrés !

Hélas, la droite n'est guère plus innocente. Son péché essentiel est d'avoir perdu, bon gré mal gré, des convictions qui l'avaient fait élire. D'avoir abandonné le souci du civisme et des valeurs nationales. D'avoir délaissé l'engagement de terrain pour l'éther des survols technocrates. Comment décourager le populisme sans parler au populaire ? Qui donc, à droite, ose enfoncer le clou comme le fit un Reagan ou une Thatcher ? Pour combattre le Front national, il ne suffit pas d'ajouter son petit cierge et ses cantiques au cérémonial exorciste du « fascisme lepéniste ». Il faut mettre à plat le programme du

1. Claude Lévi-Strauss.

Front, montrer que sa négation puérile de la mondialisation, son repli cocardier sur l'Hexagone, ses rêveries d'innocence fiscale, sa tentation xénophobe sont, tout autant que les utopies communistes, des vestiges de la quincaillerie idéologique d'avant-guerre.

Alors, peut-être, pourra-t-on retenir les nouveaux électeurs du Front. Il y a, chez eux, bien peu de « fascistes » mais beaucoup de victimes de l'incurie publique.

(15 février 1997)

La république des oiseaux

Les « intellectuels » sont de drôles d'oiseaux qui n'existent que dans notre faune. Rien, d'abord, ne les distingue de leurs congénères du monde entier qui nichent et picorent comme eux dans les arts, les sciences ou les lettres. Sinon que les nôtres ont pour singularité de se jeter, de temps à autre, dans la sphère publique afin d'y délivrer un message universel.

Effrayés par un article – en effet déplacé – d'un projet de texte réprimant l'immigration clandestine, effrayés au même moment par l'épouvantail Le Pen, dont un coup de mistral agitait, ces jours-ci, la carcasse, deux, trois de nos oiseaux s'alarment. Ils s'envolent et, hop ! toute la gent intellectuelle s'envole avec eux à tire-d'aile. D'abord, une poignée d'oiseaux-lyres, quelques rossignols, puis des myriades d'étourneaux ! Ils piquent vers le ciel, et leur nuage piaillant et pétitionnant obscurcit en quelques secondes l'horizon politique.

Quant à nous, simples bipèdes de la tourbe démocrate, nous restons le bec dans l'eau ! Là-haut, nos frères-oiseaux s'égosillent à dire le Beau et le Bien, et nous mesurons, nous qui sommes sans ailes, notre infirmité. Alors, que faire ? si l'on veut qu'ils nous reviennent, peut-être faut-il leur donner quelques nouvelles de la Terre. Essayons...

*

Notre lot terrestre, c'est qu'aucun pays – développé ou non – ne peut accepter d'être envahi par une immigration incontrôlée. Toutes les grandes démocraties, à commencer par la Grande-Bretagne – peu « fasciste » comme on sait –, disposent de législations à maints égards plus rigoureuses que la nôtre. Chez nous, tous les Européens de l'espace communautaire circulent et résident sans visa. La nouveauté, et qui crève les yeux, c'est que la globalisation du monde a rapproché les faméliques d'Afrique et d'Asie de nos contrées enviables. en France – proximité du Maghreb, fatalité de notre passé colonial et désastreuse incurie –, l'immigration a rompu les digues. En créant des poches-ghettos résistant à nos mœurs et à nos lois, elle étouffe ce lent processus de biologie sociale qu'est toute intégration. Elle institue des sortes d'apartheid où se glisse des deux bords, la pulsion xénophobe. Elle ne décourage pas les noires utopies lepénistes : elle les fomente. On voit donc dans le même sac d'absurdités ceux qui, au Front national, veulent chasser tous les immigrés et ceux de nos oiseaux qui veulent qu'on les accueille tous. Les uns les autres se font une détestable courte échelle. Quant au projet de loi Debré, il est évidemment utile. S'il blesse l'un de nos droits constitutionnels, qu'on l'amende ! L'essentiel est qu'il améliore l'efficacité dissuasive de la lutte contre les clandestins.

Ce qui inquiète le plus, dans la surenchère hystérique contre tout contrôle à laquelle la gauche se joint bien imprudemment, c'est qu'elle répand l'idée folle qu'on pourrait renoncer à l'intégration et glisser vers un communautarisme à tout va. Alors, pour le coup, casse-cou ! je crois, comme Jean Daniel [1], que, « si le droit du sang (le droit allemand, par exemple) peut s'accommoder de l'existence de communautés non nationales, le droit du sol (qui est le nôtre), lui, ne peut s'accommoder que de l'intégration des individus dans la nation ». Si, par malheur, un mondialisme – porté chez nous par les vents de l'angélisme – prétendait un jour changer si profondément la nature de la nation française, j'imagine que toute la nation aurait là-dessus son mot à dire. La fronde pétitionnaire, en s'enflant, appellerait sur l'immigration l'arbitrage électoral de la nation. Paint bénit pour Juppé, brioche pour Debré !

*

Pourquoi, dira-t-on, ce coup de lune ? Et, en février, cette fièvre de mai ? Parce que notre France est, ces temps-ci, mocharde et que nos oiseaux la fuient pour une échappée belle dans les nuages. Vers quelles idoles désastreuses risquent-ils, cette fois encore, de tourbillonner ? Avant guerre, ce fut vers l'extrême droite. Et, après guerre, vers Moscou, Pékin ou La Havane [2]. Pour servir Staline, Mao, Castro, combien de fois osèrent-ils enrôler la pauvre Antigone, vierge et martyre de la raison d'Etat ! Un comble ! Or voilà qu'ils remettent Antigone dans leur casting. Tant qu'à convoquer les mythes antiques, je vois plutôt nos belles âmes semblables au peuple-oiseau d'Aristophane. Lui aussi prétendait fuir la condition terrestre dans une Cité céleste de la bonne espérance : Coucouville-les-Nuées, c'était son

---

1. *Le Nouvel Observateur*, n° 1684.
2. *La trahison des clercs*, de Julien Benda ; et *L'opium des intellectuels*, de Raymond Aron.

nom. Quitter la réalité, hier comme aujourd'hui voilà, au fond, leur grande affaire ! Chercher refuge dans les clichés lancinants du passé (Vichy, fascisme, etc.) pour y trouver, bien simplifiés par la légende, le Bien à épouser et le Mal à combattre. On n'en sort pas...

Doux amis du peuple-oiseau, chers baladins de la cité idéale, radieux amants du genre humain, de grâce, redescendez parmi nous ! Comment faire, sinon, pour se parler ? Le peuple n'a pas vos ailes. Et on ne peut, n'est-ce pas, changer de peuple.

(22 février 1997)

6. LA MACHINE POLITIQUE

——— 93 : Cohabitation

Un des traits de l'époque, qui vaut pour les boursiers comme pour les politiciens, c'est qu'on anticipe à tout va. Ainsi les événements sont-ils vécus avant qu'ils ne se produisent. Le dernier, qui est donc arrivé demain, c'est la cohabitation. Je vous ai déjà dit que je la prévoyais calamiteuse. Eh bien, elle ne sera pas calamiteuse, elle l'est déjà, puisqu'elle a commencé. Elle a commencé, parce que d'un côté tout le monde considère comme acquis que la droite remportera les élections, et que, de l'autre côté, le Président dispose déjà méticuleusement, publiquement et d'un air espiègle, toute une ribambelle de peaux de bananes sur lesquelles la politique française dansera son pas de deux. C'est du vaudeville politique, mais il finira mal.

Depuis que la démocratie existe, son moteur le plus assuré, c'est celui de l'alternance, dans laquelle les citoyens peuvent, s'ils le désirent, faire alterner, au pouvoir, des équipes différentes. La Constitution actuelle, en donnant au Président des pouvoirs renforcés pour réduire celui des partis et le régime d'Assemblée, n'a qu'un défaut, mais grave. Elle supposait que le détenteur de la charge suprême adhérerait à l'esprit de sa loi qui est qu'un président de la Ve République ne peut rester en place lorsqu'il a largement perdu la confiance populaire. C'est ainsi, tout le monde le sait, qu'en usa, en se démettant, le général de Gaulle. Mais ce n'est pas ainsi qu'en use François Mitterrand. En vieil adversaire de cette Constitution, il n'a pas choisi de la combattre de front. Il détourne sa lettre contre son esprit, il s'en arroge tous les droits et se soustrait à ses devoirs.

Lorsqu'il annonce mi-figue, mi-raisin qu'il défendra ce qu'il appelle non sans humour les « acquis sociaux », il indique d'avance que le futur gouvernement se trouvera d'emblée empêtré jusqu'au cou puisque aussi bien la définition d'une stratégie de dépenses sociales est dans nos pays au cœur même de l'action politique. Tout le monde sait que sans réforme du Smic et de la Sécurité sociale, nous continuerons de patauger.

Pour enfoncer le clou, un des porte-voix du Président, M. Kiejman, rajoute que le domaine réservé, c'est-à-dire la politique étrangère et la défense, resteront évidemment entre les mains du Président. Quand on sait que l'une et l'autre pèsent désormais si fort dans la politique intérieure, on souhaite bien du plaisir au futur Premier ministre ! Qui tranchera sur le Gatt et la politique agricole ? Qui tranchera sur le budget militaire où le marasme international pose à nos armées des problèmes cruciaux de reconversion, si l'on veut éviter que nos engagements extérieurs ne soient de simples rodomontades ?

Bref, le Président, dans une euphorique outrecuidance, dérègle, en se jouant, toute l'horlogerie du pouvoir et déconsidère la politique. Grand spectacle que cet homme seul, d'une si grande force d'âme devant l'âge et sa maladie, et qui met tout son talent, qui est grand, à devenir Monsieur Veto. Le roi s'amuse. Mais la France beaucoup moins.

(9 janvier 1993)

Le malaise municipal

Trente-six mille six cent soixante-treize ! Ce nombre – celui des communes où l'on élira dimanche 512 851 conseillers municipaux – ahurit l'Europe ! Pour ceux qui regardent notre pays au fond de leur ordinateur, ce maillage communal dessine une France à l'heure de ses clochers, une France délicieusement archaïque, et péniblement conservatrice. Une nation où « l'exception française » s'épanouit encore pour le meilleur et pour le pire.

Voyons d'abord qu'il n'y a plus rien de commun entre les énormes communes urbaines et les petites communes qui gonflent la statistique. Dans 21 784 d'entre elles qui ont moins de 500 habitants (et 4 137 moins... de 100) ce qui perdure, c'est la paroisse du Haut Moyen Age dont la Révolution fit une commune. Le passé d'un vieux peuple s'y effiloche autour du cimetière, du monument aux morts et d'une petite mairie héroï-comique qui attend, d'un mariage à un vin d'honneur, les Quatorze Juillet de René Clair. Oubliés les énormes banquets d'antan qui rassemblaient – le dernier en 1900 – la foule des maires. Ces fantassins de la démocratie gauloise ont, de nos jours, perdu leurs moustaches et leur ardeur républicaine. Près de 15 000 d'entre eux ne se représenteront pas, les uns vaincus par l'âge, mais beaucoup d'autres par la lassitude. Car si leur abnégation surmontait jadis les bisbilles de Clochemerle, elle s'effondre désormais devant le maquis de la paperasse administrative, la fatalité de l'exode rural et la quête de quelque improbable investisseur écologique pour réveiller le terroir endormi. La gloire modeste, et chichement rétribuée, du magistrat municipal, comme la vocation du dévouement public renâclent peu à peu devant un sacerdoce d'assistance sociale et d'apprenti comptable. Sans compter que la Justice peut désormais chercher noise pour un poteau de basket effondré sur un écolier, une inondation imprévue, un ruisseau pollué.

Les optimistes voient dans notre fabuleux émiettement communal l'ultime bienfait d'une démocratie locale. Craignons, au contraire, qu'elle ne s'y morfonde, hors des réalités de l'époque. Fausses communes, ou fosses communes d'un système moribond.

*

Ce n'est pas que la fusion des petites communes n'ait été, à toute force, encouragée. Mais sans succès : chaque lopin défend son écharpe de maire, sa chapelle, son camping. Dans l'intercommunalité, beaucoup de communes partagent, certes, le coût et la gestion de plusieurs services (eau, déchets, voirie, fiscalité) à complexité croissante. Mais les 15 000 syndicats de communes à vocation unique ou multiple n'ont pas diminué les communes existantes : ils y ont rajouté leur propre structure. Si bien que le citoyen français relève de sa commune, puis d'un syndicat intercommunal, puis du département avec son conseil général, et enfin de la région avec son conseil régional. Mille-feuille byzantin, véritable étouffe-chrétien de l'organisation publique !

Le contribuable, vous vous en doutez, n'y gagne pas. Seuls 1 000 à 2 000 élus y trouvent leur compte, parmi lesquels, le cumul des mandats aidant, l'essentiel de la représentation nationale, à la Chambre et surtout au Sénat, ce qui contribue à pérenniser l'édifice.

En vérité, la décentralisation souffre de cette disparité d'un tissu communal aux deux tiers usé. Ce qui, dans la réforme régionale, convient tant bien que mal aux grandes communes, étouffe les petites : ainsi les plans d'occupation des sols, les permis de construire. Déjà bien des villes moyennes sont follement surendettées et nous écrasent d'impôts locaux. Mais combien de petits maires, qui se satisfaisaient sous cape de la tutelle patriarcale du préfet, déplorent aujourd'hui leur solitude dans les arcanes du département et de la région !

*

Enfin, le système municipal français est atteint par deux variétés du mal français : le clientélisme et la corruption qui épargnent les petites communes mais ravagent les grosses. Les marchés de l'eau et le permis de construire sont devenus, en 20 ans, les « pompes à phynances » de l'affairisme communal. Entre Marseille et Nice, le milieu lui-même ne craint pas d'investir quelques mairies pour jeter ses filets sur le pactole immobilier. Mais plus effarant encore – et qui en dit long ! – voici que des maires déclarés en justice inéligibles useront dimanche sans vergogne d'un recours suspensif pour tenter de se faire vainement blanchir par l'électeur. Le maire socialiste de Béthune, dont le plat mensonge fut étalé en plein tribunal, déploie ses affidés pour conserver une écharpe éclaboussée. Des Cannois vont oser voter pour un maire suspendu à une sentence de cour d'appel !

Le piquant, en somme, c'est que d'un côté 15 000 maires dévoués et honnêtes renoncent à se représenter. Mais sur 58 maires mis en examen, 46 ne rougissent pas de se cramponner. De ce constat en forme de fable, les électeurs devraient tirer une moralité prioritaire et qui néglige les partis. C'est de voter « civique » !

(10 juin 1995)

——— Chirac à l'Elysée

« Quelle histoire ! » Ce fut le premier mot de Mitterrand apprenant, en 1981, son élection à la Présidence. Ce pourrait être, ce matin, le soupir de Chirac. Car, entre ces deux hommes que tout oppose, ce qui leur est commun c'est une passion inassouvie de la politique et l'acharnement à dominer, durant deux ou trois décennies, un sort souvent contraire. Sacrée histoire, en effet, que celle de ces coureurs de fond qui furent longtemps des « mal aimés ». S'ils conquièrent, pour finir, le cocotier national, ce fut par une impressionnante ascèse de volonté : celle qui s'acquiert dans les aléas d'une interminable épreuve.

Un mystère intime fut le creuset de ces longues revanches. Le mystère, chez Mitterrand, ne se cache pas. Il l'exhibe sur son front d'ivoire et son masque fermé de doge ; il le porte tout autour de lui : masse d'ombre qui l'enveloppe où se trament sans cesse calculs et pièges pour assiéger ou conserver le pouvoir. Chez Chirac, au contraire, une vitalité demeurée adolescente – et qui lui donne plus d'appétits que de vices – masque, sous son agitation, le secret intime. Ce fend-la-bise, souvent brouillon et chaleureux, a le mystère pudique. Le sien vient d'une familiarité cachée avec le malheur, celui d'une douleur familiale, de confiances déçues, d'une sérénité qui le fuit et qu'il trouve dans les jardins écartés de la Chine et de la poésie. Cette part inconnue de mystère qui lui donna la force de se « refaire » – comme on le dit des joueurs –, voici qu'elle lui apporte enfin l'Elysée où lui seul se voyait. Quelle histoire, en effet !

*

Que reste-t-il aujourd'hui d'une vie si bougée sinon cette conquête finale de la volonté ? Chirac, je le connus, énarque pressé qui allait, chaque semaine, sur les foirails de Brive ou de Tulle, palper le cul des bestiaux pour se tailler un premier fief au plus profond de la France. De cette meute de jeunes loups de Corrèze, qui donc pressentait qu'émergerait un solitaire pour occuper, trente ans plus tard, le fauteuil où trônait encore le patriarche de Gaulle ? Je revois Chirac 72, bulldozer agricole, chez Pompidou. Chirac 74, séduit par Giscard et lui offrant l'échelle qu'il tirait sous les pieds de Chaban. Chirac 76, lion en cage, et me débitant en cri du cœur sa violente désillusion la veille de plaquer Matignon. Chirac, dans le désert socialiste, enfermé dans ses trois forteresses de la Mairie de Paris, de la Corrèze et du RPR. Chirac 86, repartant, la fleur au fusil, vers Matignon pour se jeter dans les marécages de la cohabitation où Mitterrand godillait à son aise. Chirac dans sa défaite présidentielle de 1988, alourdi, tabassé dans les vilenies de la jungle politique, où s'exagérèrent tout à la fois le dévouement et l'ambition, la fidélité et la trahison. Autant de clichés de mémoire qui ne font encore que des souvenirs et pas encore une histoire.

Le dernier Chirac, enfin, je le vois, il y a quelques mois, solitaire, la nuit venue, la veste tombée, une bière à la main, dans sa froide et haute salle à manger de l'Hôtel de Ville. Balladur est alors porté sur les nues des sondages, des compagnons s'esbignent en catimini, des impatients suggèrent déjà à Chirac de renoncer. Et Chirac me dit : « Je m'isole, je vais écrire pour me mettre au clair avec moi-même. Car, dans ma tête, je suis déjà où je serai le 8 mai au soir : à la Présidence... » Dans les gradins, le microcosme, sur lui, ne pariait pas un rotin. Mais lui ne doutait plus de sa dernière ligne droite. Il avait décidé de ne pas douter.

*

C'est ce solitaire qui a conquis l'Elysée. Président à l'arraché, il n'y trouvera que solitude dans une France désunie. Le débat de mardi n'a offert à la nation qu'un étalage prudent de marketing électoral. On n'en fera reproche à personne. Il est, ces temps-ci, impossible d'être élu, en France, si l'on écarte de soi telle ou telle tribu gauloise : la contradiction publique l'emporte qui veut à la fois un Président fort pour dire fermement l'intérêt général, et un faible qui ne violente aucun des clientélismes. La grande affaire du nouveau chef de l'Etat sera donc de pouvoir briser ce carcan d'impuissance, d'imposer des réformes de fond sans coaliser contre lui des oppositions disparates. La conjoncture mondiale lui donnera de l'oxygène. Mais il n'est pas assuré de vaincre, par un bref état de grâce, le drame de la décomposition sociale.

Au point où nous voici rendus, sa chance devrait être d'oser. Oser pour prouver le mouvement en marchant, pour rompre le scepticisme général, pour rétablir le contrat de confiance qui a depuis longtemps disparu entre la nation et son monarque républicain.

Il y faut de l'énergie, le talent de convaincre, un peu de magie aussi pour réveiller une République au bois dormant. Quant tout paraît aplati, dispersé, insaisissable, le mieux est encore de faire sienne, et par simple méthode, cette conviction de l'antique sagesse : « Ce n'est pas parce que les choses sont difficiles que nous n'osons pas. Mais c'est parce que nous n'osons pas qu'elles sont difficiles. »

(8 mai 1995)

L'autre politique

Le flottement résigné des foules, leur massive indécision encore à 70 jours du scrutin, leur vient de ce qu'une certaine idée de la politique est morte, et que la nouvelle n'est pas née. Morte la certitude tranquille du Progrès collectif; quant aux choix clairs et tranchés entre la gauche et la droite pour un avenir prometteur, tous sont en cendres! C'est que le monde a fait irruption dans nos pénates, un monde envahissant avec ses marchés financiers et ses compétitions économiques qui régentent notre niveau de vie, avec ses champions des industries d'Asie qui courent pieds nus mais courent vite, avec ses immigrants qu'excitent les fous du Dieu islamique contre la pourriture noble de notre vieil Occident, avec cette barbarie algérienne, balkanique, caucasienne, africaine que la télévision déverse en école du soir, à chaque journal de 20 heures, et qui installe en nos foyers une nouvelle vérité du monde. Un monde convulsif où les dieux ont toujours soif des larmes et du sang des hommes, et dont nous redoutons qu'il médite de faire payer à l'Occident la rançon de sa longue suprématie. Pour affronter ce monde-là, nous devrions être impétueux et mobiles. Nous sommes défensifs et figés, paralysés par cette découverte vertigineuse que notre obsession égalitaire et sécuritaire ne garantit plus ni l'égalité ni la sécurité.

Dans le champ de ruines de la politique, si la gauche paraît comme la plus percluse, ce n'est pas seulement pour avoir laissé saccager par l'affairisme son sanctuaire naturel qui est celui de la morale et de l'égalité devant la loi. C'est pour avoir refusé la réalité du monde nouveau, et consenti par l'abus égalitaire à l'inégalité redoutable du chômage.

Jospin, j'imagine, le sait qui est peu enclin aux contorsions morales et mentales du mitterrandisme. Mais il sait aussi, malheureusement, ce qu'est son électorat. S'il était un socialiste allemand, il préconiserait pour sortir de la panade une évolution lente, sans fractures, balladurienne quoi... Tandis qu'à droite, Balladur, s'il pouvait parler comme Kohl, dirait simplement que l'Etat-providence n'est plus tenable tel qu'il est. Hélas, ce n'est pas ce que nous entendrons. Il s'agira de ménager, de dorloter cette masse dolente et énigmatique de l'opinion qui veut bien des réformes mais pour les autres.

L'illusion de l'indolore, c'est ce qu'on appelle en France « l'autre politique », celle de l'inflation, du protectionnisme, de la fuite en avant, de la sortie de l'Europe et pour finir du déclin dans ce que de Gaulle appelait la « portugalisation » de la France. La gauche a tenté, en 81, cette « autre politique » qui s'est, Dieu merci, affalée en 83. Quelques tribuns rêvent aujourd'hui de lui donner, avec les mêmes ingrédients d'artifices monétaires, sa version droitière. Elle ne vaut pas mieux que l'autre. Pas plus que l'autre, elle n'effacera le monde où nous devons vivre. Hors de son train, il n'y a que la voie de garage.

(7 février 1995)

7. *MITTERRAND*

Mitterrand réélu

Si l'histoire jugeait l'homme d'Etat au seul talent du politicien, nul doute, qu'elle eût, depuis dimanche, installé François Mitterrand dans l'empyrée des gloires nationales. L'Histoire, dans sa sagesse, n'ira pas si vite, mais convenons que la performance du premier chef d'Etat français élu deux fois, et de mieux en mieux, au suffrage universel lui confère d'ores et déjà un exceptionnel statut.

Comme d'habitude, Mitterrand émerge de ce scrutin comme un « revenant », par la même remontée patiente qui le sortit jadis de quelques abîmes, le fit survivre à sa longue traversée du désert gaulliste et triompher en 1981 de son vainqueur de 1974 : l'histoire de ses succès reste celle de ses revanches. Cette fois encore, même rétablissement : la comédie masquée de la cohabitation lui fut servie sur un plateau pour exciter son talent à rebondir, en lui donnant le temps, le décor et les moyens d'effacer sa défaite législative de 1986 par un ultime remake de *L'Eternel Retour*. Dans nos démocraties, le vainqueur gagne moins l'élection que le vaincu ne la perd. Mitterrand aura donc tranquillement, de son repaire élyséen, braconné l'opinion, posé ses pièges, tendu ses panneaux dans lesquels l'opposition donna tête baissée. C'est une droite décomposée – Le Pen aidant – qu'il allait enfin enjamber dans les urnes, afin d'affronter, à 71 ans, la gloire périlleuse d'un nouveau mandat. De la belle ouvrage !

« L'homme public ne monte jamais si haut que lorsqu'il ne sait pas où il va [1]. » Cette boutade perspicace dessine assez bien l'ascension du Président dans son premier septennat. La parole changeante et plusieurs fers au feu, Mitterrand ne découvrit vraiment ses objectifs qu'au fur et à mesure qu'il les atteignait. Il s'engagea d'abord à

1. Cardinal de Retz.

fond pour un socialisme corsé dit « à la française », jusqu'à ce que l'échec coûteux de cette utopie lui concède... le mérite appréciable d'en avoir « purgé » la gauche, en étouffant, au passage, le PC. Salut l'artiste ! Sur les choix économiques, l'école, la sécurité, Mitterrand, en changeant de cap, aura de même, peu à peu, cédé à la nécessité publique et au simple bon sens, aussi contrariants fussent-ils pour les ambitions de sa période lyrique. Quant aux institutions et à la défense, la continuité gaulliste qu'il revendique le plus haut l'inscrit à l'évidence dans l'inspiration de ce qu'il combattit le plus fort. On dirait, en somme, que le Président quand il est convaincu n'est pas convaincant, mais qu'il est à son meilleur quand il compose, s'adapte, négocie et d'abord avec lui-même.

A quoi sert de dauber sur ses conversions éclatantes? Il vaut mieux se demander si elles n'ont pas plutôt servi que desservi le Président. Et assuré sa réélection. Pourquoi ? Parce qu'une société fatiguée, malade du changement – dans ses mœurs, ses croyances, ses professions, son économie – se reconnaît secrètement dans le plus changeant, le moins péremptoire, le plus assuré, mais le plus rassurant de ses guides: contradictoire et œcuménique comme elle. Ensuite, parce qu'une telle société attend de l'expérience, de l'humanité et de l'art politique d'un tel Président qu'ils l'aident à franchir, sans trop de casse, le mauvais gué où elle patauge.

Car il est une réalité que tous les somnifères, toutes les défausses détestables de la campagne ne peuvent dissimuler : la France ne va pas bien. Notre pays est l'homme malade de l'Europe. Et malade de la maladie de l'époque, entendez: malade dans sa tête. Malade, d'abord, de mensonges par omission; malade d'ignorer la dégradation mesurable, patente, de sa puissance économique et politique; malade de la clochardisation de son enseignement et de sa justice; malade de son vieillissement démographique; malade de ses dépenses sociales au point que l'accroissement récurrent des prélèvements obligatoires intervient chaque année comme le symptôme fatal d'une implacable paralysie. Malade, plus encore, de ne plus savoir au juste ce que devient le principe spirituel de la Nation française, malade d'une mémoire nationale en lambeaux, jusqu'à ressusciter en son extrême droite – dans son écœurement – les vieilles fanfares cocardières du repli et de l'exclusion.

C'est cette France-là qui « sublime » dans l'espérance européenne ses ambitions nationales mutilées. Elle ne sait pas encore qu'avec les boulets qu'elle traîne l'aventure européenne sera pour elle un angoissant défi, et non je ne sais quelle plaisante promenade historique vers des lendemains qui chanteraient en volapük.

Autant dire que le Président a du pain sur la planche. Il dispose de deux atouts, tirés l'un et l'autre d'un fond de convictions, celles-là solides. D'abord, la certitude que le destin français s'inscrit, sans hésitation, dans l'orbite atlantique et le développement continu de la Communauté européenne, où sa réputation est mieux que bonne. Ensuite, il dispose, par son ancrage à gauche, son crédit chez les jeunes et sa sensibilité sociale, de quelques arguments populaires pour éviter que ne s'approfondisse la cassure d'ores et déjà préoccupante entre la France des gaillards de l'avant et celle des éclopés de l'arrière.

L'on peut redouter, par contre, que son culte de la patience, la confiance fétichiste qu'il fait au temps, un soupçon de cette outrecuidance euphorique que l'on contracte à l'air des cimes ne lui suggèrent de régner au firmament en regardant frétiller tout en bas un vivier « IVe République » qui lui rappellerait sa jeunesse. On peut craindre de même qu'il ne soit tenté de temporiser, d'administrer quelques médecines douces quand l'heure viendra d'opérer. Et qu'il se comporte en « tonton gâteau » pour n'entendre que trop l'appel objectivement « conservateur » de ceux qui n'attendent de lui que la protection impossible de tous les avantages acquis.

Car, à partir d'aujourd'hui, tout bascule dans la politique française : elle change de style, et peut-être, sans le dire encore, de République. Par l'effet de la personnalisation présidentielle, un homme – le Président – franchit ce Rubicon. A quoi bon, s'il devait « pêcher à la ligne » ?

Pour rassembler, comme il le veut – et comme il le faut – le Président devra d'abord se rassembler lui-même. C'est la grâce volatile que le scrutin lui accorde. Et la grâce civique que les Français lui souhaitent.

(9 mai 1988)

La décennie Mitterrand

« Dois-je croire que je suis vraiment là où je suis ? Plus j'y pense, plus je m'en étonne... » Henri IV s'installant au Louvre, et, quatre siècles plus tard, Mitterrand à l'Elysée, ce fut le même soupir d'incrédulité. De fait, personne ne prophétisait qu'un Bourbon, béarnais et huguenot, occuperait un jour le trône catholique des Valois. Et bien peu, avant 1981, prévoyaient que le champion d'un programme corsé socialo-communiste dirigerait, en cette fin de siècle, une nation d'Occident.

Sans songer à juxtaposer deux destins si éloignés, on s'amusera de voir que la postérité reconnaît pour principal mérite à ces deux monarques improbables – et qui surent abjurer – d'avoir terminé des guerres civiles. La fin des guerres de Religion du XVIe siècle crée une nouvelle idée de la France. La fin de la guerre idéologique de la gauche et de la droite, guerre civile froide, achève une séculaire « exception française » en Occident.

Mitterrand fut-il vraiment l'acteur déterminant de cet apaisement ? Fut-il plutôt servi par le déclin naturel d'une idéologie qui allait bientôt s'effondrer partout dans le monde ? Il lui fallut deux ans – de 1981 à 1983 – pour convenir, devant l'échec, que « Paris valait bien une messe » et pour abjurer, comme jadis son ancêtre, sa religion à lui : le dogme de « rupture avec le capitalisme ». Mais, pour finir, c'est bien sa décennie qui aura accouché d'un Parti communiste marginalisé et d'une France acceptant – enfin ! – un régime politique et économique commun à toutes les nations d'Occident. Beaucoup de Français à mémoire courte ont déjà oublié cet aggiornamento décisif. Mais il domine le bilan décennal.

*

Mitterrand ne fait pas toujours ce qu'il dit et dit encore moins ce qu'il fait. Nulle part ne s'affiche son vrai dessein : être le passeur sécurisant d'une nation dont le XXe siècle aura réduit la puissance, et qui cherche à maintenir son rang en tête des nations moyennes. Mais dans l'ajustement progressif où il se complaît, on perçoit assez bien la ligne directrice : quitter, insensiblement, sans le proclamer, le nationalisme gaullien, et inscrire le destin français sur les deux orbites européenne et atlantique. Le grand chambardement de l'Est européen, la réunification allemande (mal anticipée) et la crise du Proche-Orient (très bien gérée) n'ont fait, à cet égard, qu'accentuer les ancrages. Le Président, fidèle toute sa vie à l'Europe de Jean Monnet, continue de croire que l'Allemagne réunifiée, renforcée dans sa masse mais ralentie pour cinq ans dans son essor, restera fidèle à la construction européenne. A toutes fins utiles, cependant, il resserre les liens avec l'Angleterre, et se comporte dans la guerre du Golfe comme le meilleur allié de l'Amérique sur le continent. Ce n'est pas pour les seuls beaux yeux de l'émir du Koweït.

*

A l'intérieur, le bilan sera, je le crains, beaucoup plus morose. La France reste marquée par son passé « collectiviste », handicapée par le poids excessif de l'État et une fiscalité lourde, qui tranchent sur les options de plus en plus libérales des nations de pointe. Car le constat de l'impéritie étatique ne vaut pas seulement pour les mastodontes ruinés des Etats communistes : il se vérifie en Angleterre, en France, en Italie, dans les secteurs où l'Etat fut obèse. Ainsi, chez nous, dans l'Education, qui n'a pas résisté au défi de la démocratisation de masse et dont les échecs tirent notre peuple vers le bas. C'est ainsi que la catastrophe de la formation, s'ajoutant aux handicaps fiscaux des entreprises, produit un chômage bien plus élevé que dans les pays européens les plus développés. Et qui peut compromettre à la longue la santé, bien défendue, du franc.

En fait, le Président n'a pas usé de l'énorme levier de son pouvoir constitutionnel, de sa réélection (et aujourd'hui de son succès dans le Golfe) pour lancer les grandes réformes drastiques indispensables à une vraie modernisation. Ni dans le secteur clé de l'Education ni dans celui d'une fiscalité rétrograde (toujours pas de retenue à la source !), le pouvoir n'a su ni pu entreprendre.

Enfin, le pouvoir a laissé la fluidité accélérée de l'argent et le recul de la morale publique opérer des ravages sans les sévères contrepoids d'un Droit rénové et raffermi. Pis : le pouvoir socialiste a nourri le dégoût des citoyens pour la classe politique, avec la prolifération des « affaires », les coups fourrés du financement des partis, la comédie de leur amnistie et la paupérisation d'une Justice qui, comme l'Education, perd chaque jour de sa dignité.

Au total, l'heureuse disparition des conflits idéologiques a bien produit un consensus, mais relâché, désabusé, et que n'inspire guère la volonté collective. Le pouvoir a beaucoup chanté l'air à la mode, celui de la « modernité », mais ce n'était encore qu'un hommage frivole à une modernisation manquée.

Il reste à Mitterrand quatre ans pour inspirer une « Renaissance » française qui se cherche et ne se trouve pas.

(22 avril 1991)

——— Roman noir

Max Théret et Patrice Pelat, gentilshommes de finance distingués par les faveurs du Prince, durent-ils à leur seul flair de s'enrichir en un mirifique coup de Bourse ? Ou bien furent-ils servis par leurs relations magistrales ? C'est cette seule question qui peut faire d'un tripotage boursier un scandale politique.

Le reste, c'est-à-dire le montant de leurs mises, la qualité des autres joueurs franco-américains bénéficiaires de cette martingale de rêve, l'appréciation plus ou moins sévère du prix élevé consenti par notre Pechiney nationalisé pour s'offrir son Meccano américain, le rôle exact du Cagliostro de cette histoire – Samir Traboulsi – pour nouer, au prix d'une commission des *Mille et Une Nuits*, les fils entre les heureux vendeurs américains et ses « amis » de notre ministère des Finances, tout cet écheveau nourrit à juste titre chroniques et polémiques, et fera peut-être les choux gras de la justice américaine. Mais le fatras de ces mille questions obscurcit (à dessein ?) la curiosité première : le pouvoir va-t-il se faire pincer ?

C'est peu vraisemblable. Car de deux choses l'une : ou bien les finauds sont lavés du soupçon d'initiés par nos gendarmes de Bourse, lesquels, paraît-il, ne disposent que de pistolets à eau, et dans ce cas le pouvoir est blanchi. Ou bien ils sont épinglés, ce qui serait plus ennuyeux pour le Prince, mais reste très jouable encore avec la simple douleur des amitiés trahies.

La France n'est pas l'Amérique, et l'opinion n'y a pas, pour la vertu de ses élus, les mêmes exigences. Mis à part quelques destins publics (de Gaulle) d'une austérité romaine, nos princes républicains sont, le plus souvent, protégés par la déconsidération légère et sceptique qui les entoure. La France a pour eux l'œil pointu mais rigolard du « Bébête Show ». Et, chez nous, la dérision ne tue pas. Il arrive, il est vrai, que la propension monarchique se retourne contre ceux qui se laissent prendre à ses leurres. Giscard, avec l'affaire des diamants, connut son « Collier de la reine ». Mitterrand peut, à son tour, payer le même tribut à sa monarchie buissonnière. Mais s'il en est ainsi, le pouvoir sortira de cette traverse plus corrodé qu'ébranlé. Plus miné par le climat que par l'affaire elle-même.

Climat délétère, en effet ! Plus vulnérable parce que plus impliqué que d'autres par la seule énormité de son secteur public et nationalisé, l'Etat français n'a plus la blancheur idoine. A force de faire des affaires, il met la main, puis le bras, dans l'affairisme. Si Pechiney avait été privatisé, l'Etat n'eût pas été éclaboussé. Ensuite, le pouvoir actuel est victime du culte ambiant du business, qu'il a servi avec le zèle du néophyte : si Tapie devient le nouveau héros de la réussite sociale, il ne faut pas s'étonner que des Rastignac de cabinets ministériels préfèrent le week-end sur yacht au jogging des Buttes-Chaumont. Tels qui nous apitoient sur les « nouveaux pauvres » abordent en nouveaux riches « la France des châteaux ».

Surtout, l'Etat français, depuis plus de trente ans – droite et gauche confondues – s'est jeté dans la débauche des ventes d'armes. On fait aujourd'hui en France des fortunes louis-philippardes comme on en faisait, sous Louis-Philippe, avec les trafics d'Etat sur les fournitures militaires au corps d'Algérie. La recette est la même : sous le manteau de Noé providentiel du secret d'Etat, des commissions faramineuses avec leurs entremetteurs levantins et leurs myriades de sociétés écrans dégringolent dans les caisses des partis et les poches des affidés. Regardez les acteurs de l'affaire Pechiney : vous verrez, de Pelat à Traboulsi, qu'il y en a peu qui ne se soient acoquinés autour des gisements profitables du commerce des armes.

Pour peindre tout ce remugle, les collusions cachées et le grouillement souterrain de l'argent que la télématique accélère plus qu'elle ne le contrôle, le journaliste agit en spéléologue hasardeux. C'est un Zola qu'il nous faudrait pour ce roman noir de l'argent et de l'Etat !

(30 janvier 1989)

Les deux Mitterrand

Deux hommes en Mitterrand cohabitent. Le premier est un homme du passé ; le second, d'aujourd'hui. Le premier réagit avec les obsessions de sa jeunesse ; le second corrige le tir et s'adapte. Le premier, devant les nouveaux ébranlements, éprouve la hantise avouée d'une déstabilisation de notre continent, à la mode des années 30. Il ressent aussi la crainte – celle-ci inavouée – qu'une fatalité de la puissance allemande ne déséquilibre un jour tout le continent. Contre ce spectre, le second Mitterrand maçonne, avec une constance rare, une Europe fédérale, et projette déjà une autre Europe plus large et confédérale : autant d'architectures du Droit édifiées contre les passions des peuples. Dans sa conférence de presse, sous le badinage et la désinvolture agencés pour donner le spectacle de la maîtrise de soi, ce qu'on lisait en filigrane, c'est ce débat intime d'un homme double surpris par la tourmente.

François Mitterrand n'aime ni la vitesse ni le mouvement qui déplace les lignes. Il est désemparé par ces ouragans de l'Histoire qui mettent en pièces sa stratégie de patience, qui est celle de l'araignée.

Lorsque l'événement se précipite, c'est l'homme du passé et le « conservateur » qui, le premier, réagit. C'est lui qui tergiverse devant la réunification allemande et fait à Kiev comme à Berlin-Est deux voyages inopportuns. C'est le même homme qui, cramponné aux magies de Gorbatchev, ultime ciment de feu l'URSS, néglige, quoi qu'il dise, la montée en puissance du peuple russe avec l'élection d'Eltsine. C'est le même homme qui s'embarque inconsidérément à Prague pour offrir le projet d'une Europe confédérale à des pays est-européens qui le jugent prématuré. Le même qui ferme, dans un premier temps, la porte à leurs produits, dont l'exportation pouvait les introduire à la liberté de marché que l'Occident ne cesse de plaider. Le même, enfin, qui rate publiquement sa première réaction au « putsch » soviétique, par absence de chaleur et de confiance dans les jeunes forces de la Liberté.

Contre cette déplorable séquelle d'impairs – relevée partout dans le monde – le second Mitterrand, l'homme d'aujourd'hui, va réagir avec l'impavide flexibilité qu'il a toujours montrée lorsque le constat d'erreur, comme en 1983, s'impose à lui. L'erreur, il ne l'avoue jamais. Mais il la corrige. Il rame auprès de Kohl, pour faire oublier les « ratés » sur l'unification allemande. Il rame auprès d'Eltsine, qui ne fut jamais autant courtisé. Il rame, ces jours-ci encore, pour assouplir, devant l'émotion produite, le blocage que la France opposait à Bruxelles aux importations des pays de l'Est. Il ne dit plus, comme au moment de Prague, que les nouvelles démocraties tchécoslovaque, polonaise et hongroise devront attendre des « dizaines et des dizaines d'années » avant d'accéder à l'Europe des Douze. Il ne leur ouvre certes pas les portes du club, mais il les entrebâille pour un avenir moins aléatoire. Enfin, il ne boude plus, comme au début de la crise yougoslave, l'éventuelle autonomie de la Slovénie et de la Croatie, où il ne voyait d'abord qu'une accélération du jeu d'influence allemand. Bref, partout il infléchit. A sa manière, c'est-à-dire sous le couvert d'un brouillard rhétorique qui lui a déjà permis, en maintes circonstances, des retournements considérables et réussis.

Là où le flou disparaît, c'est lorsqu'il s'engage, sans réserve, pour les rendez-vous de fin d'année de l'union monétaire et politique. Sur ces grands desseins, les deux Mitterrand sont, cette fois, en harmonie. Car c'est, au fond de tout, pour ancrer l'Allemagne dans la machinerie communautaire qu'il presse le pas. Et parce qu'il ne voit que l'organisation européenne pour conjurer sa hantise du passé. Les oreilles fines auront relevé dans son prologue une sorte d'avertissement voilé à Bonn et à tous ceux qui, retardant le calendrier communautaire, permettraient « le retour des luttes d'influence, et, pourquoi ne pas le dire, du jeu des alliances. La Communauté, ajoute-t-il, n'y résisterait pas ». A bon entendeur, salut !

Pompidou m'a dit un jour : « Les fautes de politique étrangère paraissent à l'opinion plus bénignes. Erreur : ce sont les plus graves. » C'est pour cette raison, et parce qu'elles affectent aussi son « domaine réservé », que le Président tentait de nous convaincre que le paquebot France n'en sortait pas avarié. Car, sur les affaires domestiques, il n'avait rien à dire, sinon une fiche technique qu'il lisait comme un pensum. Il est clair, comme l'écrit Jean-Marie Colombani, que désormais, chez lui, « l'Européen tue le socialiste ». Amen.

Mais, là encore, l'homme du passé voulait, par compensation, s'attendrir sur nos « socialistes à lorgnons et barbe » d'avant-guerre qui auraient, pour finir, vaincu le fascisme. Entre nous, j'en doute. Je les vois plutôt en capilotade dans la déroute de 1940. Ce sont les Américains et les Soviétiques qui ont gagné la guerre. Sans barbe ni lorgnons.

(14 septembre 1991)

Le requiem de Nevers

A quel rituel la mort de Bérégovoy a-t-elle convié la France ? En ces obsèques médiatiquement nationales, qui donc pleurait qui, et quoi, dans les cantiques et les encens ? Autour de l'énigme d'un suicide, le pathétique avait rassemblé, dans une cathédrale télévisée, les méditations funèbres de la nation. On y trouvait de tout : la stupeur de quiconque devant la mort, l'émotion populaire devant la tragédie d'un puissant, la compassion des plus simples. Mais aussi, entre l'oraison œcuménique des prêtres et des laïcs, le cadavre d'un suicidé, canonisé en saint et martyr de la religion socialiste. Avec, pour finir, la légende fabriquée d'un héros du Bien public forcé par des chiens de justice et de presse. Sous l'oraison grouillait la vindicte.

*

Sur l'énigme de ce suicide, je supputerai, comme chaque témoin, de ma propre fenêtre. Je connaissais de longue date Pierre Bérégovoy. Il était amène, réfléchi, doué pour l'action publique par son zèle et sa clarté d'esprit. Tout homme public édifie de lui-même une image. Mais ce qui me frappait, c'est que Bérégovoy avait, dans son for intérieur, sculpté de lui une statue : celle du Petit Chose accédant aux honneurs d'Etat, celle d'un soldat des idéaux socialiste et patriote. Il se délectait, de façon touchante, de la respectabilité internationale de « son » franc fort, et nationale de « son » mérite républicain. Il s'illuminait de sa croissante importance, de sa mission nationale. Il n'avait pas le cuir épais. Sa vanité politique le laissait écorché devant la critique. Avec sa statue d'honorabilité, il vivait en huis clos. Son bonheur venait des autres, son malheur aussi. En lui, la statue prenait peu à peu toute la place.

Or, en moins d'un an, trois terribles lézardes ! La première fut d'avoir conduit le Parti socialiste à une débâcle électorale sans précédent. Elle était, en vérité, celle de Mitterrand, mais Bérégovoy la portait comme une croix. Deuxième fissure : le calamiteux bilan d'un déficit budgétaire vertigineux et trafiqué. Enfin, la troisième fissure, ce fut celle des « affaires » : délits d'initiés de Pechiney et « prêt » Pelat. De cette triple conjonction, il fut obsédé. Il ne supportait plus de voir sa réputation écornée, sa statue lézardée. Déprime. Dépression.

Un jour qu'il m'avait, sur ces misères, longuement appelé de Nevers, l'idée échangée fut que sa confiance, son admiration pour toutes les réussites, fussent-elles d'argent, l'avaient aveuglé sur les douteux prestiges de quelques aigrefins introduits trop près de lui dans l'aquarium d'Etat. Pour dîner avec eux, il lui manquait une longue cuiller. Il plaidait que la maladresse est une chose, et la malhonnêteté une autre. Mais, dans le train actuel de la vie publique, la première est rarement pardonnée dès lors que la justice, en l'exposant, fait lever les soupçons de la seconde.

En réalité, une révolution encore rampante atteint nos mœurs publiques, et c'est celle qui déferle aujourd'hui sur l'Italie : la justice et l'opinion ne consentent plus à leurs élus les complaisances anciennes. On dirait que, dans une morale privée déclinante, les Français exigent de leurs pouvoirs un surcroît de vertu. Et qu'en échange du pavois où ils le hissent, ils veulent chez l'homme public une rigueur qu'ils ne pratiquent pas eux-mêmes. A fortiori lorsque les ruses modernes de l'argent attendent du Droit qu'il exerce des contraintes dont la conscience s'affranchit. Dans la prétendue désaffection pour la politique rôde l'espérance utopique d'une République idéale dont les juges seraient les vestales.

Soyons clairs : la justice d'un pays démocratique est dans son rôle en révélant le « prêt » de Pelat, dès lors que l'affairiste se trouve, en justice, convaincu d'avoir tiré profit de confidences délictueuses. La presse est dans son rôle en le rapportant. Elle n'y mit nulle hargne. La presse française est très éloignée dans sa vigueur de l'américaine, anglaise, allemande, espagnole, etc. Elle est une des seules à épargner la vie privée des hommes publics. Seulement, voilà : si la presse est plus factuelle et moins emportée que jadis, il reste que l'image, plus réductrice, plus émotionnelle, la relaie désormais en chaque foyer. Les grandes démocraties s'en accommodent.

A ce rituel de Nevers ne manquaient pas, en somme, les boucs émissaires. Le premier, c'était Bérégovoy. Il fut le bouc émissaire d'un mitterrandisme en perdition, livré aux « chiens » du suffrage électoral. Après l'échec, il erra en victime esseulée, et la rose de ses « amis » socialistes aura moins fleuri son bilan que son catafalque. Quant aux autres boucs émissaires, ce sont les chiens, désignés, de justice et de presse. Faut-il les mettre à la fourrière ?

Foucade funeste que ne méritait pas la mort volontaire d'un démocrate !

(7 mai 1993)

La tournée du viager

Dans les villages de mon Midi, on voit parfois un papet fringant, l'œil vif, la moustache frisée, qui vient au café de l'Eglise payer sa tournée, dispenser quelques conseils aux joueurs de boules, et montrer à tous que la vie est belle et qu'il se porte bien. C'est ce qu'on appelle, chez moi, la tournée du viager. Car le papet en question a vendu sa ferme en viager, et il exhibe en rigolant sa bonne mine à ceux qui lui versent la rente viagère.

François Mitterrand fait depuis deux jours, à la télévision, sa tournée du viager. Voilà belle lurette que l'opinion a vendu son pouvoir à l'opposition. Mais la Constitution lui en conserve la jouissance : c'est son viager, à lui. Alors, il montre qu'il a toujours bon jarret. Et il goguenarde devant les jobards de la cohabitation. Ambiance...

Il y a des papets que l'âge incline à la sérénité. Il y en a d'autres – comme Mitterrand – qui bravent dans la combativité les misères de l'âge. Pour ces pugnaces, la seule espérance d'estourbir au coin du bois quelques béjaunes, les rajeunit à vue d'œil.

C'est réjouissant pour le Président, mais beaucoup moins pour la France. Car la cohabitation s'annonce à nouveau, et sans surprise, comme le fruit calamiteux d'une aberration constitutionnelle. Une aberration de la *lettre* de la Constitution. Car, pour ce qui est de l'*esprit*, il est évident qu'un président de Ve République doit se démettre dès lors qu'il a perdu l'essentiel de la confiance populaire. Le Président, aujourd'hui, invoque volontiers de Gaulle qu'il exécra comme personne. Mais, justement, de Gaulle qui n'y était point contraint, démissionna pour se plier, lui, à l'esprit d'une Constitution dont il était le père. En fait, Mitterrand – et c'est évidemment son droit – invoque la légitimité du texte constitutionnel et la durée du mandat qu'il confère contre la légitimité du peuple qui abandonne l'élu de 1988.

Lorsqu'on sait ce qui nous attend, et que toute politique nouvelle aura besoin de courage et de durée, la perspective, pendant deux ans encore, de la conduite à deux volants d'une France à deux vitesses, donne des boutons. Comment innover quand le Prédisent considère comme intangibles ces fameux acquis sociaux d'une France de trois millions de chômeurs ? Comment innover lorsque le Président va jusqu'à fleurir cette antique « Union de la gauche » – celle d'un Parti communiste défoncé et d'un Parti socialiste dont on n'entend plus, aujourd'hui, que les casseroles – bref, celle d'un socialisme égrotant dont Rocard vient, lui-même, de carillonner le glas à toute volée. Qui osera restaurer une politique étrangère essoufflée derrière les grands rendez-vous de l'Histoire qu'elle a, depuis quatre ans, ratés, alors que le Président plantera ses petits drapeaux à tous les coins de son domaine réservé ?

(20 février 1993)

Trois morts

Avec Bérégovoy, Pelat et maintenant Grossouvre, morts saisissants de trois proches du Président, que de glas, déjà, pour le précoce requiem du plus long « règne » de la Ve République ! Au grand théâtre national de la politique, on dirait que ces drames sidérants font, de l'Elysée, un château d'Elseneur hanté par Belphégor. Les drames de sérail, ici, appartiennent au roman, rose et noir, du pouvoir mitterrandien.

Roman d'une vie où la passion égotiste du pouvoir l'emporte, au fil des ans, sur l'idée du Bien public que tout pouvoir prétend servir. Si le pouvoir est, comme l'amour, une passion, on lui connaît des amants de diverses natures. De Gaulle fut un Don Quichotte transi pour une dulcinée : la France. Mitterrand, lui, est un libertin de pouvoir. Il est au pouvoir ce que Valmont est à l'amour : les liaisons dangereuses l'échauffent. Elles trament, à sa guise, la conquête et les stratégies innombrables de celui qui tient le pouvoir pour une conspiration, et son combat pour sa raison de vivre.

Le goût de ces réseaux intimes, il accompagne toute la vie du Président. Ses complicités fidèles, connues ou secrètes, bravant époques et convictions, font penser à la franc-maçonnerie balzacienne de l'*Histoire des Treize*. Elles méprisent la morale courante. Vous les suivez de la Cagoule à la Résistance, puis dans les fourrés de la IVe République, que Mitterrand investira avec l'énergie d'un condottiere de la Renaissance. La passion, effrénée, de l'aventure hors normes le fait alors tomber dans la comédie honteuse de l'Observatoire. Mais ce frôlement des précipices, son appétit de la transgression, son goût équivoque pour les roués ne le quitteront jamais. Ayant tout vu, et revenu de tout, Mitterrand était encore « épaté » par Maxwell. Et Tapie l'émoustille.

Il y eut pourtant une époque de sa vie où Mitterrand épousa une idée et mit sa passion du pouvoir au service d'une grande cause. C'est lorsqu'il découvrit tardivement le socialisme, et ce fut alors comme pour changer de vie, comme pour chasser en lui le libertinage politique foudroyé par la simagrée de l'Observatoire. Que le socialisme et son parti lui aient d'abord paru comme un commode marchepied, c'est possible. Toujours est-il qu'à force de réciter la prière socialiste, il trouva la foi. Et je ne doute pas qu'il crut alors à sa « mission », au point d'entourer en 1981 son apothéose d'un cérémonial où perçait pour l'utopie du peuple de gauche une sorte de religiosité perdue. Hélas, c'est lorsqu'il « croit » que le libertin divague, et l'utopie se fracasse, en deux ans, sur le mur des réalités. Si bien que la « cause » une fois éteinte, il lui reste quoi ? Eh bien, le pouvoir, la passion non éteinte d'en user, et déjà la drogue de ne pouvoir s'en passer.

Pour le conserver, et contre toute raison, sans vrai programme, ni grand projet, il brigue un second mandat en flattant, avec un rare talent, la crédulité publique. Ce pouvoir renouvelé, il l'emploiera au service d'une conviction – la seule forte et constante –, l'Europe. Mais il en compromet le succès en ratant, depuis 1989, le grand chambardement du continent.

Avec la seconde cohabitation, le Président s'enfonce dans les méandres ingrats d'un règne de demi-solde. Il accomplit avec application la tâche fastidieuse des devoirs élyséens, mais le cœur n'y est plus. Il lui reste alors les coulisses, les cabinets noirs, et la pesée sur quelques rouages publics par les ressorts éternels de vanité, de peur, de lucre.

Il lui reste en somme les vestiges fanés de ce pouvoir qu'il a tant aimé, c'est-à-dire le charme troublant d'une sagesse cynique, quelques vices monarchiques, parmi lesquels le népotisme, la souveraine compagnie des livres, et les bonheurs privés. Mais il laisse, toujours, par fidélité, tolérance ou intérêt, prospérer en sa cour une camarilla d'affidés, de courtisans affairistes, d'écouteurs de basse police, de Fouché de pacotille. Les amis des premiers et seconds cercles, peu à peu, se séparent ou s'éloignent. L'enchanteur de leur jeunesse les entoure encore d'une distante lassitude qui les trouve tantôt amers, tantôt vindicatifs.

Dans le roman des Don Juan de pouvoir, les fins ne sont jamais fringantes. Au pire, c'est l'heure du Commandeur. Au mieux, celle d'une retraite désenchantée. L'Histoire dira un jour de quelle encre elle traitera ce roman de pouvoir lorsqu'elle continuera d'écrire le grand roman de la France.

(16 avril 1994)

L'affaire Bousquet

« Qu'on laisse cet homme tranquille ! Qu'il finisse sa vie sans la meute à ses trousses ! » C'est le premier sentiment, de simple humanité, qui vient lorsque la télévision nous assoit ainsi au chevet indiscret d'un vieillard, dans le crépuscule de son règne et de sa vie. Mais voilà : ce n'est point, cette fois-ci, la meute qui force la victime, c'est la victime qui décide de comparaître, avant l'heure, au tribunal de l'Histoire.

Car c'est le Président qui a, de lui-même, levé pour Pierre Péan le lièvre endormi de ses relations avec Bousquet. C'est lui, surtout, qui a souhaité, devant Jean-Pierre Elkabbach, solenniser sa comparution. « L'Histoire, dit Michelet, a pour premier devoir de perdre tout respect. » Si bien que ceux que la « curée » dégoûte et ceux qui s'en régalent sont, quoi qu'ils en aient, assis ensemble au même prétoire irrespectueux. On eût pu le prévoir : la nature de Mitterrand ne l'inclinerait pas à finir dans une sérénité silencieuse. Il est de cette race d'hommes pour lesquels l'existence n'est qu'un combat dont le rythme fait battre le sang de la vie.

Voilà pourquoi il s'est livré à cette exhibition pathétique avec l'espoir de conquérir encore la compassion des « braves gens », plus miséricordieuse, certes, que celle des historiens. Voilà pourquoi cet artiste de la politique s'est jeté dans le défi impossible de sculpter pour l'avenir une statue de pierre dans la cire encore tiède de sa vie.

Sur les faits et détails, il nous aura peu appris. Mais il aura exhibé le secret de son exceptionnelle carrière. A savoir, l'audace aventurière d'un amant de pouvoir, dans l'art d'épouser chaque moment de l'Histoire pour s'en faire un marchepied. La trempe d'un caractère hors du commun pour passer, sans broncher, d'une époque à l'autre, d'une conviction à l'autre, par le jeu de réseaux cloisonnés et fidèles. Avec, pour finir, et dans l'épreuve, ce panache à faire face ! Mais un panache rouge et noir que ne ralliera pas la gloire. Car la gloire, pour se donner, veut plus que le seul roman d'un condottiere républicain dans le mauvais roman d'une France dolente.

*

L'intrigant, dans ce dévoilement brutal, ce n'est pas seulement que le Président l'ait provoqué, en apprenti sorcier, dans son orgueil à tout assumer, tout justifier et jusqu'à l'injustifiable. C'est que l'opinion – et d'abord la gauche – paraît découvrir soudain ce qui était, hors l'affaire Bousquet, connu de qui voulait connaître, et qui eût peut-être paru moins inavouable s'il n'avait été si constamment inavoué. Or voilà que la gauche se dresse, à l'heure de vérité, en Commandeur d'un Don Juan politique qui aura, en effet, traversé le siècle avec une désinvolture intrépide, une liberté brûlante pour jouir de posséder le pouvoir là où il se présentait et comme il se présentait. La seule nouveauté – sans doute choquante – c'est la bravade du premier magistrat de la République à maintenir des liaisons dangereuses avec le sulfureux rescapé d'une époque trouble.

Mais, enfin, cette gauche miraculeusement dessillée s'est-elle jamais interrogée sur l'attentat truqué de l'Observatoire, à sa manière, tout aussi équivoque ? S'est-elle étranglée de confier son destin à un ancien convaincu de l'Algérie française ? Va-t-elle convenir que le socialisme de 1983 reniait – Dieu merci – les utopies désastreuses de 1981 ? Va-t-elle s'indigner des manœuvres obliques pour jeter Le Pen dans les pattes de la droite ? Des caresses publiques à Tapie, affairiste patenté ? Va-t-elle, en somme, ne faire qu'à demi le chemin de la lucidité ? Quel étrange théâtre de la voir si hagarde à découvrir chez son grand Enchanteur, et juste avant que le rideau se baisse, les cartes dans la manche et le double fond du chapeau ! On dirait du Labiche !

*

Il y a plus ! Dans ce dévoilement que l'opinion inflige à ce séducteur d'un demi-siècle de passions françaises, c'est l'opinion qui se dévoile elle-même, et semble chercher, dans l'épisode Bousquet, une cause circonstancielle pour justifier un désabusement général. En battant sa coulpe sur la coulpe du monarque, elle songe à liquider une certaine manière de gouverner à quoi elle a longtemps consenti. Elle découvre que si l'on ne fait pas de la politique avec la seule morale, on ne peut pas non plus, en terre démocratique, s'en passer à ce point.

Un écrivain cher au Président, Jacques Chardonne, l'a dit : « A la fin, l'Histoire fait taire les faux témoins. » En convoquant l'Histoire avant la fin de règne, Mitterrand aura rendu, bon gré mal gré, un signalé service. En s'arrachant à une comédie de pouvoir ourdie par demi-mensonges et faux témoins, beaucoup de Français chercheront une autre idée de la France. Avec moins de trompe-l'œil et plus de convictions. C'est le message que le Président laisse, à ses dépens, pour ceux qui prétendent lui succéder.

(17 septembre 1994)

Epitaphe

Quand un artiste de la politique cerné de caméras a tenu si longtemps notre scène monarchique, la foule, à l'heure de sa mort, pleure aussi sur elle-même. Le deuil national étend son suaire de majesté sur une nécropole de souvenirs. Toute mort, il est vrai, ennoblit, travestit. Et le décès des grands rassemble les petits dans ces célébrations funèbres où les Pouvoirs et le Peuple s'abandonnent, dans l'oubli, à une parenthèse de grâce. Instants suspendus où la politique désarme et le cimetière rassemble. Ainsi, les puissants de la planète ont-ils, à Notre-Dame, salué dans le requiem d'un homme, celui d'une Présidence, et celui d'une époque.

L'historien, on s'en doute, ne signe pas ces obituaires : trop tôt ! Au journaliste d'expédier une pelletée de mots sur une tombe trop fraîche. Alors, voici : je crois que Mitterrand aima le pouvoir à la folie, et que pour l'obtenir puis le conserver, il aura accompagné, flatté, épousé, et donc servi, mais beaucoup desservi les Français tout au long d'une époque mobile. Son talent a évité le pire, mais peu contribué au meilleur. Là où de Gaulle, preux fiancé d'une France idéale, procédait par vision, volonté et devoir, Mitterrand, Bel-Ami d'une France charnelle, procéda par œillades, intrigues et compromis, dont certains, il est vrai, furent heureux. De Gaulle : la France telle qu'on la veut ; Mitterrand : les Français tels qu'ils sont !

Si vous croyez au Phœnix d'une vitalité française toujours renaissante, alors Mitterrand, passeur pacifique d'une France à l'autre, trouvera grâce à vos yeux. En revanche, si vous redoutez, comme moi, le dématage de la nation dans un monde de tempêtes, alors vous jugerez maléfiques les philtres de l'enchanteur. Ils ont endormi la France.

Sur de Gaulle, justement, Mitterrand écrivit un jour que sa personnalité était plus intéressante que son œuvre « finalement assez mince ». Ce coup de Jarnac, on brûle, aujourd'hui, de le resservir à l'auteur : la personnalité de Mitterrand fut, en effet, fascinante, mais le service rendu à la France « bien mince ». Plus mince en tout cas que ne le suggèrent l'effusion et les dithyrambes.

*

Un homme fascinant ? Fichtre oui ! Mais, de surcroît, cet athlète de pouvoir fut le Protée, taillé sur mesure, pour une ère de mutants. Il aura glissé de Vichy au gaullisme, de la guignolade de l'Observatoire à la « réinvention » du PS, du socialisme de rupture à l'affairisme du Veau d'or, et j'en passe... La vertu politique de ce fregolisme vertigineux, c'est que chaque Français peut, un jour ou l'autre, y trouver son costume. Libertin de pouvoir, Mitterrand aura tout séduit : hommes, femmes, clans, réseaux, partis, peuples de gauche et financiers de droite, politiciens béjaunes éblouis par Machiavel, et médias énamourés par l'« artiste ».

Il y avait un Mitterrand pour tous les râteliers : un contempteur de l'argent entouré d'aigrefins, un piéton du Paris nocturne ami des arbres landais et des ânes « si doux marchant le long des houx », un amoureux des lumières de Charente et de l'obscurité des cryptes, un érudit sentencieux d'Histoire et de Lettres éblouissant, à sa table, Prix Nobel et médiocres courtisans, un esthète à la Ruskin pour une Venise embaumée, un Egyptien de dilection pour l'énigme du Sphinx... Mais aussi, un *Pater Familias* constant et tendre à ses deux familles et un comédien confirmé qui savait jouer des trombones de la modernité. En somme, un Don Juan aux sincérités successives, croyant à ses plus beaux mensonges et qui, sur son grand âge, comme « un vieillard corse sur son banc », s'embarquera crânement vers la mort.

Cet envoûtement public de l'homme privé serait inoffensif si le monarque médiatisé n'avait, dans notre télécratie, fonction, aussi, de modèle. Hélas, Mitterrand aura illustré les prestiges de la tromperie, l'égotisme du chef, la magie de la volte, le blanchiment des filous, bref les artifices d'une réussite au-dessus des lois et qui ruine le civisme.

*

Trouvera-t-on alors dans ce puzzle d'un destin rocambolesque quelques points fixes ? Oui, Dieu merci ! Il eut le mérite des conservateurs, celui de digérer ses défaites et d'abord celle du socialisme de rupture. Ce n'est pas rien : la maîtrise de l'inflation, le regain de la grande industrie en sont les fruits. Mais la postérité retiendra surtout son vif et constant souci d'un Français qui connut la guerre, celui de préserver la paix par l'Europe communautaire et le maintien du lien fondamental avec l'Allemagne. Cela restera.

Pour le reste, il se trompa beaucoup sur l'essentiel. A l'intérieur, dans l'illusion lyrique de 1981, puis dans le culte passéiste de l'Etat-providence et l'aveuglement sur les risques d'une immigration incontrôlée. A l'extérieur, sur l'Algérie qu'il voulut longtemps française, mais aussi sur un tiers-mondisme élégiaque. Et, par-dessus tout, sur l'effondrement soviétique et la réunification allemande.

Au fond, l'avenir n'était pas son fort. Et, en cette fin de siècle, c'est l'avenir qui conduit le bal.

(13 janvier 1996)

Grandeur et misère d'un gisant

L'histoire posthume du mitterrandisme se présente comme un de ces cabinets à secrets dont raffolait Mazarin avec tiroirs en trompe-l'œil, à double fond et caches indécelables. Le dernier secret découvert – il y en aura d'autres ! – c'est le mensonge corsé sur le cancer du Prince. Mitterrand, qui avait tant tonné contre le mal de Pompidou, enrobait, à peine élu, le sien, de quatorze ans de bulletins de santé truqués... Ce secret du roi grandit peut-être le roman noir du souverain mais il mortifie la République. Plus on s'accommode de l'efficace fourberie du monarque plus s'évapore la conscience des devoirs de l'élu démocratique. Encenser son art à entôler l'opinion, c'est avilir la politique. Saluer l'artiste et son cynisme, c'est ravaler la présidence de la République à une monarchie bananière. Le roman du Roi flétrit l'honneur du Peuple. Sur ce gisant d'une statuaire royale, la République, je le crains, contemple d'abord sa déchéance.

Le saisissant récit[1] que livre Georges-Marc Benamou, en confident autorisé, d'une fin de septennat agonique verse le révélateur des vérités terminales. Tout ce qu'on pressentait s'y trouve creusé à l'acide : l'envoûtement d'un « surhomme » plus nietzschéen que stendhalien – au-dessus les lois, au-dessus des autres, au-dessus des siens –, sa lucidité ravageuse, le charme intrépide d'un libertin de grand lignage – Valmont, Lovelace –, sa somptueuse culture livresque et paysagère, son amour des arbres et des femmes, son taraudant souci métaphysique. Et puis, sous le flair du braconnier électoral, sa passion d'une très ancienne France, élégiaque comme la Charente, fière comme la forêt landaise, sa légende d'un provincial de Paris, à la fois enraciné et libre comme le *Paysan perverti*.

On l'observe ici dans le pathétique d'une fin de vie, avec des rages de vieillard préoccupé d'un ultime yoyo : pousser Balladur contre Chirac, puis Chirac contre Balladur devenu « l'étrangleur ottoman » On entend l'imprécateur insulter sans fin Rocard, Delors, mordre Jospin. On le voit fuir la meute des journalistes et des juifs qui, paraît-il, ne lui pardonnent pas l'affaire Bousquet. Et acharné, en expert ès postérité, à compter les pèlerins qui serviront sa gloire posthume, à bien situer au pinacle son double septennat dans la chaîne des rois et présidents qui firent la France... Epilogue d'une longue conversation avec la mort chez ce piéton des cryptes et des stèles !

---

1. Georges-Marc Benamou : *Le Dernier Mitterrand* (Plon).

Funèbre courage dans cette ultime ascension de Solutré que sa carcasse pantelante gravit comme un Golgotha !

De la grandeur humaine, oui, il y en a dans ce destin ! De la grandeur politique, on peut en trouver dans le souci obsessif de la paix et de l'Europe. Mais la grandeur du service exclusif de la France on ne la trouve guère tant elle est brouillée par le culte d'une infaillibilité confite dans le mensonge.

Ce calvaire du dernier septennat cramponné en temps partiel aux affaires d'Etat, confiné à une cour eltsinienne de Raspoutines et de gourous, comment oser le comparer avec l'altier éloignement du Général vers la lande irlandaise ? Le temps ne se trompera pas sur le marbre où de Gaulle sculptait une certaine idée de la France, et le stuc où Mitterrand modelait une certaine idée du pouvoir.

*

Dans la molle idolâtrie qu'une partie de l'opinion réserve encore à Mitterrand, il faut d'abord lire l'érosion de la vertu démocratique. C'est parce que la France voit à l'Elysée un Monarque plutôt qu'un serviteur de la République qu'elle s'abaisse à tolérer son goût déclaré pour les canailles, les vilenies des « écoutes » et l'indulgence clanique pour l'argent qui se gagne en fraudant. Mais c'est aussi qu'une France sans convictions se reconnaît vaguement dans ce caméléon politique : pétainiste avant d'être résistant, pour et puis contre l'Algérie francaise, contre et puis pour le Parti communiste, contre et puis pour le nucléaire, contre les juges dans l'affaire Pelat, mais pour les juges, pardi, dans l'affaire de la Mairie de Paris, etc.

En accentuant les folles libéralités de l'Etat-providence, les aveuglements d'une immigration incontrôlée, l'affairisme partout répandu, Mitterrand aura été l'enchanteur pourrissant d'une France déclinante. Fut-il le guide ou le suiveur d'une modernité qui se faisait sans lui ? Comment apprécier une tolérance fataliste dont on voit désormais qu'elle s'exerçait sous l'ombre portée de sa mort annoncée ? Le calme bilan de l'ami Duhamel est indulgent à l'homme mais sévère à l'œuvre [1].

Les avocats du gisant le montrent en passeur inspiré dans les forts courants de l'époque. Les autres, dont je suis, n'aperçoivent qu'une France dérivant au fil des courants. Avec sur sa barque, un nautonier « regardant le sillage et ne daignant rien voir ».

(11 janvier 1997)

---

1. Alain Duhamel : *Portrait d'un artiste* (Flammarion).

8. *MÉDIAS*

Le mot et l'image

Comme il y a deux mille ans la langue selon Esope, la télévision porte aujourd'hui le meilleur et le pire. Mais avec une ampleur jusqu'alors inconnue dans la communication des hommes. D'abord, ses images – et parfois les mêmes – atteignent dans le même temps des milliards d'individus lettrés ou illettrés. Ensuite, la télé ne cesse de s'étaler dans la durée d'une vie : tout ce que les hommes des pays développés ont gagné en un siècle sur le temps de travail se trouve consommé – et bien au-delà – par le spectacle télévisé qui dévore les espaces de loisir jadis dévolus à la table, au lit, à la parole, à l'étude et au jeu. Autant et plus que le moteur à explosion ou l'électricité, la télévision a modifié les modes de vie individuelle et collective dans des proportions incommensurables. Elle a bien créé, pour le meilleur et pour le pire, une autre civilisation.

Du meilleur de la télévision, les jours d'aujourd'hui présentent deux cas exemplaires : le premier, c'est le rôle que la diffusion à l'Est des images de l'Ouest a joué dans la propagation de l'idée démocratique. Chaque antenne bricolée sur les toits de l'Allemagne de l'Est y livrait le message implicite d'une prospérité et d'une liberté inconnues. Quand nos télévisions y ajoutèrent les discours de Gorbatchev que censurait encore Honecker, elles précipitèrent le flot des réfugiés est-allemands qui allaient en boule de neige tout emporter, et jusqu'au mur de Berlin. Mais ce furent encore les télévisions qui, en propageant le démantèlement de cette Bastille, enflammèrent toutes les marches de l'Empire soviétique plus sûrement que ne le firent jadis les soldats de Napoléon propageant à toute l'Europe l'idée de la Révolution française. Evidence : la libre circulation des images constitue de nos jours le principal vecteur de la liberté.

Le meilleur de la télévision, ce fut encore le spectacle du Mondial : jamais tant d'hommes riches et pauvres ne purent se distraire à la présentation d'un sport populaire et jouir aussi bien, sinon mieux que dans le stade, des visions d'ensemble du jeu d'équipe et des exploits individuels des joueurs. Seconde évidence : au-delà du sport, la télévision est par ses films et ses programmes le premier entrepreneur de spectacles de la planète, un impressionnant agent d'intégration sociale et l'heureux viatique d'innombrables solitudes.

*

Le revers de la médaille tient moins au contenu de la télévision qu'à sa *nature*. Pour la bonne raison que notre relation à l'image n'est pas simplement complémentaire de notre relation à l'écrit : elle est d'une autre espèce. L'image se reçoit ; l'écrit se visite. L'image se perçoit ; l'écrit se décrypte. L'image incline à la passivité du récepteur ; l'écrit oblige, fût-ce pour le simple déchiffrement de son code, à un élémentaire exercice de l'esprit. Les images, dans leur diffusion intensive, en viennent à constituer un flux de signes aléatoires, un bain quasi hypnotique qui impressionne l'inconscient plus que le conscient, hors des mécanismes d'éveil que le travail mental de la lecture entretient. Vous trouverez évidemment des téléspectateurs éveillés. Mais ils sont une minorité qui n'ont acquis ce regard d'intelligence que par la vertu de leur culture écrite. Pour le plus grand nombre, l'image crée avant tout de l'émotion, privée de ce sens et de cette cohérence qui restent dans les apanages de l'écrit. Si bien que le pire de la télévision, dès lors qu'elle devient une drogue, tient à ce qu'elle encourage la dépendance et l'impotence civiques et culturelles. Mille enquêtes le mesurent : à la télévision, on voit beaucoup et on retient peu.

Comparés à cette mise en veilleuse de l'esprit et à l'abandon qui en découle de la lecture, les défauts recensés de la télévision apparaissent comme des sous-produits inéluctables : ainsi de la politique-spectacle, de l'avilissement des programmes par la pression marchande de l'Audimat, du viol des foules par la mise en scène de grands drames lyriques de type Carpentras, de l'arasement des cultures nationales, de l'information transformée en divertissement ou, pire, accaparée hors journal par des bateleurs de pacotille qui font souvent du médiatique télévisé notre « médiatoc » ordinaire.

*

Bref, l'essentiel n'est pas ce que l'on voit à la télé, mais dans quelle disposition on l'observe. Il faut apprendre – et dès l'enfance – à regarder la télévision pour en conserver la maîtrise : savoir quoi regarder, quelle chaîne, quelle émission, et comment. On y viendra, j'espère. Depuis Gutenberg et sur toute la planète, le mot avait pris sur l'image un formidable et excessif ascendant. Aujourd'hui, l'image tend à écraser excessivement le mot. L'avenir, s'il est sage, rétablira l'équilibre.

(16 juillet 1990)

Clip et zap

Chaque citoyen français a désormais, dirait-on, une télécommande dans la tête avec laquelle il zappe comme un dératé. Du monde qui l'entoure, il *voit* de plus en plus et *sait* de moins en moins. Il n'est aucune grande affaire nationale qu'il n'appelle, avec sa télécommande, en un carrousel d'images, mais qu'il n'abandonne aussi vite. Toute grande cause politique trouve ainsi un défouloir expéditif dans un spectacle, une procession, un défilé : autant de « représentations » et psychodrames télévisés qui donneront le sentiment, hélas fallacieux, d'avoir hâté la solution.

Si la pente du zapping télévisuel, transposée dans la vie courante, développe chez l'individu le faux savoir, la pensée-clip, la pensée-pub, le fragmentaire, l'inconstant et le velléitaire, a fortiori sa transposition dans l'univers de la vie civique détourne le citoyen de l'approfondissement des grandes affaires nationales, parcellise leur diagnostic et décourage leur vrai traitement. « Plus on est le voyeur de toutes les réalités, plus on décroche de la réalité », écrit le camarade Pivot dans une perspicace réflexion sur le zapping mental.

Nous en avons – autre exemple – la pénible démonstration lorsque l'on voit aujourd'hui exhibées, à l'occasion des manifestations de lycéens, quelques écailles du monstre qu'est devenue l'Education nationale. Car jamais on n'exhibe le monstre en entier, jamais on ne prend sa vraie mesure. Jamais telle enseignante malmenée, telle toiture de collège effondrée, telle rage de lycéens, telle confession d'échec scolaire, voire telle statistique sur les progrès de l'illettrisme ne nous donneront le constat global de faillite qui nous peindrait le système pour ce qu'il est : impotent, irréformable, condamné. Nous verrions alors, au-delà du clip, que cette faillite de l'enseignement, cet échec à transmettre les codes, idées et valeurs cimentant la collectivité contribuent déjà à la déstructuration, à l'anomie, à cette perte des règles, du sens et des liens collectifs qui affecte aujourd'hui la société française.

Sur la formidable gravité de cet état, les clips habituels font l'impasse : ils incitent nos pouvoirs à verser un peu plus d'argent dans le tonneau des Danaïdes, un peu d'analgésique sur la plaie, un peu de Valium dans la bouche ouverte des patients. Mais aucun n'incitera à la seule et forte décision qui convienne : celle d'opérer.

(5 novembre 1990)

La « fureur de lire »

J'en demande pardon à ses promoteurs, mais le slogan « La fureur de lire » me donne des boutons. Etait-il nécessaire de sacrifier à ce tic publicitaire qui ne dirige le chaland vers un produit donné qu'en le supposant saisi d'agitation, d'excitation, de frénésie, bref, de démesure ? Au risque de présenter le « produit » à contresens. Car s'il est bien une production de l'esprit qui doive s'aborder sans fureur, c'est le livre. Il est au contraire une sorte de viatique contre l'emportement, la passion et tous les synonymes de la fureur. Il demande, pour être consulté – ou même dévoré, comme on dit –, une minimale application de l'esprit, un mouvement, en quelque sorte, de contre-fureur.

Mais si l'on rapproche ce racolage d'une autre campagne qui, pour faire lire de grands classiques, prétend, dit-elle, mettre la « littérature en baskets », on voit bien la pente de nos conseilleurs. C'est une pente descendante. On n'incite plus à la lecture vers le haut; on incite à la lecture vers le bas. Ce n'est pas l'élévation de l'esprit qui est requise, mais le vertige abyssal des passions. On ne suggère pas de ralentir un moment la trépidation excessive de nos vies vers l'apaisement maîtrisé de la lecture ; on suggère de dégringoler vers le livre comme vers une facilité qui en vaut d'autres.

En vérité, cette démagogie est très solidaire de l'idéologie enseignante qui, depuis trente ans, a prétendu qu'on peut, voire qu'on doit apprendre en s'amusant, en bannissant l'effort, et par les chères et molles pédagogies dites « d'éveil et d'animation ». On en connaît les résultats.

Or tout se tient. C'est évidemment le développement de l'illettrisme qui est le premier adversaire de la lecture. Certes, la confiscation par la télévision de nombreuses heures de loisirs lui porte tort mais moins qu'on ne dit. Il faut une *minimale* discipline de l'esprit pour lire. Il faut une *bonne* discipline de l'esprit pour lire un livre avec continuité et profit. Il faut une *très grande* discipline d'esprit et une forte expérience de lectures passées pour goûter à sa vraie valeur un livre nouveau, puisque aussi bien il en va du livre comme de l'œuvre d'art : plus le vocabulaire est étendu et la syntaxe dominée, plus le goût est exercé, plus on jouit des beautés que l'œuvre dispense. Beaucoup de grands livres sont d'un abord escarpé mais ce sont souvent ceux qui forment le mieux l'esprit et qui découvrent, à leurs cimes, les plus beaux paysages. Je ne recommande pas les « baskets » pour aborder ces sommets.

Naturellement, je sais bien ce qu'on me dira, qu'il faut rendre tout facile et qu'on ne fera pas lire Zola si on ne rapporte quelques anecdotes sur ses amours. Sans doute, sans doute... Mais on ne m'enlèvera pas de l'idée que cette censure exercée sur tout ce qui évoque l'effort et l'application devient désastreuse.

Le relâchement gâte tout, et même le plaisir, et même l'art de vivre, qui demande de l'effort. La civilisation n'est rien d'autre qu'un vaste effort collectif pour arracher les hommes aux passions primaires et pour les entraîner vers le beau et le bien. C'est un chemin qu'on gravit avec ou sans baskets, mais toujours en montant. A force de ne regarder que vers le bas, nous allons oublier qu'il existe aussi le ciel, la lune et les étoiles. Nous n'en serons pas plus heureux.

(24 octobre 1992)

——— Le « sacré »

Une radio de la bande FM s'est fait taper sur les doigts par les juges de l'audiovisuel pour avoir, disons, passé les bornes. Son bateleur avait comparé, par dérision, le camp d'Auschwitz à une maison de campagne à louer. Déjà, les juges du CSA avaient bronché contre une radio de même acabit où le meurtre d'un policier avait été salué comme une bonne nouvelle. A ces détails, l'on voit que la seule différence entre un jeune et un vieux con, c'est que le premier a plus de temps devant lui.

Cette fois-ci pourtant, l'horreur des camps de la mort a levé le cœur des juges. Ils ont donc tenu pour « sacré » le respect public dû à l'Holocauste. Ils ont bien fait. Mais il y a d'autres « sacrés » collectifs – celui de la mort, celui de Dieu, du Dieu des religions, celui de la dignité humaine – et ces domaines-là sont fréquemment violentés par le même vandalisme des ondes. En fait, c'est la notion même de « sacré », celle d'une aire dévolue au respect collectif, qui est en cause. Or cette notion-là vient plus d'un consensus des mœurs et des opinions que de l'observance d'une loi. Si bien que les hiérarques du CSA marinent dans une impuissance byzantine tiraillés qu'ils sont entre le principe de la liberté d'expression et l'usage frénétique qui en est fait.

On dira que les responsables de ces radios devraient faire, chez eux, le ménage. Mais, pour vivre, ils dépendent eux-mêmes grandement de l'attirance d'un public jeune, qui ne lit ni livres ni journaux, et qui développe, en circuit fermé, une culture nihiliste, celle d'un autre mal du siècle. Celle d'une jeunesse révoltée, comme toutes les jeunesses, mais que le chômage enferme et abrutit. Il se trouve que son mode d'expression favori est, aujourd'hui, la dérision. Non pas l'esprit ni l'humour, mais la dérision, laquelle rajoute au ridicule l'acide du mépris. La dérision, fille d'un monde désenchanté, désacralise et sape les croyances patrimoniales. C'est un marteau-piqueur qui ruine les édifices anciens. Elle donne le sentiment d'accroître sa propre liberté dans l'irrespect de tout. Mais son abus frénétique installe en fait un mépris également universel sur fond de néant. Derrière l'homme, elle cherche le pantin, derrière l'institution la ruine.

L'extraordinaire succès des marionnettes télévisées participe, sur le mode mineur, de cette vague iconoclaste. Je m'y amuse comme tout le monde. Mais je me demande parfois combien de jugements civiques, voire électoraux, sont inconsciemment fondés sur leur sarabande. Le public éveillé, le plus nombreux, ne confond pas, je le sais bien, les genres. Mais qu'en est-il des masses de la sous-culture, celles justement où l'on trouve distrayant de comparer Auschwitz à une maison de repos ?

La banalisation désinvolte du crime y devient l'hommage inconscient de l'ignorance à la barbarie. Ce n'est pas dramatique mais il vaut mieux le savoir !

(14 février 1995)

——— Le vidéosport

Si le sport n'existait pas, la télévision aurait dû l'inventer. En fait, elle le réinvente.

D'abord, elle accentue sa professionnalisation. Chaque sportif de haut niveau est désormais hissé vers l'exploit – celui qui fera spectacle – par une logistique inouïe : détection des champions potentiels dans les préaux d'école, préparation intensive physique et mentale, surchauffe des moyens financiers soit publics pour faire sonner la *Marseillaise* dans les stades, soit privés pour faire vendre des eaux minérales, du sucre ou des chaussures. Tout « ado » de banlieue voudra courir dans les baskets des Harlem Globe Trotters. Tout footballeur du dimanche voudra gambader sur les crampons de l'OM. Tout tennisman du troisième âge voudra muscler son bras de laine avec la raquette de Bruguera.

Conséquence obligée : l'affairisme investit le sport par grandes et petites portes. Il rôde autour de la boxe, du football, du cyclisme un climat crapoteux qui n'épargne pas les plus grands. Notez de surcroît que la télévision et sa « repasse » au ralenti mettent désormais constamment en question l'autorité de l'arbitre, c'est-à-dire un jugement et donc les erreurs humaines que le fair-play sportif s'honorait jadis d'accepter.

Troisième conséquence : la popularisation du spectacle sportif nourrit évidemment quelques délires publics où la morale sportive boit le bouillon. Le tennis est devenu sport populaire mais on commence d'y siffler les ratages des champions, ce qui était jadis tenu chez les gentlemen pour un comble d'obscénité.

Comme toute épreuve sportive reste limitée dans le temps, le grand art aujourd'hui est de l'entourer d'une orgie de commentaires avant et après, sur les concurrents, leur état hormonal, familial, freudien, astrologique, que sais-je encore ! Aux temps heureux où le sportif « espérait faire mieux la prochaine fois », a succédé une hystérie psychologique qui fait rêver.

Il faut que le champion soit « motivé » car il semblerait que, souvent, il ne le soit pas. Il faut ensuite qu'il puisse surmonter la fameuse « pression » : pression terrible lorsqu'il est favori, terrible aussi quand il ne l'est pas. Il faut enfin qu'il vainque la menace sournoise de la « déstabilisation ». Je sais bien que le champion antique redoutait déjà, disait Homère, de sentir dans « ses bras et ses jambes un dieu qui l'empêche d'agir », et que les Grecs montraient comment le mental peut « désunir » – c'était leur mot – l'athlète. Mais d'ici à ce que des psychanalystes viennent nous expliquer dans le prochain tour de France que le vainqueur de l'étape était dopé par le complexe d'Œdipe, il n'y a pas loin !

N'oublions pas, pour autant, que le spectacle sportif développe la pratique sportive. Alors, tant mieux ! Ajoutez que, dans la sinistrose, il faut du pain et des jeux. Il y a trois fois plus de licenciés de fédérations sportives que de licenciés économiques, et tous les Français sont, face au petit écran, égaux devant le plaisir. Bref, le vidéosport, pour le meilleur et pour le pire, fait partie de la vidéovie. C'est tout de même mieux que la confession d'un assassin délirant ou que, bientôt, j'imagine, le meurtre en direct dans le Journal de 20 heures.

(12 juin 1993)

——— Football

Le football, ce fut le remontant de ce début d'été. Vous avez mal à la France qui patauge et ronchonne ? Eh bien, vous scandez : « Allez France ! » derrière le Onze national, qui, avant de chuter en demi-finale, aura installé, durant deux semaines – ce n'est pas si mal –, du bleu-blanc-rouge sur des millions d'écrans. Vous êtes les pieds dans vos pantoufles, la mondialisation vous déprime, vous avez l'atavisme belliqueux, vous rêvez de cartonner de l'Anglais ou du Germain. Allumez donc le poste, et vous voilà enrôlés dans ce simulacre ludique et pacifique de la guerre !

Oui, oui – c'est entendu ! –, il faut, pour s'y plaire sans mélange, oublier la barbarie des tribus de tribune, le spectre des souvenirs macabres du Heysel, le dégoût du supporter hystérique qui, comme dit la chanson, « pue la bière et l'animal ». Le football est populaire, souvent populiste, parfois populacier. Oui, il faut supporter, avant et après, le ressassement des griots du culte qui déversent dans tous les micros la guimauve psychologique de la « pression » qui guette, du « mental » qui requinque. Oui, il faut consoler nos dames que ces tournois rebutent – quoique...

Oui, mais après, mes amis, pendant 90 minutes, quelle récompense ! De la beauté, de l'émotion en rafales. L'harmonie d'une géométrie tactique, la flèche soudaine d'une percée profonde, la grâce d'une feinte de corps ou d'une « roulette » furtive, l'astuce d'un petit pont, l'élégance d'un centre tiré au cordeau, la fulgurance d'une reprise de volée, et le drame des tirs au but. Toute la lyre de l'énergie, de la ruse, de la maîtrise de soi. Et tout l'imprévisible de la lutte, de la vie quoi !

*

De tous les phénomènes de la société moderne, le mariage du sport et de la télévision est un des plus impressionnants. Le football y est roi. Il fait lever dans les cratères des stades l'épaisse rumeur des cirques de la Rome antique, mais il installe aussi dans des millions de foyers toute une comédie humaine conçue, dirait-on, pour être filmée. Depuis que Ronsard chantait les charmes de son lointain ancêtre (« Faire d'un pied léger poudroyer les sablons, Et bondir par les prés l'enflure des ballons »), le football a quitté son aimable gratuité. En devenant le premier spectacle mondial, il a beaucoup gagné et beaucoup perdu. Il offre l'évasion du jeu à tous les gamins de misère qui poussent la balle sur les bitumes des banlieues d'Europe, sur les terrains vagues des bidonvilles d'Afrique ou des favelas du Brésil, et rêvent à la gloire d'un Pelé ou d'un Gascoigne. Il cimente autour des villes et des nations des solidarités claniques où se côtoient le meilleur et le pire. D'un côté, délires enragés de la presse de caniveau anglaise qui avant son match contre l'Allemagne, chauffait à blanc les passions picrocholines de ses hooligans ! Mais de l'autre, exutoire du chauvinisme qu'il vaut mieux défouler sur un stade que sur un champ de bataille. Tout, dans le football, est ainsi à double face : l'honneur hystérique des supporters entraîne au détestable, mais dans maintes villes sinistrées par le chômage et la clochardisation, le football reste, pour les jeunes et moins jeunes, le seul lien social de plaisir et de fierté.

*

Le sport, la morale sportive, la dignité de sa règle subissent, avec le triomphe planétaire du football, les assauts redoutables de l'argent et de la tricherie. Il y a, sans doute, dans quelques terrains obscurs de la France profonde, des adolescents qui pourraient encore dire comme Camus : « Ce que je sais de plus sûr de la morale et de ses obligations, c'est au football que je le dois. » Mais Monsieur Tout-le-Monde, en France, retient plutôt – après la sinistre affaire de l'Olympique de Marseille et ses révélations scabreuses – les ravages politico-sportifs de la présidence Tapie, les matchs truqués, la canaillerie des transferts de joueurs et cette conspiration du « fric » et de la corruption pour gommer la « glorieuse incertitude du sport ».

Il est, hélas, un autre souci moins crapoteux, pour l'avenir du football de haute compétition, et c'est l'aléatoire de l'arbitrage qui mine la sincérité des résultats. Dans cet « Euro », des millions de téléspectateurs, aidés du ralenti, ont vu et revu un but roumain indiscutable que l'arbitre n'a pas vu. L'appréciation sur la régularité d'un « tacle » relève de l'inspiration de l'arbitre, de même que sa plus ou moins grande prodigalité en cartons jaunes. Tant d'arbitraire arbitral flottant entre des équipes cadenassées, où la victoire se décide le plus souvent sur un seul but, ne peut que déprécier le spectacle.

A moins, bien sûr, que cette imprévisibilité même ne pimente un spectacle de plus en plus théâtral et de moins en moins sportif. Mais il ne faut pas désespérer de l'esprit sportif. Il garde, partout dans le monde, de la ressource. Il s'est, en tout cas, honoré, chez nous, par la réponse digne et réservée des sportifs à la lamentable déploration de Le Pen sur on ne sait quel cosmopolitisme de l'équipe nationale. Onze Français, dont quelques-uns des Antilles ou de Calédonie, ont fait un parcours qui plut à la France. Il aura réjoui ceux qui aiment le football et mérité l'estime de ceux qui ne l'aiment pas.

(29 juin 1996)

9. *ENSEIGNER*

Enseigner

L'Enseignement – plus que la Famille et autant que l'Eglise – est le grand malade de nos temps de fracture. Le « Grand Transmetteur » est en court-circuit. Il ne sait plus qui il est, ni où il va. Ceux qui furent les hussards de la République sont devenus des éclaireurs déboussolés dans un no man's land de chienlit. Derrière eux : les ruines des certitudes et des institutions. Devant, le brouillard ! Leur situation est d'abord critique avant d'être critiquable.

Victimes – mais plus que d'autres ! – du grand chambardement. Car l'instruction publique française est la principale épave de la tempête de crânes qui a envoyé par le fond les idéologies socialistes. C'est avec des boussoles marxistes, des Ecoles normales et un syndicalisme à certitudes socialistes que l'enseignement français – unique en son genre en Occident – affronta la crue énorme des effectifs dans les années 50. Aux normes de l'enseignement républicain, fondées sur l'effort, le travail, le mérite et la sélection, le corporatisme enseignant a substitué, devant le déferlement scolaire, le culte des lendemains qui chantent et la pédagogie bénigne d'un égalitarisme racoleur. Et pour gérer la crue, l'Etat français a « compacté », avec un million d'agents, la plus grosse montagne de fonction publique qui soit au monde.

Ce que cette institution délabrée subit aujourd'hui de plein fouet, c'est la sanction terrible qui frappe à la fois le logiciel et la « bécane » : les idéologies tout autant que la machinerie. Sur l'ensemble pèsent alors les mêmes vices incurables dont le docteur Gorbatchev a fait, chez lui, le diagnostic : la masse est irréformable parce que autogérée, confisquée par la bureaucratie (chez nous, syndicale) et un engrillagement byzantin ; sa paupérisation s'accélère ; et la stérilité s'accroît dans l'oubli, par la Machine, des besoins du consommateur (l'élève et ses parents).

Pour aborber les jeux Olympiques de la matière grise, nous voici donc lotis d'une armée enseignante névrotique, sans prestige social ni autorité. Certes, dans les grandes écoles, et quelques plates-bandes protégées, des enseignants jardinent toujours la courte et brillante élite française. Mais le plus grand nombre règle sans joie la circulation d'analphabètes diplômés le long du sombre corridor qui mène à la vie active ou au chômage. Ce corridor, on l'appelle la jeunesse.

Souvent mal formés, et mal payés, confinés dans des locaux clochardisés, les demi-solde de la République courent, sans la rattraper, derrière la « modernité ». Les voici dans la plus sinistre impasse : ils voient qu'une « perestroïka » est nécessaire, mais ils ne s'y résolvent pas. Comme ils ont l'opiniâtreté de ceux qui exercent un métier « où l'on n'a jamais tort », comme ils pèsent, par leur masse, d'un poids électoral dissuasif, ils se rencognent dans une résignation amère. Ils ne voient pas comment en sortir. Le pouvoir non plus, qui est (en notre nom) le payeur, mais non le décideur de la Machine. Chaque jour de cette année scolaire 1988, il se trouve plusieurs milliers d'instituteurs et professeurs pour manquer à leur chaire. Ce chiffre dit tout !

Pour soigner le monstre, l'injection financière est, sans doute, nécessaire, mais évidemment insuffisante. Car le système est gangrené. Si l'on veut le régénérer sans drame, il faudra attendre, comme sœur Anne, le concours miraculeux de grands talents politiques, d'une longue période sans élections, d'un sursaut des enseignants et de quelques initiatives multiples et futées qu'inspirerait une idée simple : celle d'enlever aux enseignants la « copropriété » exclusive de l'Enseignement. Peut-être, ensuite, pourra-t-on découpler le monstre, créer des « entreprises d'enseignement » autonomes, et faire, comme dit le professeur Julliard, « péter la pétaudière ».

Mais il faut, d'abord, que les parents d'élèves se réveillent. Que les politiques, à gauche, à droite, ne pensent plus qu'à ça. « Un jour, disait Nietzsche, il n'y aura plus d'autre réflexion que celle portant sur l'Education. »

(6 mars 1989)

La trahison des clercs (bis)

La désagrégation morale de la société constitue l'explication majeure des malheurs du système éducatif. Lorsque s'engloutit un vieil ordre intellectuel et moral, il ne faut pas s'étonner que les trois grands transmetteurs des acquis culturels – la Famille, les Eglises et l'Enseignement – soient plus ou moins en ruine. La crise de la morale religieuse, mais aussi celle de l'idée de progrès, l'effondrement de l'utopie socialiste, mais aussi l'hostilité renaissante à l'arrogant empire de l'argent ont fissuré puis effondré les idéaux collectifs. Que transmettre au juste à l'enfant ou à l'élève si, au fond de soi, l'on doute de ce qu'on croit, de ce qu'on sait, de ce qu'on veut ? Si plus rien ne fonde une autorité, une légitimité spirituelle, morale et intellectuelle ?

Est-ce que nous touchons le fond ? Toujours est-il qu'une sorte de prise de conscience – celle que la démolition, fêtée en 68, a assez duré et qu'il est temps de rebâtir – commence d'illuminer l'Etat, les enseignants eux-mêmes, et jusqu'aux consommateurs, c'est-à-dire les écoliers, lycéens et étudiants. Dans cette réaction, personne ne rêve à l'impossible restauration d'un ordre révolu : le déclin d'un monde encore dessiné par le surréel chrétien. L'évolution technologique et médiatique accélérée de la société industrielle et postindustrielle a expédié aux oubliettes le vieil ordre enseignant, ses mœurs et ses lois. Quelque chose est cassé de l'antique magistère, qui ne reviendra plus. Le Petit Chose est mort, la gloire du père de Pagnol aussi, et l'oracle télévisuel dispute à l'école ses anciens prestiges. Mais dans notre ère du vide, où l'image scintille et l'écrit se ternit, on « communique » sans rien apprendre, on éblouit sans rien enseigner. Bref, on se sent de plus en plus nu. L'esprit a de plus en plus froid. Le lycéen voudrait qu'on le rhabille. Et que l'école sorte de sa chienlit.

Vaste programme ! Le coup de pinceau du compagnon Jospin ne suffira pas à effacer quelques pénibles records. Celui, par exemple, qui accable les lycéens français d'horaires hebdomadaires les plus chargés d'Occident et leur consent l'année la moins chargée. Par quel miracle ? Par les vacances les plus longues, pardi ! A l'origine de cette cascade de records, voici pourtant le record magistral : celui de la plus importante masse de fonctionnaires (1 200 000) réunis, à la soviétique, dans un système asphyxié à la soviétique par un appareil syndical contre lequel le ministère, les partis, le Parlement, la nation demeurent impuissants. « Poncif journalistique », dit Jospin au *Point*. Peut-être ! Mais à la façon dont « deux et deux font quatre » reste un excellent poncif mathématique. Ces poncifs-là, un jour ou l'autre, renversent tout.

Nous explorons ici les révolutions de structure nécessaires. Mais nous savons qu'elles seraient elles-mêmes insuffisantes si elles ne s'accompagnaient d'une révolution culturelle : celle qui balaiera la mythologie égalitariste où le postulat légitime de l'égalité des chances se dégrade en distribution illégitime d'égalités au rabais (exemple : les diplômes dévalorisés). Mythologie égalitariste qui nie la diversité des milieux et des savoirs, bref, de la vie même, au nom d'une utopie qui s'effondre partout et ne stagne plus que dans quelques conservatoires syndicaux. Mythologie d'équarrisseurs qui refusent la sélection, la note qui départage, la mention qui distingue, et qui naturellement ressuscite en fin de compte la plus criante des inégalités : celle de l'argent ou de la naissance, substituée à l'inégalité du mérite ou du talent. C'est ainsi qu'on fabrique des culs-de-jatte pour consoler les unijambistes. (Mais les fils de riches gardent une prothèse d'avance.)

Un rousseauisme de bazar aura, en vingt ans, déprécié dans nos classes l'application et l'effort. On veut apprendre les mathématiques sans apprendre à compter, et la lecture sans l'orthographe (qu'on simplifie par décret). Afin de fuir toute contrainte, nos Diafoirus folâtrent dans les champs sémantiques pour oublier la grammaire et dans les sous-ensembles pour éviter le calcul. Aucun ne semble avoir compris que le travail d'écolier, avec ses contraintes, ses obligations répétitives, fut une épreuve conçue autant pour le caractère que pour l'intelligence. « Par l'orthographe et le calcul, disait Alain, il ne s'agit pas seulement d'apprendre mais d'apprendre à vouloir. » Il faudra réapprendre à apprendre.

La « trahison des clercs », ce fut, avant guerre, le dévoiement des intellectuels par la droite et le fascisme. La seconde « trahison des clercs » aura été, après la guerre, l'enivrement symétrique des intellectuels, de l'Université, puis des syndicats d'enseignants par l'utopie marxiste. L'état-major est guéri ; les troupes, pas tout à fait ; la nomenklatura syndicale, pas du tout. Les enfants trinquent encore.

(10 décembre 1990)

Enseignement : toujours pire !

Cette seule idée que le syndicat majoritaire de l'enseignement secondaire français soit toujours à dominante communiste vous flanque le cafard. Qu'une bureaucratie de maîtres en soit encore à révérer ce qui sert de repoussoir à la jeunesse du monde en dit long sur l'épouvantable vétusté de notre machine à enseigner. Un signe entre cent que l'enseignement est bien « l'homme malade » de la société française. Si l'école est, certes, malade de la société, la société est plus encore malade de son école. Et c'est pitié de constater qu'une nouvelle réforme – celle de la formation des maîtres – prolonge et magnifie les vices d'un système, conçu voilà plus de trente ans par l'utopie marxiste, et qui depuis roule sur son erre comme un mastodonte aveugle et sourd.

*

Nous savons les excuses que l'on trouve à ce ratage historique : la démocratisation massive, la chute de l'autorité parentale, l'invasion de la télévision et, aussi, ce million d'enfants d'immigrés, cet autre million d'enfants de divorcés – et combien d'enfants de chômeurs ! – bref tous bouleversements d'échelle et de mœurs. Ce n'est pas rien ! Mais devant ces défis l'enseignement français a perdu la tête. Grisé par l'utopie égalitaire, il a voulu pousser, dans un seul bloc compact, toutes ces masses nouvelles vers le haut, le bachot et les lendemains qui chantent, et il n'a fait que les entraîner, en bloc, vers le bas, l'échec scolaire et le malheur d'être jeune.

Depuis les années 60, tout le système d'enseignement est peu à peu devenu, dans sa masse comme dans sa doctrine, une sorte d'énorme colonie collectiviste installée au sein de la nation française. Sur la colonie régnait la « Corporation » : une bureaucratie syndicale échappant au contrôle de l'Etat, des Parlements, des citoyens, et imposant à toute la jeunesse de France une religiosité socialisante bien éloignée de la vraie laïcité. Cependant, le monstre grossissait jusqu'à compter un million de fonctionnaires, paupérisés par l'Etat et désormais « sonnés » par leur propre échec. Un échec sans égal : combien d'enfants de sixième sont capables de lire sans ânonner ? Et combien, de troisième, capables de comprendre ce qu'ils lisent ?

Là-dessus, la défaite universelle du communisme a partout délabré la vulgate. Nos malheureux instituteurs, jadis hussards de la République, aujourd'hui sans cheval ni drapeau, se traînent en demi-solde du socialisme, en victimes pitoyables d'une défaite éducative, qui fut d'abord une défaite de la pensée. Seront-ils requinqués de se trouver empilés avec les ex-professeurs dans le même concasseur pédagogique ? D'être rebaptisés (ah ! le cosmétique) « professeurs d'école » ? (Tandis que l'on fera, sans le dire, de nos futurs professeurs des « instituteurs de lycée »...)

Le scandale, c'est qu'un système déconsidéré par son obésité, son impotence et sa doctrine puisse ainsi continuer de sévir. La faute majeure fut aux origines, dans la déviation égalitariste, de supprimer la sélection et l'émulation. Et simultanément d'imaginer que, par « l'animation », « l'éveil », on évacuerait les nécessités des contraintes éducatives. Première catastrophe : l'enfant n'apprend plus l'effort, vertu constitutive du caractère. Seconde catastrophe : maintes notions scolaires qui ne pouvaient être acquises que par l'effort, le « par cœur », ont tout simplement disparu du bagage scolaire. Troisième catastrophe : les comédies badines du professeur-animateur, du « professeur-copain » ruinent chez l'enfant le principe d'autorité, et avec lui le respect de la compétence et du savoir. Ainsi s'opère cette déstructuration des esprits, privés de l'ossature que formaient, par exemple, pour la langue, l'enseignement de la grammaire ; pour l'histoire, celui de la chronologie ; pour la connaissance des hommes et de la vie, la lecture des grands textes. Surnagent un savoir en miettes et un passé décomposé.

En apothéose d'un décervelage si accompli, voici qu'on veut réunir nos enseignants, du primaire au secondaire, dans un moule unique, dans cette même pédagogie calamiteuse qui vise à mieux transmettre des savoirs morts. Machine, en somme, pour labourer le désert !

*

Le bilan, devant l'Histoire, fera méditer. Nos Diafoirus auront abîmé l'atout premier de la modernité : la matière grise. Avec ces gribouilles, disait Molière, « on peut gâter un homme sans qu'il vous en coûte rien ». Du beau savoir de la République, et du réseau de fils précieux qui constitue la mémoire collective de la nation, ils auront fait cette pelote embrouillée et dissimulée dans des emballages de paquet-cadeau. Un tel échec, je le crains, n'est plus réparable. Il faut laisser périr le monstre. Et rebâtir autrement. On le peut. Des milliers d'enseignants – profs ou instits « résistants » – ne pensent qu'à repartir du bon pied. *Le Point* sera avec eux.

(12 octobre 1991)

——— Classiques

Je n'étais pas seul, l'autre soir, au Théâtre-Français. La salle était pleine, mais nous étions esseulés. C'est qu'on jouait *Britannicus* et qu'une mauvaise nouvelle planait sur les alexandrins : dans les classes (d'où ils tirent leur nom), les classiques dépérissent. Molière résiste encore, mais Racine agonise comme un imparfait du subjonctif. Quand on l'ânonne encore, il passe – Esther me pardonne ! – pour de l'hébreu. On entend mal sa langue, et moins encore sa musique.

L'art de Racine est un élixir délectable issu d'une tradition gréco-latine, et d'un code aristocratique de l'esprit, longtemps entretenu comme un sacrement par les vestales des lycées et collèges. Aujourd'hui que les demoiselles de Saint-Cyr prennent la pilule, la scolarisation de masse, les maths, la télé, l'air du temps conspirent à l'extinction du culte. Jouer Racine, c'est un peu dire la messe en latin.

Car si, dans nos classes, « le niveau monte », comme le proclament deux enseignants émerveillés, c'est qu'il monte partout... sauf pour la langue française, l'histoire, la philosophie, et autres bagatelles de l'inutile contemporain. Le niveau monte, précisent nos ravis, « sauf dans les catégories à coefficient social déclinant ». Entendez : les humanités. En somme, Sganarelle nous dit : si votre fille est muette, c'est qu'une culture à « coefficient social déclinant »... décline. Vive Sganarelle : il a tout compris !

Je veux bien qu'une sottise soit de pleurnicher, dans le monde « tout fout le camp », sur les décombres d'un âge d'or qui n'a jamais existé. Mais une autre sottise, celle des muscadins de la « modernité », est de se réjouir à ces autodafés, d'accepter d'un cœur sec l'arasement d'un passé qui fait encore la renommée française. L'effondrement d'un immeuble ne constitue pas un progrès de l'architecture.

Au grand banquet actuel de la technique et du commerce, l'art et la sagesse sont à la portion congrue. Le prône, à la mode, du dérèglement libertaire et la crainte du « trop enseigner » n'inclinent pas, non plus, au goût de l'art classique tout fondé sur la Règle. Il faudrait, aujourd'hui, pour défendre Racine, le confier à Séguéla, déshabiller Andromaque sur dos de kiosques, et démontrer que le déclin des classiques nuit à notre balance commerciale. Dur, dur ! Honneur donc aux résistants de cette cause désespérée : à quelques professeurs en leurs tranchées, à quelques comédiens en leurs péplums !

Qu'étions-nous, l'autre soir, en la chapelle intégriste du Théâtre-Français, sinon une salle d'émigrés culturels, bientôt clandestins, réunis en mandarins dans le goût d'un théâtre ésotérique pour l'élégant et ténébreux *Britannicus* de Jean-Luc Boutté ? Nous serrions les coudes, écologistes d'une langue lumineuse et souple, en voie d'extinction. Une langue qui nous invite encore à grignoter une assiette-télé pour Bernard Pivot ; une langue que menace la pollution des jargons scientifiques, des syntaxes déglinguées, langue abandonnée aux clercs et aux amants transis de l'écriture que tournent en dérision les rutilants rastaquouères du « toc » médiatique.

Dans des catacombes sorbonicoles, des ateliers universitaires de Californie et autres séminaires de chartistes japonais, nos descendants attendront quelques décennies ou quelques siècles qu'une autre Renaissance fonde une nouvelle « modernité » sur cette culture réduite à quelques lumignons, comme la Renaissance fonda la sienne sur la restauration de la culture antique, grecque et romaine, que le Moyen Age avait asphyxiée. Peut-être – ce ne serait pas plus étonnant – reviendra-t-on un jour à Racine, comme au XVIe siècle on redécouvrit Virgile. En attendant, si vous avez l'esprit docile, adaptez-vous à ce « niveau scolaire qui monte » : lorsque l'on vous questionnera sur *Britannicus*, répondez qu'en lecture rapide c'est une sorte de *Dallas* qui se passe en Italie. Mais ne dites surtout pas que c'est en vers !

(20 février 1989)

Le latin

La vaste entreprise d'équarrissage de l'Education nationale porte désormais ses tronçonneuses sur ces beaux massifs du jardin de la civilisation française qu'étaient le grec et le latin. L'étude – évidemment facultative – de ces deux langues anciennes se trouve pratiquement étranglée par un système qui va décourager de leur étude les bons élèves, et par enchaînement entraîner le déclin de leur enseignement. On dira que cette affaire n'intéresse qu'une élite scolaire. Oui, et alors ? Ce sont les élites qui tirent une civilisation vers le haut.

L'idéologie enseignante actuelle n'aura cessé de déraciner : déracinement du passé par le saccage de l'enseignement de l'histoire, déracinement de l'esprit par l'abaissement de la philosophie, déracinement désormais de la langue par la mutilation du grec et du latin, racines du français. Ce vandalisme aggrave l'engouement de ce qui fait, avec les sciences, des têtes bien pleines et le mépris de ce qui fait avec les lettres des têtes bien faites.

C'est une sottise d'interdire pratiquement à une élite de lycéens qui s'en sentent capables de bénéficier, par le grec et le latin, de la maîtrise de la langue française, de la souplesse syntaxique, et de la clarté de conception que réclament partout, aujourd'hui, les cadres de la Nation, accablés par le jargonnage et la débilité d'expression.

C'est une sottise que d'appauvrir le vivier des disciplines littéraires de l'histoire jusqu'aux lettres, de la philosophie à l'archéologie où l'Université pêche ceux qui firent son renom national et international alors même qu'en Allemagne, en Italie, aux Etats-Unis et en Grande-Bretagne l'enseignement – certes élitaire – des langues mortes demeure relativement florissant. Mais c'est une sottise égale de priver les meilleurs scientifiques de la musculature intellectuelle acquise à l'exercice du latin, et que saluent justement de nombreux professeurs de maths ou de physique.

De même que les géants de la Renaissance se sentaient infiniment modernes en s'inspirant, après sept à huit siècles d'éclipse, de l'univers antique pour restaurer une certaine idée occidentale du beau et du bien, de même l'exploration du socle spirituel de notre civilisation serait de grand secours pour nos sociétés abruties par la confusion des valeurs. Quand décline l'euphorie du progrès matériel dans des sociétés déchristianisées, c'est l'antique désir de sagesse qui s'impose à nouveau. Et là-dessus, les anciens restent les plus modernes.

(10 mars 1982)

Laïcité

On vous dit que la grande cérémonie processionnaire de dimanche dépassait le différend archaïque qui en fut le catalyseur. C'est évident ! On vous dit que le principe de laïcité s'en trouvera requinqué. Sans doute et tant mieux ! Avec, tout juste, le regret que cette laïcité militante ait oublié d'épingler sur ses pancartes l'Islam imprécateur. Celui-là menace plus les principes laïcs que les pauvres soutanes qu'on voyait moquées en effigie. Car, des soutanes, on n'en voit guère de nos jours. Il y en a moins dans les séminaires qu'il n'y a de tchadors à Barbès ! Voilà plus d'un demi-siècle que les valeurs laïques ne sont plus insultées dans les écoles chrétiennes. Je n'en dirais pas autant des écoles coraniques. Passons !

On vous dit enfin que cette grande fête entretenait le feu sacré de la République. Peut-être ! Si c'est vrai, on s'en réjouira. Mais j'ai surtout vu, quant à moi, un grand rituel exorciste autour de l'Ecole, grand corps malade, souffrant, et dans lequel toute une société observe, à nu, ses propres misères morales : le déclin de la dignité enseignante, la prolétarisation d'un ancien magistère, la paupérisation du service public, la démission parentale, l'effondrement du principe hiérarchique, le désarroi des maîtres devant la barbarie qui envahit ici ou là les préaux, la rupture d'une tradition, d'une transmission de ces valeurs qui cimentent la collectivité. Avec ses casquettes Front populaire, ses slogans aux rimes pauvres, ses folklores de potaches, son piétinement de masse et son étalement débonnaire, la machine obèse d'un million d'agents de l'Education nationale exhibait ses nostalgies et ses impotences sans oser admettre ce qui pourrait la soigner.

Car le fond de l'affaire est là, et qui excède largement la protestation massive contre un pas de clerc du pouvoir. La vérité, c'est que l'Ecole française, malade et intouchable, dit, à tout propos, comme ses pancartes, « Pas touche à l'école ! ». Etat dans l'Etat, elle congédie ses médecins l'un après l'autre.

Est-ce que par ailleurs cette cérémonie refonde, comme on le dit, la gauche ? Ma foi, ce ne serait pas un mal : les démocraties modernes ont besoin d'une opposition crédible. Encore faudrait-il qu'un début de faveur ainsi retrouvée permît à une nouvelle gauche d'inventer enfin un nouveau programme, et de liquider une génération disqualifiée par l'utopie collectiviste et l'affairisme.

Faute de quoi – pour la gauche, comme pour l'Ecole – la vaste kermesse de dimanche n'aura que fêté gentiment l'immobilisme dans la commémoration d'un passé englouti.

(18 janvier 1994)

Facs : la vérité qui fait peur

La société française vit une mutation considérable, bouleversante. Comment donc l'Enseignement – système nerveux de toute société démocratique – pourrait-il échapper à ce pathétique ? Au contraire, il le met à vif. Dans les défilés étudiants, les pancartes réclament des « sous ». Mais c'est son avenir et son angoisse que chaque étudiant porte aujourd'hui en écharpe. La confusion d'enthousiasme et de révolte qui est l'honneur et le malheur de la jeunesse ne rencontre, aujourd'hui, que la confusion d'une société elle-même débordée, assommée par ce qui lui advient : le chômage, la rupture du lien social, la crise des croyances, et d'abord celle de l'idée de Progrès.

Les grincheux nous serinent que la Société est malade de son Ecole, mais en vérité l'Ecole est surtout malade de la Société. Plus que la Famille, et autant que l'Eglise, l'Enseignement – « le grand Transmetteur » – est en court-circuit. Il ne sait plus au juste que transmettre, pour qui et pour quoi. Comme la Sécurité sociale, notre système d'enseignement est donc périmé. Il donnera encore des sueurs froides aux politiques. Mais on le changera, de gré ou de force, lorsque la Société aura retrouvé un cap.

*

On devrait, a priori, se réjouir que le taux croissant de scolarisation des enfants ait si fortement enflé le raz-de-marée universitaire : le niveau d'éducation définit le statut des pays développés. Et, à s'en tenir aux chiffres, on devrait se féliciter qu'en France, 70 % d'une classe d'âge parvienne, aujourd'hui, au bac. Et que près de 80 % des bacheliers entreprennent des études supérieures, confortés qu'ils sont par le fait avéré que les diplômés universitaires obtiennent des salaires supérieurs.

Seulement voilà : encore faut-il qu'ils trouvent un emploi ! Et c'est ici que le bât blesse. Il n'est pas imputable à la seule fatalité économique du chômage. Il invite, en fait, à douter de toute l'idéologie qui inspire depuis 50 ans l'Etat-providence et, à son cœur, notre système d'enseignement : celle du « tout pour tous ». Cette utopie égalitaire – codifiée sur le modèle marxisant Langevin-Wallon 1947, corsé en 1968 – a rêvé et « programmé » que l'ascension sociale serait générale, indifférenciée et continue.

Magistrale illusion où iront s'engouffrer tous les avatars de la rupture culturelle et sociale : les défaillances parentales, l'écrasement de l'écrit par la consommation passive de l'image, la déperdition du sens de l'effort et de l'autorité au profit des comédies bénignes de « l'éveil » et de « l'animation », tout ce séisme culturel a ruiné les fortes bases de l'enseignement primaire et expédié quantité d'illettrés vers le secondaire.

Mais ensuite, en aval, la même utopie d'un pouvoir syndical enseignant perdurant jusqu'à la chute du mur de Berlin a répandu, à tous niveaux, du secondaire au supérieur, le même optimisme délirant, et jeté l'ostracisme officiel sur toutes les formes de sélection. Résultat : le nombre des étudiants a doublé en dix ans pour atteindre les deux millions. La machine quantitative s'est emballée au détriment de la qualité, et de l'adaptation à l'emploi... Folie !

*

Le tabou qui protège le désastre, c'est donc le refus sacralisé de toute sélection. Exorcisme magique qui en dit long sur l'affaissement des esprits. Car, quant à elle, la sélection par l'échec, la plus injuste, mouline à plein. Et la sélection par concours assure aux grandes écoles la production quasi exclusive des élites.

Il est absurde d'ostraciser la sélection au nom de l'idéal euphorique du « tout pour tous » : car la sélection est, comme la démocratie, le pire des systèmes... à l'exception de tous les autres. La sélection est obligatoire non par mystique malthusienne, mais tout simplement parce que l'orientation, elle, est inévitable, et que pour être efficace – ne nous montons pas le bourrichon ! – elle ne peut être que sélective. Elle est nécessaire pour réduire les filières sans débouchés, et le flot continu des diplômés sans emploi qu'aucune euphorie économique ne saurait tarir. Là, l'explosion menace et c'est cette vérité-là qui fait peur.

Sur la méthode pour la conjurer, on peut disputer : un bac moins généreux ? Un accès au second cycle plus contraignant ? Décentralisation, voire autonomie des universités, comme le préconise Madelin, pour briser le carcan unitaire d'une machinerie qui tourne fou ? Rien, en tout cas, de profond ne se fera sans une révolution des mentalités, qui, de la maternelle aux campus, redonne valeur et dignité nouvelles à la transmission du Savoir. Patience donc et courage ! Avec une lueur : chez les enseignants et étudiants, les esprits, lentement, se dégèlent. Ils ont encore peur des mots. Mais ils sortent la tête du sable.

(25 novembre 1995)

Orthographe : la méthode Grock

Qu'allons-nous faire, au *Point*, de la réforme de l'orthographe ? Ma foi, rien du tout ! De même qu'on ne réforme pas, air connu, la société par décret, de même, on ne réformera pas au *Journal officiel* le principe spirituel de la société, qui est sa langue, ni son enveloppe corporelle : l'orthographe. Question futile ? Pas vraiment, si l'on considère la prétention qui inspire l'Etat. Pour qui donc se prend-il de vouloir ainsi régenter nos pénates ?

Car la langue et son orthographe sont des organismes vivants, divers et capricieux qui vieillissent avec nous, et avec lesquels nous entretenons de très intimes relations familiales. Nous les prenons comme ils sont. L'orthographe a ses charmes qui, comme presque tous les charmes, échappent à l'ordinateur, recèlent de délicieux dangers et se jouent de la raison. La raison, disait Pascal, « a beau crier, elle ne peut mettre le prix aux choses ». Et l'orthographe a son prix. Elle est une convention, un système symbolique dont la civilisation a fait un rite. Chacun la sert ou l'honore à sa façon. Elle a ses fétichistes, ses amoureux, ses appliqués, ses distraits, ses brouillons, ses nullards, ceux qui font des fautes charmantes, et ceux qui en font de répugnantes.

L'orthographe est un paysage : on s'y promène, on y jouit, on y gèle, on y transpire ou on y rêve, c'est selon. Si vos enfants s'y égarent, donnez-leur des petits cailloux. Mais ne changez pas le paysage ! Les Trissotin de la réforme, soucieux, disent-ils, de rapprocher l'élève du clavier de l'écriture, procèdent comme le clown Grock, qui s'échinait à rapprocher son piano du tabouret mais pas son tabouret du piano. Qu'on rapproche donc les élèves de l'orthographe, et non l'orthographe des élèves ! L'idée qu'on aidera les cancres par ces petites mutilations est un résidu de l'utopie égalitariste. Otez les accents circonflexes, et les cancres continueront d'être des cancres, mais les promeneurs du livre auront perdu, ici ou là, une couleur, une odeur, une saveur d'entre les lignes. Si la « Pléiade » ou la collection « Bouquins » s'avisent un jour de publier leurs auteurs avec cette orthographe allégée, elles seront boycottées. Il faut saboter cette sottise.

Comment l'Académie française, fût-ce en rabaissant les prétentions des néographes, a-t-elle pu néanmoins se dévergonder jusqu'à parrainer ces galipettes technocratiques ? Ecoutez plutôt les correcteurs de presse, les agrégés ou Philippe de Saint-Robert et son Haut Conseil de la francophonie, qui, dépiautant le texte officiel, démontrent avec maestria la vision doctrinaire d'un prétendu assainissement de l'usage, les incohérences des nouvelles graphies, la préoccupation croissante du phonétique avec le danger ultime de « créolisation » de la langue.

Nos rectificateurs se défendent en excipant de leur modération, et en nous disant, en somme, que grâce à eux nous l'avons échappé belle : le Syndicat national des instituteurs eût, disent-ils, procédé à la hache... Merci bien ! Il reste que le pouvoir a pu trouver des déboiseurs pour entailler cette végétation libre où chaque plante se souvient de son passé, où tant de mots gardent un air de leurs ancêtres latins ou grecs, une parenté plus ou moins lointaine venue des flores voisines, arabe, espagnole, allemande, anglaise, et où les mousses et les herbes folles des gallicismes poussent dans un terreau millénaire de tradition écrite. Va-t-on un jour nous convaincre des avantages de la tradition orale et du mérite simplificateur des langues bantoues ?

L'accusation de conservatisme mandarinal que les réformateurs nous adressent ne vaut pas un clou : nous savons fort bien que l'orthographe bouge et doit bouger, et qu'on n'écrit plus comme Montaigne. Mais que l'Etat laisse donc le soin d'enregistrer l'usage aux patients jardiniers que sont les faiseurs de bons dictionnaires : ils attendent, eux, que les plantes orthographiques aient perdu toutes leurs feuilles avant que d'y porter le sécateur. MM. Robert et Larousse n'auraient pas l'idée de nous faire circuler sous des *voûtes* sans toit, je veux dire sans le petit chapeau qui les surmonte. Ils ne voudraient pas nous faire *asseoir* sans « e » sur un *tire-fesses* (sans « s »). Ils ne voudraient pas ralentir, en l'affublant d'un accent aigu, le rythme de l'*allegro*. Ils ne nous feraient pas manger une *huître* malade que ne fermerait plus son accent circonflexe.

Par bonheur, un de ces linguistes qui s'arrogent le droit de réglementer l'orthographe, confesse, non sans lucidité, qu'il voit l'entreprise promise, comme tant d'autres, « à un enterrement de première classe ». La fosse commune suffira.

(17 décembre 1990)

10. LA GRANDE RUPTURE

La soif de sens

Des livres de philosophie, des marchands de sagesses divines et quelques illuminés font, ces temps-ci, de grands succès d'édition. Ainsi vers le ciel étoilé que les navettes spatiales disputent aux dieux de nos ancêtres, vers les éternels mystères de la condition humaine déferlent – c'est un signe – des livres bénins ou sévères. On y trouve des « psy » à la pensée courte et des princes de l'esprit, des marchands de sectes et des phares de la pensée. Mais l'aspiration commune, c'est de sortir des huis clos de l'ère du vide. Car pour que Jésus, Bouddha, Malebranche ou Platon tombent en pile dans les maisons de la presse, il faut qu'un souci nouveau de traverser le miroir des apparences, qu'un besoin de méditation ou de simple réflexion, qu'une recherche de boussole, qu'une soif de « sens » renaissent sur les déserts de l'absurde. Il faut que germe un puissant désir d'échapper à une difficulté d'être, à un nouveau mal du siècle entretenu par les fonctionnaires intellectuels du néant.

Voyons d'abord, avec plaisir, que ce besoin de la « philosophie » refuse son annexion par les philosophes professionnels, lesquels se sont exclus de l'entendement commun. Si « philosopher », c'est réfléchir aux fondements des valeurs humaines, aux lois de la pensée, aux principes qui font une morale, alors chaque homme « philosophe » comme Monsieur Jourdain faisait de la prose. Chacun bien sûr le fait selon sa culture, sa liberté d'esprit, selon qu'un sort plus ou moins aimable lui en laisse le goût et la disponibilité. Et sans doute la philosophie, comme toute discipline, doit entretenir des aires d'exploration où l'aridité des jargons se justifie. Mais à la condition que ces ateliers de spécialistes ne masquent pas sous l'ésotérisme l'inanité de leurs « découvertes ». L'enfermement de la philosophie, que notre ami Revel dénonce depuis si longtemps, et la misère de l'enseignement ont rajouté à son discrédit. Alors, la voir, aujourd'hui, déferler hors des cénacles, c'est une bonne nouvelle ! La caste dénoncera, sans doute, le « populisme » de l'esprit et la place qu'y occupent les charlatans et autres rebouteux des âmes. Mais d'où vient la faute sinon de la caste ?

*

Le trait marquant de la vague nouvelle, c'est de chercher sa voie dans les ruines des systèmes et des idéologies. La religion terrestre du marxisme est en cendres, mais les grandes religions prophétiques, elles-mêmes, ne sont plus en Occident ce qu'elles étaient. Le christianisme voit, jusque chez ses fidèles, la foi, proprement dite, décroître. Partout la métaphysique décline au profit de l'éthique. On laïcise la biographie du Christ. On peint moins le surnaturel de son avènement que l'individu qui fonda une nouvelle idée de l'homme. L'histoire des religions conquiert ce même public qui déserte les églises. Et parmi les religions visitées, une quête diffuse privilégie celles – bouddhisme, brahmanisme, confucianisme, taoïsme, zen – où l'initiation à la sagesse l'emporte sur l'élan de la foi vers un Dieu unique et incarné. Bien que les scientifiques méditent, loin du scientisme de jadis, sur les impasses de la science, la pensée contemporaine ne s'évade pas, pour autant, vers de nouvelles métaphysiques, vers d'autres dogmatismes.

C'est sans doute ce qui explique l'étonnant regain de la pensée antique. « L'antiquité, disait Renan, voyait la philosophie comme la tête commune, la région centrale du grand faisceau de la connaissance humaine. La philosophie, c'était pour elle, le sage, le chercheur, Jupiter, et le spectateur dans le monde. » Or, justement le besoin contemporain de philosophie ressuscite cette espérance vague et multiforme. Il demande au chercheur les secrets du big-bang, et au sage les recettes du stoïcisme privé ou du yoga.

Mais la politique, elle-même, dans le malaise des sociétés démocratiques, y incite à poser – comme l'ont fait Soljenitsyne ou Régis Debray – la grande question politique non résolue : peut-on fonder une société des Droits de l'homme sans transcendance et peut-on fonder une transcendance sans Dieu ?

Une société qui se défait ne se refait qu'en posant en termes nouveaux des questions éternelles. C'est ce que fait l'agitation contemporaine des esprits en libérant un essaim de questions d'une simplicité socratique. Ces esprits-là « philosophent » sans y prétendre. Ce sont les actuels « nouveaux philosophes ». Mais ils se comptent par milliers.

(4 mars 1995)

——— Dans quel monde vivons-nous ?

– Un monde affreux ! C'est, à toutes les époques, le soupir des affligés. Voyez, disent-ils, ces bambins, d'une école de Neuilly, détenus par un forcené bardé de dynamite. Est-ce que ces frénésies nouvelles ne vous dégoûtent pas ?

— Les délirants, répond l'optimiste, ne sont pas une nouveauté. Le récent, dans ces affaires, c'est la grande communion télévisée autour d'une tragédie ponctuelle. Son vaste rassemblement médiatique établit les normes communautaires de l'émotion. Deuil collectif après le suicide de Bérégovoy ! Assentiment collectif pour l'exécution sacrificielle du forcené suicidaire de Neuilly ! La communication moderne ressuscite la société primitive ; le village planétaire convoque la collectivité autour de ses totems. On y donne, à intervalles, le spectacle du Bien et du Mal. « La nuit des héros » en « live », comme l'on dit, et la société y renouvelle sa morale. Via les télés, elle prescrit sans prescripteurs.

— *Bon, cela dit, la nouveauté, c'est aussi la capacité de nuisance dont, de nos jours, un forcené dispose : explosifs, électronique...*

— Oui, mais la technologie de l'ordre public garde plusieurs longueurs d'avance.

— *En somme, tout va pour le mieux ?*

— Non, mais en la circonstance, à Neuilly, l'institutrice était solide, la médecin capitaine impeccable, le diable vaincu et le Bien triomphant.

— *Vous tenez donc pour rien le traumatisme national ? Ses effets sur l'enfance ?*

— Les bambins voient tous les jours à la télévision toutes sortes de loups-garous et de vampires interstellaires. Ce n'est pas la formidable mais brève publicité propre à notre époque qui nous déboussolera plus que jadis. Il y a plus de deux mille ans, un Ephésien obscur, Erostrate, afin que son nom passe à la postérité, avait incendié le temple d'Artémis le jour même de la naissance d'Alexandre. On le supplicia, mais, pour contrarier sa notoriété posthume, il fut interdit de prononcer son nom. En vain ! Puisque le complexe d'Erostrate désigne toujours cette sorte de paranoïa qui précipite des suicidaires vers la face nocturne de la gloire. Les médias ont banalisé cette folie. L'immortalité, de nos jours, ne dure que quelques semaines.

*

– *Votre béatitude d'Européen cesse, j'imagine, avec la boucherie bosniaque...*

— Oui. Mais elle me consterne plus qu'elle ne me surprend. Depuis des siècles, les Serbes exterminent des Bosniaques, qui exterminent des Croates, lesquels exterminent Bosniaques et Serbes. Une cohabitation pacifique et provisoire n'a jamais été obtenue que sous les rudes férules de l'Empire ottoman, puis des Habsbourg, puis du communisme titiste. Il a suffi que celui-ci s'effondre pour que les massacres reprennent.

— *Bref, vous suggérez, sans le dire, qu'on ferme les yeux sur les regroupements et autres purifications ethniques jusqu'à ce que les héros se fatiguent d'égorger et de violer...*

— Ecoutez, l'intervention, à supposer qu'elle soit décidée par des nations peu résolues, ne fera pas taire les haines diverses. Pour imposer une cohabitation si exécrée, il faudra s'appuyer sur de nouvelles férules...

— *Concevez-vous, au moins, qu'on ne puisse laisser exploser tous les désirs de regroupements (serbes, hongrois, albanais, etc.) qui rongent en profondeur cette partie de l'Europe ? Où irons-nous si on les laisse filer ?*

— Au diable ! C'est pourquoi, en effet, il faut agir. Mais sans invoquer le spectre du nazisme pour exciter les va-t-en-guerre, ni celui du Vietnam pour conforter ceux qui ne veulent pas bouger. La porte aujourd'hui n'est pas large entre une défaillance indigne et le risque d'accroître là-bas les morts et d'étendre l'incendie. L'essentiel est de viser la porte et non de battre le tambour des consciences malheureuses.

— *Au fond, vous êtes à votre manière aussi pessimiste que moi.*

— Non ! Car, par exemple, je ne néglige pas ce fait : le désordre balkanique n'a pas jeté, comme autrefois, l'Allemagne, la Grande-Bretagne, la France, la Russie dans l'engrenage infernal d'alliances opposées. Ce n'est pas rien ! Il faut apercevoir aussi les malheurs évités.

« Quant à nos misères actuelles – le chômage, la récession – elles abattent surtout des illusions de pays riches. Les naïfs découvrent que le progrès n'est pas continu et que la démocratie est toujours fragile. Mais nos démocraties vivent en paix depuis un demi-siècle ; la récession ne les porte pas, comme jadis, à se renier dans la tentation totalitaire. Et elles réforment ces temps-ci, en Italie, en France, plusieurs de leurs tares sans qu'on ait à s'étriper. Vous me dites que c'est bien le moins. Je vous dis que c'est beaucoup.

« Le meilleur des mondes, selon les heures, est celui où je vis, celui dont je rêve ou celui qui n'existe pas.

(22 mai 1993)

——— Chrétienté

Pour comprendre les turbulences de notre Occident compliqué, il sert peu de garder le nez collé sur le théâtre politique. C'est procéder comme ce noctambule qui ne cherche sa clef perdue que sous le réverbère parce que, dit-il, c'est là qu'on y voit clair. Les ressorts les plus profonds de la vie collective sont à chercher, dans le noir, hors du réverbère, loin de la politique, dans le tissu des croyances qui cimentent les collectivités, et gouvernent les mœurs. Et là, tout bouge beaucoup. Pour ne considérer que la religion, nous avons, ces jours-ci, sous les yeux le livre du Pape, et puis, celui de Jacques Duquesne qui présente une vie de Jésus nourrie des dernières recherches historiques et théologiques. Eh bien, on a peine à croire que ces deux ouvrages émanent de la même chrétienté.

Le livre du Pape est un austère rappel des enseignements traditionnels de l'Eglise tels qu'ils nous sont parvenus jusqu'au début de ce siècle. Démarche d'un homme angoissé par la déchristianisation et qui s'arc-boute sur sa foi et sa mission pour rappeler les dogmes de la tradition. Jacques Duquesne, qui n'est pas pape, mais bon chrétien à ma connaissance, réécrit, lui, une *Vie de Jésus* à la lumière d'innombrables travaux d'exégètes agissant dans le giron de l'Eglise et bénéficiant de son imprimatur. Précision utile, car enfin, dans son livre, Jacques Duquesne n'y va pas de main morte. Il efface tranquillement le dogme du péché originel, doute que le Christ soit venu sur terre pour la Rédemption des péchés humains, doute aussi de la virginité de la Vierge, et présente le Christ comme un bon vivant, passant d'un banquet à l'autre. Comme vous le voyez, ce n'est pas rien !

Cela veut dire, en somme, que l'Eglise chrétienne opère, par rapport à la tradition doloriste d'un Christ sacrificiel, un renouvellement d'une portée semblable, à ce que fut, au XVIe siècle, la Réforme et qui ne nous est, à maints égards, masqué que par la forte personnalité conservatrice du Pape. Je n'ai guère qualité pour en dire plus. Mais les moins avisés comprendront qu'il se passe, dans l'aire des croyances, d'énormes chambardements. D'abord, dans la masse statistique de la société française, la déchristianisation se poursuit. Mais en même temps, l'Eglise moderne fait, par l'analyse critique des Ecritures, un décapage à l'acide de la Tradition qui dépouille la foi d'un corps légendaire, échafaudé au fil des siècles.

Enfin, nous apprenons qu'en Hollande, qui est, depuis trois siècles, à l'avant-garde européenne des mœurs et des lois, la télévision a montré la mort d'un homme par euthanasie, une euthanasie, voire une aide au suicide, désormais tolérée sous certaines conditions par la nouvelle législation néerlandaise.

Ainsi, l'homme, qui a disputé au divin, par la contraception chimique, la maîtrise de la naissance, lui dispute-t-il, désormais, la maîtrise de la mort. Enormes mutations qui marqueront, en lettres de feu, l'histoire de cette fin de siècle.

(25 octobre 1994)

——— Femmes

Elles sont plus importantes que la politique, et la politique en dépend à sa manière : je veux parler des relations entre les hommes et les femmes, nœud élémentaire du lien social, et l'un des génies mystérieux qui forment l'humeur nationale. Or on constate qu'en France, ces relations conservent une relative harmonie. Et que la société française – si bousculée soit-elle par les changements brutaux qui ravinent l'Occident – y maintient une certaine paix mise, ailleurs, en péril.

S'agit-il, comme le prétend, avec une commisération risible, l'intelligentsia américaine, ravagée par la guerre des sexes, d'une « exception française » ? Il se trouve, en tout cas, que l'émancipation accélérée des femmes ne produit pas ici les tensions observées jusqu'à l'hystérie aux Etats-Unis, mais aussi chez nombre de nos voisins, à commencer par l'Allemagne réunifiée. Aux premiers éclats du féminisme américain, Françoise Giroud, auprès de qui je travaillais alors, avait pronostiqué que le mouvement prendrait sur la planète l'amplitude qu'on lui voit, mais que la société française se verrait protégée de ses vertiges et de ses psychoses. Prédiction, Dieu merci, confirmée !

*

Ce n'est certes pas que la France ait échappé au séisme des mœurs. Ici, comme ailleurs, se vérifie le jugement d'un Georges Duby, apte à distinguer l'essentiel dans la succession des siècles : « Les rapports entre le masculin et le féminin ne sont plus ce qu'ils étaient. La modification d'ensemble des relations familiales est une mutation bouleversante, la plus importante peut-être de tous les changements qui affectent notre civilisation à la veille du IIIe millénaire. » Cette mutation touche à l'un des principes fondateurs de la société : celui du couple et de la famille. La crise du mariage, le déclin des interdits chrétiens sur le sexe, la maîtrise généralisée de la contraception : ces trois phénomènes ont plus changé nos sociétés que plusieurs guerres mondiales. Si vous y ajoutez le déferlement des femmes sur le marché du travail, et leur accès récent (1944) aux droits politiques, vous constatez que par leur « émancipation », par la modification fondamentale de leur condition psychologique, biologique et sociale, les femmes auront vécu – subi et provoqué – l'essentiel de cette révolution.

Or la femme française a gardé, dans ce séisme, une équanimité réconfortante. Dans un pays où le mariage a baissé de 40 % en vingt ans, où 44 emplois sur cent sont occupés par des femmes, où un couple sur huit vit en union libre et où 1/3 des enfants naissent chez des couples non mariés, la femme française supporte le choc mieux que ses sœurs d'Occident. L'y aide une très ancienne culture catholique où l'obsession puritaine de la chair n'a pas censuré, comme dans le protestantisme anglo-saxon, un certain naturel dans les rapports sublimés, civilisés, de l'amour, de l'affection, de la tendresse ou de la simple aménité sociale.

Bien sûr, il faudrait beaucoup de sottise pour ignorer qu'un vaste bouleversement – et qui inquiète à bon droit le Pape, défenseur d'une morale chrétienne en perdition – suscite les affres nouvelles de la solitude, des déracinements affectifs, des misères psychiques. Elles sont, en effet, au rendez-vous et se mesurent dans le marché des tranquillisants, dans les marginalités terribles de la drogue et les dérives d'une société dépressive. Mais c'est un fait que la femme française résiste mieux, qu'elle conserve souvent, dans les épreuves d'une si radicale mutation, les qualités de l'éternel féminin.

L'épouse, la mère, l'amante, l'amie, de même que les filles ou leurs grand-mères, dispensent toujours, dans le mariage ou hors mariage – dans la famille à l'ancienne ou dans les familles à géométrie nouvelle –, les amours et les tendresses qui rendent la vie supportable. Leur nouvelle condition ne les a pas jetées dans le sectarisme féministe, la désaffection agressive, ou la crispation distante qui dresse peu à peu ses méfiances et sa dureté dans les relations des hommes et des femmes américains. La mixité française, à l'école, dans le travail, dans le loisir, dessine des lieux de bonheur où fleurissent encore connivences et sourires. L'on n'y voit pas poindre cet apartheid des sexes, nouvelle forme d'enfer social.

*

Les femmes – mieux que les hommes – restent proches des vérités premières de l'existence : l'amour et la mort. Dans les périodes de grandes fractures, elles gardent tête et cœur tournés vers les « choses de la vie ». Plus soumises à la nature, elles en savent mieux les servitudes et les beautés. L'acceptation heureuse de l'éternel féminin dans le changement si prodigieux de leur condition, la perpétuation, en somme, hors féminisme de la « féminité » par une majorité de Françaises c'est, de nos jours, un peu de soleil dans l'eau froide. Et du soleil, aussi, pour les hommes. Merci.

(26 février 1994)

——— Euthanasie

Une meilleure maîtrise de la mort par le vivant – l'euthanasie comme le suicide en sont les moyens les plus évidents – c'est le souhait explicite ou implicite d'hommes de plus en plus nombreux de notre civilisation ? Rien là-dedans qui doive surprendre : cette ambition grandit à mesure que la foi, l'éducation et la morale chrétiennes déclinent. Le Dieu des chrétiens donne et enlève la vie. Mais, dès lors que ce Dieu, jadis omniprésent, s'efface, il est fatal que beaucoup de nos contemporains veuillent conquérir de nouvelles libertés aux marges de la vie, dans ces espaces jusqu'ici inviolables de la naissance et de la mort. Que Dieu les déserte, et les hommes s'en saisissent !

Pour la naissance, notre génération, en popularisant la contraception chimique, a déjà opéré une des révolutions éthiques – et métaphysiques – les plus importantes de l'histoire des hommes : celle de maîtriser une Création que l'univers chrétien réservait à Dieu. Il n'y a donc pas à s'étonner qu'après avoir occupé à l'aube de la vie un territoire jadis sacré, l'homme moderne veuille désormais intervenir dans les vestibules de sa fin. Ceux de nos contemporains qui ont quitté l'affiliation – la filiation – divine se retrouvent, devant la mort, dans la situation des Romains des premiers siècles où il y eut un moment où l'homme fut seul devant son destin. Ces Romains-là, selon leur force d'âme ou celle que la maladie leur laissait, usèrent de leur liberté pour affronter l'ultime fatalité.

La différence – de taille – c'est que nos lois d'aujourd'hui n'ont pas encore toléré cette brèche dans l'ordre chrétien. Et que l'euthanasie pose à notre droit d'infinies et redoutables difficultés.

*

Le conseil régional de l'Ordre des médecins eût-il voulu donner un coup de pouce au mouvement pour la légalisation de l'euthanasie qu'il n'eût pu mieux faire que de condamner le professeur Léon Schwartzenberg. Ce médecin a pu dénoncer, avec l'éclat de son aura médiatique, l'hypocrisie avec laquelle diverses approches de la mort se jouent désormais de notre droit, voire du serment d'Hippocrate. Entre l'euthanasie qui répond au vœu exprimé en claire conscience testamentaire d'un mourant, celle qui répond au vœu d'une famille auprès d'un agonisant privé de conscience, celle administrée dans le no man's land brumeux d'une surcharge de neuroleptiques, celle décidée dans le silence d'une nuit d'hôpital, sous la responsabilité théorique mais inavouable du médecin par cessation du fameux « acharnement thérapeutique », on voit combien l'espace prémortel se trouve hachuré de frontières indécises où les lois se contournent avant de se perdre.

Retenons cette évidence : elles sont de plus en plus contournées, et de divers bords. La compassion et l'idéologie humanitariste y conspirent avec l'inclination croissante pour l'escamotage de la mort (« l'homme moderne a plus peur de la mort que le primitif »). Les unes et les autres, enfin, se trouvent libérées par l'évanouissement progressif de l'interdit chrétien.

Nul doute que la loi évoluera. De même que la loi permet désormais la contraception, qu'il est loisible aux chrétiens de s'interdire, de même la loi devrait permettre à ceux qui le souhaitent de commander, s'ils le peuvent, à leur mort. La pente générale est encore de refuser une nouvelle loi de crainte qu'en permettant l'exceptionnel elle ne le banalise. Mais la pratique, en s'avouant, condamne la loi. Il faudra un jour la changer. Comment ? Dans quelles circonstances ? Avec quel appareil de précautions ? C'est ce qui devrait occuper les comités d'éthique, puis le législateur. Mais le mouvement est inéluctable.

Selon que l'on est ou non chrétien, la conquête de cette ultime liberté (déjà acquise pour le suicide, qui n'est plus de facto réprimé) apparaîtra maléfique ou bénéfique. Maléfique, si l'on considère, d'un œil chrétien, que le respect sacré et absolu de la vie, du fœtus à la mort, assure et conforte, par la transcendance divine, l'exceptionnelle essence de la personne humaine. Maléfique, si l'on considère que, derrière la désacralisation de la mort, se profilent l'avilissement de l'homme et le spectre de toutes sortes de manipulations de l'homme par l'homme. Au contraire, cette conquête apparaîtra bénéfique, si l'on tient que l'honneur et la dignité de l'homme seul, je veux dire délié de Dieu, c'est aussi de pouvoir frapper s'il le désire, sans déchéances abominables, aux portes de la mort. Aux portes de *sa* mort.

(23 juillet 1990)

——— L'écologie

« Seriez-vous devenus écolos ? » Réponse : nous disons oui à l'écologie et non à l'écologisme. Oui à la défense moderne et pratique de notre milieu de vie. Non à une idéologie fumeuse qui refuse notre monde pour de fantasmagoriques édens.

*

Ecologie : le mot et la chose ont déboulé en une génération parce que la planète Terre a plus changé dans notre siècle qu'en des millénaires. Une démographie exponentielle (1 milliard 600 millions d'habitants en 1900, mais 5 milliards 400 millions aujourd'hui). Une modification radicale de la nature depuis que des énergies récentes (le moteur à explosion, l'électricité, l'atome) ont, en un siècle, multiplié d'abord les exploits, mais aussi les nuisances de la technologie. Pour la première fois dans l'histoire des hommes, le monde est tout entier connu, « fini », globalisé par l'infini maillage des échanges matériels et immatériels. Chacun, de plus en plus, dépend de tous.

Nous n'évoquons pas l'effet de serre, les marées noires, le rôle de l'Antarctique, l'étouffement de nos lacs parce que c'est la mode, mais justement parce que l'évaluation scientifique des périls reste à leur sujet controversée, comme pour les pluies acides, les phosphates, etc. Notre devoir est de dénoncer l'inacceptable en songeant aux « droits des générations futures ». Mais c'est aussi de refuser l'écologisme angélique de la « terre qui ne ment pas ».

Nous sommes, au *Point*, pour l'énergie atomique, mais contre le « tout va toujours très bien » de la technocratie nucléaire française. Nous sommes pour les autoroutes, mais bien paysagées. Nous sommes à fond pour le TGV – plus « écologique » que l'avion et la voiture – mais pourvu que ses tracés ménagent nos grands sites. Nous croyons que la voiture à essence devra tôt ou tard quitter le centre des villes, que l'épuration des eaux usées devra être étendue, que les communes négligentes avec leurs ordures devront être plus lourdement pénalisées. Et que tout doit être entrepris pour accroître le champ de la loi, et améliorer son observance. En cette fin de siècle, le souci écologique « explose » dans les affaires publiques, et nous en sommes ravis.

Par la grâce du destin, nous héritons, en France, d'un pays-trésor : le monde entier nous envie sa douceur, et l'harmonieuse diversité de ses ciels, de ses terres et de ses mers. Autre chance :

nous disposons d'espace. Dans la dégradation, hélas évidente, qui nous gagne, une part tient à la fatalité démographique et culturelle, à l'emprise croissante de l'habitat chez les citoyens des pays riches, au changement des modes de vie – commerciaux par exemple, avec ces supermarchés aux abords des villes –, à l'extinction, surtout, de la « France jardinée », celle qui s'éteint avec la petite paysannerie, ses haies et ses bocages. Mais une part de cette dégradation tient aussi à l'excessif laisser-aller, à l'impuissance des divers pouvoirs publics.

On ne peut pas grand-chose contre le « mitage » des campagnes par des constructions dispersées. Mais on devrait mieux se protéger contre l'affichage publicitaire, les constructions sauvages, le caravaning enterré, le bétonnage à tout-va. Nous ne songeons pas une seconde à décourager la construction, et encore moins à déconsidérer la profession tout entière des promoteurs. Les plus nombreux transpirent dans le gymkhana réglementaire avec le souci épuisant de respecter une loi byzantine. Nous voudrions, quant à nous, la loi plus simple, plus restrictive, et mieux armée contre la corruption. De même que nous ne voulons pas respirer l'air d'Athènes, nous ne voulons pas en France de littoral à l'espagnole et de permis de construire à la sicilienne.

*

Cette défense renforcée de l'environnement se passe fort bien de l'écologisme. Le progrès scientifique charrie le bien et le mal. Mais, pour évacuer ses misères, on ne va pas jeter le bébé Progrès avec l'eau du bain. On ne remontera pas le cours du temps vers un impossible âge d'or. La religiosité écologique mène, au-delà des ridicules druidiques, vers le culte bigot de mère Nature et finit par blâmer les sciences et la culture. On passe ainsi de l'éloge bucolique et pastoral du gai laboureur à la haine de la « raison occidentale partie à la conquête de l'univers ». On sait où cela mène !

(10 juin 1991)

L'assuré tous risques

Un Martien tombant en France découvrirait le sentiment d'un peuple assiégé : depuis le sida et la « vache folle » jusqu'à la mondialisation des marchés, de la fatalité du chômage jusqu'à l'impuissance politique, de la pollution à l'insécurité publique, tout semble conspirer à la morosité. Mais le même Martien découvrirait aussi ce qui nous échappe : que la vulnérabilité du Français d'aujourd'hui vient moins des maux qu'il rencontre que de sa propension à s'en trouver accablé.

*

Le plus saisissant, en effet, c'est de voir combien le refus de la fatalité confine, de nos jours, à l'absurde. Combien dans un pays épargné depuis un demi-siècle par la guerre et les grandes catastrophes naturelles, le refus de chaque coup du sort fait place à la recherche obsessionnelle de responsabilités incertaines, voire de boucs émissaires.

Entendons-nous bien : je me réjouis que la volonté et l'ingéniosité humaines fassent reculer l'empire de la fatalité. Personne, chez nous, ne souhaite la résignation amorphe de sociétés, comme on en voit au Sud, écrasées par le fatalisme d'Allah. L'honneur de l'Occident est, au contraire, d'avoir, contre la pesée du « Ciel », libéré l'homme de mille chaînes, allongé ses vies et diminué ses souffrances. Mais tous les succès de la rationalité scientifique n'ont changé ni le Mal, ni la mort, ni la force du destin.

Quelle agitation de fourmilière, pourtant, devant le sida et la « vache folle », et qui en dit long sur le désarroi contemporain ! On voit d'abord que le déclin de la religion, s'il réduit la soumission aux caprices d'En Haut, ôte du même coup le recours à la consolation divine qui fut, durant des siècles, le baume de toutes les victimes.

Ensuite, l'idolâtrie de la science – forme modernisée de l'ignorance – nous empêche d'admettre ce que la vraie science nous enseigne, à savoir que, depuis les origines du monde, la nature invente, sans nulle cesse, des maladies, des épidémies, des épizooties nouvelles. Le vrai savoir enseigne même que l'usage de la science – ou des technologies – peut créer, en apprenti sorcier, des désordres nouveaux, des mutations périlleuses. Les différentes formes de la pollution le démontrent à suffisance. Mais plus encore, dirait-on désormais, ce saut que les maladies opèrent pardessus la barrière réputée infranchissable des espèces lorsqu'on en vient, par exemple, à faire consommer des farines animales à des herbivores.

On sait depuis toujours que la Science progresse, en balbutiant, en dents de scie, par avancées et stagnations. Mais abusés par l'illusion d'un Progrès constant et régulier, nous ne supportons plus les stagnations. On ne supporte plus qu'après l'éradication par les antibiotiques de la syphilis, le sida vienne planter son drapeau noir sur les nouvelles conquêtes d'une sexualité épanouie. On voudrait que le sida, maladie nouvelle, ait été, tout soudain, repéré, les conditions de sa transmission aussitôt définies, et la lutte engagée en quelques jours sur tous les fronts, comme s'il s'agissait d'une guerre dont l'ennemi serait, dès l'origine, parfaitement identifié. Autant d'égarements qui ont entraîné, par exemple, dans l'affaire du sang contaminé – et peut-être déjà dans celle de la « vache folle » –, maintes injustices médiatiques, voire judiciaires avec l'établissement précipité et impulsif des « responsabilités ».

*

Le citoyen des démocraties modernes a conquis péniblement, en plusieurs siècles, son statut enviable d'« individu ». Il s'est affranchi, peu à peu, du lien religieux qui reliait les fidèles entre eux. Il s'est libéré ensuite, dans la douleur, des grandes utopies collectivistes. Mais ses solitudes nouvelles n'ont encore inventé ni la sagesse civique ni la sagesse personnelle qui conviendraient à ses nouvelles libertés. Il demande à l'Etat des protections qu'il demandait au Ciel en faisant brûler des cierges. Il demande aux « experts » ce qu'il demandait aux saints. D'où un désir exaspéré d'assistance que l'Etat-providence ne suffit plus à satisfaire. Il se voit en assuré tous risques. Ou, du moins, contre tous ceux qu'il refuse, car il en accepte certains tel le risque automobile qui tue, en France, plus que le sida. Pour le reste, l'individu s'enrage, dans des colères d'ilote, contre l'Etat, les pouvoirs, la médecine et les « autres ».

Les sociétés démocratiques modernes souffrent encore de la nostalgie des « absolus » où se sublimait, en vain, l'espérance des mondes anciens : absolu divin, absolu-Révolution, absolu-Progrès. Or les démocraties établissent, avec les libertés, le règne du relatif et de l'incertain, du préférable et du provisoire. Et donc du risque. L'Etat démocratique doit se défier de tous les absolus, y compris – soit dit en passant – de celui du « Marché » qui n'est qu'un mécanisme en effet préférable mais aveugle. Devant les fatalités, nous devons exiger de l'Etat qu'il réduise, quand il le peut, la part de risques. Mais savoir que le risque est partout, et d'abord dans la Vie.

(22 juin 1996)

——— Le printemps de la vie

La jeunesse serait « l'âge du bonheur » ? Allons donc ! De nos jours, les « vieux » eux-mêmes concèdent que la nôtre est bel et bien malade de son avenir. Le viatique de la jeunesse, c'est l'espérance, faisceau de calculs et de rêves où s'échafaude un projet de vie. Or le chômage aujourd'hui bouche tout l'horizon.

La jeunesse a, de surcroît, perdu dieux et maîtres. Une génération de mutants, au printemps de la vie, hiberne dans un monde désenchanté. Elle n'est mûre ni pour le bonheur ni pour la révolution. Elle entretient à petit feu une étrange révolte butée, atone, et qui éclate, ici ou là, en spasmes de refus et, comme on l'a vu, de violence. Révolte intime surtout, quand le goût d'absolu – honneur de cet âge – se corrompt en dérision et nihilisme qui ne sont que revers de l'espoir moribond. Quelqu'un écrira un jour la confession d'un enfant de ce siècle, et soupirera comme l'autre : « Alors s'assit sur un monde en ruines une jeunesse soucieuse... »

*

Au monstre du chômage, la jeunesse française paie un terrible tribut. Le chômage des jeunes affiche ici un taux de 23,8 % de la population active (contre 5,2 % en Allemagne). Encore ce pitoyable record n'inclut-il pas les différents « parkings » à chômeurs (stages, formations, etc.) ni les « étudiants » prolongés dans de vaines études et qui reculent, dans le cocon familial, le moment de sauter dans le brouillard.

Le fait est que la jeunesse se trouve chez nous plus qu'ailleurs victime d'une inadaptation cruelle du système d'enseignement. L'utopie enseignante a précipité, hors sélection, des foules confiantes vers des diplômes dévalués. L'objectif racoleur des « 80 % de bacheliers » a détourné de l'apprentissage précoce toute une génération d'élèves avec un double et lamentable résultat : la qualification technique est insuffisante, et la nation s'emplit de bacheliers dirigés vers les miroirs aux alouettes de disciplines sans avenir. Alors, au sentiment déprimant d'un futur aléatoire se joint l'amertume du « déclassement » : on se croyait promis, par parchemin, aux 15 « KF mensuels », comme ils disent, et, au mieux, on smicarde dans les portillons de la fameuse « insertion ».

On n'a, en fait, cessé de raconter à la jeunesse des contes de fées, inventés par des parents soixante-huitards sur les fruits d'un savoir à cueillir sans effort dans l'éden de la modernité. Si vous dites aujourd'hui que le sort des jeunes s'est malgré tout amélioré par les facilités matérielles, la variété des loisirs accessibles et la tolérance universelle, ceux-ci ricanent. D'abord, parce que du sort de leurs aînés ils ne savent quasi rien. Parce qu'ensuite ils n'en ont « rien à cirer ». Et qu'enfin leur avenir est encore dans la mélasse.

*

Hélas, cette déréliction qui est la leur ne vient pas de la seule déchéance économique : elle est aussi le trait d'une génération de mutants. Depuis que le monde est monde, les fils se veulent différents des pères. Mais rarement aura-t-on vu, dans l'Histoire, une jeunesse en si grande rupture avec ses aînés. La faille culturelle donne le vertige : césure brutale d'une tradition par l'anémie des hiérarchies parentales, scolaires, civiques et qui fait que la jeunesse ne trouve plus même à quoi désobéir ; énorme conversion de l'écrit à l'image ; perte des repères nationaux par l'imprégnation cosmopolite de la culture rock et de ses dérivés ; affaissement des tabous chrétiens ; désarrois des enfants du divorce (un couple sur trois) ; changements profonds des modes de vie adolescents depuis la pilule contraceptive et l'extension de l'union libre juvénile. En un quart de siècle, c'est un séisme !

A quoi s'ajoute évidemment le grand passage à vide collectif après la chute sinistre des grandes idéologies. Les petits enfants de Marx et de Coca-Cola n'ont conservé que le Coca. Et du maoïsme de 1968, il ne reste qu'un parfum libertaire, quelques slogans et cols Mao dans les décrochez-moi-ça du prêt-à-porter et du prêt-à-penser. Quant à la neuve liberté sexuelle, le sida la leur enlève : l'amour physique est sous plastique. Et leur nouveau Werther, c'est Collard, héros romantique des temps de la nouvelle peste.

Ce que la jeunesse garde d'énergie, elle le dépense ici et là dans l'humanitaire, et la défense rageuse de la sphère privée. De nouvelles « tribus hertziennes » (Fun Radio, etc.) conjurent les solitudes, en dispersant à tous vents de pitoyables petits tas de secrets. Les aînés n'y voient que colloques en pot de chambre. Mais c'est trop vite tranché ! Oui, notre société a perdu ses anciennes boussoles. Oui, la jeunesse se cogne aux murs, et cherche d'improbables vérités nouvelles dans les greniers et les égouts d'une cité sinistrée. Mais elle en sortira. Un jour, elle rêvera une autre cité, avec un ciel par-dessus le toit.

(12 mars 1994)

L'angélisme

Un spectre hante l'Europe, celui de l'angélisme. Rien ne le décourage. Ni le terrorisme dans les rues de Paris. Ni la guerre de Sécession bosno-serbe. Ni dans nos banlieues une haine qui s'enkyste. Ni l'ankylose de l'Etat-providence. Il continue imperturbablement de plaider à l'intérieur pour les droits sans les devoirs, pour l'orientation sans la sélection, pour l'indulgence et contre la sanction. Et à l'extérieur, il imagine que le souci humanitaire lèvera un jour le monde vers l'apaisement sidéral.

*

Voici donc l'angélisme offensif de Greenpeace qui déferle sur la France. Une France coupable de quoi? De maintenir à flot son capital nucléaire. Serait-ce l'heure d'y renoncer dans un monde affolé par une pression démographique qui a quintuplé en 150 ans la fourmilière humaine ? L'Occident, lui-même, en vingt siècles n'a connu que deux siècles de paix, et les progrès de la civilisation n'ont jamais éliminé la guerre. Sans doute, cette fin de cycle d'essais nucléaires tombe-t-elle au plus mal (anniversaire d'Hiroshima, etc.) mais le déplorable moratoire décidé par Mitterrand ne laissait plus à Chirac que le créneau de ces quelques mois avant le butoir de mai 1996 où nous signerons le traité d'interdiction. L'annonce fut certes prématurée et indigente. Mais l'essentiel était de tenir bon.

Dans la campagne époustouflante menée contre la France l'angélisme multinational s'exhibe, sans surprise, en champion universel de la désinformation : l'irrationnel dont il nourrit sa publicité présente un flux d'images où un essai souterrain devient le champignon atmosphérique d'Hiroshima. L'innocuité du test, reconnue par les critiques les plus pointilleux, est tout simplement effacée, de même qu'est ignorée la fermeture annoncée des sites militaires du Pacifique. Sous l'hystérie, on trouve toutes sortes de passions enfouies : celle qui dénie toute prétention stratégique à une nation latine et papiste, et jusqu'au ressentiment bicentenaire des bagnards de Cook contre les gentilshommes de Bougainville. Chirac devient, pour finir, le « Terminator » du lagon de l'apocalypse... Lynchage médiatique et délires de défoulement ! Mais, dans le genre, de Gaulle a connu pire !

*

Il reste que, dans cette péripétie comme en d'autres, l'angélisme contemporain, magnifié par les télés, devient un adversaire préoccupant. Il noie les consciences dans un fleuve de guimauve, dans un diorama d'images fallacieuses où se profile l'ectoplasme d'un « bien universel ». Il prend les airs d'une religiosité de secte, ersatz chez nous d'une religion effondrée. Il se nourrit des ignorances d'une jeunesse épargnée par les atrocités de la guerre. Dans sa mythologie puérile, dans l'exorcisme sempiternel du « fascisme » tous azimuts, il poursuit au loin des « méchants » introuvables (« CRS – SS ; policiers fascistes ; Chirac fasciste ; Serbes fascistes, etc. ») sans voir, sous nos propres pieds, le pourrissement civique de la Nation.

Par son droit de « l'hommisme » et la prédication de l'amour universel pour tous les miséreux de la planète, il a fait le lit de l'immigration incontrôlée. Il a nourri ces poches d'insécurité où s'importent désormais, terrorisme inclus, des haines exotiques d'un autre âge. En fait, l'angélisme démocratique occidental reproduit partout cette aberration qui – souvenez-vous – lui faisait chercher dans la destitution du Shah d'Iran la victoire exaltante des libertés démocratiques sans daigner apercevoir la marée noire des ayatollahs...

C'est que l'angélisme reproduit l'erreur fatale où sombrèrent, chez nous, tant de prédicateurs : le refus d'accepter les conséquences des principes qu'ils défendent. Ainsi de ceux, par exemple, qui gémissent aujourd'hui, en France, contre l'expulsion des clandestins et gémissent ensuite contre les quartiers hors la loi. C'est un honneur que de défendre notre religion laïque de la liberté, mais sans craindre de demander si Salman Rushdie pourrait en 1995 tenir meeting à Bercy, et si un théâtre français pourrait, de nos jours, afficher le *Mahomet* de Voltaire...

L'angélisme a ceci de démoniaque qu'il oublie les vérités éternelles de la condition humaine. Nous avons appris à nos dépens la plus cruelle de toutes : dès qu'il s'agit de faire vivre des hommes ensemble, toute prescription d'un bien universel conduit à la catastrophe. Seul est à rechercher le *préférable*, et non l'idéal qui n'existe pas : ainsi la démocratie est-elle simplement *préférable*, et l'économie de marché aussi. Seul le mal est identifiable et susceptible d'être ici et là combattu.

De nos jours le mal dans nos sociétés, c'est la crise des volontés, le vieillissement de la population, la fracture sociale et l'extension du principe d'égalité qui, conduisant les citoyens « à vivre et à penser petitement », réalise peu à peu ce que Tocqueville appelait « l'aplatissement universel ». L'angélisme, nouvel opium du peuple, n'en souffle mot mais y mène tout droit.

(9 septembre 1995)

Bigoteries sociales

Germinal nous prend la tête. Je ne pense pas ici à cette fresque de cinéma d'une mine du Nord au XIXe siècle. Allez voir le film, vous le trouverez superbe ou un peu « trop », n'importe, ce n'est pas une œuvre vulgaire. Non : je parle ici du pathos publicitaire qui l'environne. Et qui nous invite à déchiffrer nos actuelles misères sociales dans la condition ouvrière du Second Empire.

Pour donner le « la », le chanteur Renaud, qui incarne le héros principal de *Germinal*, nous a infligé, à la télévision, une heure durant, avec l'œil de Ravachol, un discours-fossile tombé, en bloc, du grenier communiste de grand tonton Staline. Rien n'y manquait, pas même l'« Us Go Home »... Exquis souvenirs de jeunesse pour un Georges Marchais en partance !

Puis vinrent les cérémonies : un TGV spécial Paris-Lille, fourré d'une crème de 350 Parisiens rose-chic. On y remontait le temps à 300 km/h pour aller au peuple et processionner sur les corons. Homard et champagne. (Manquaient les écrevisses que, dans *Germinal*, décortiquent les affreux patrons tandis qu'on tire sur les grévistes.) Pour couronner le tout, le Président en personne honora de sa dévotion magistrale ces terrils de cinéma. Nouvelle étape d'un pèlerinage commencé au Panthéon, une rose à la main, et qui aura pieusement visité tous les lieux de mémoire, ex-voto, sépultures, cryptes, ruines, tombes et catacombes de la mythologie révolutionnaire comme autant de stations du chemin de croix de la gauche, de Gracchus Babeuf à Pierre Mauroy ! Pauvre vieille gauche qui retombe en enfance en fleurissant ses cimetières ! Pauvre vieille nation qui d'un week-end l'autre s'agenouille à droite chez les Chouans, à gauche sur les poussiers, et explore son avenir en mâchouillant du passé !

*

Toute cette sénilité commémorative ne vaudrait pas une ligne si elle ne révélait une fâcheuse propension nationale à aborder le politique sur le mode lyrique. Au contraire des Anglo-Saxons, les Français – plutôt secs dans leur privé – débordent d'utopies sentimentales quand il s'agit d'organiser le genre humain. La compassion légitime pour le sort des pauvres s'enfle vite d'illusions lyriques avec les résultats désastreux que l'on sait. La gauche chez nous en fut longtemps chamboulée. C'est cet éternel penchant qui l'a fait rêver – et jusqu'en 1981 – d'une « autre société », qui lui a inoculé cette prétention de détenir le « monopole du cœur », et l'a mené droit dans le mur.

Le XXe siècle a démontré, par deux fois, et jusqu'à l'horreur, qu'il n'y avait pas de systèmes « idéaux » qui ne deviennent monstrueux. Si la démocratie comme l'économie de marché fonctionnent cahin-caha, c'est parce qu'elles se savent largement imparfaites mais perfectibles. Soljenitsyne a raison quand il constate que le spasme révolutionnaire ne fut pas toujours – loin de là ! – propice à la conquête des droits. Les grandes grèves américaines ou anglaises ne furent ni moins dures ni moins efficaces pour le sort de leurs travailleurs que les grandes grèves françaises des métallos ou des mineurs, mais aucune ne baignait dans le messianisme du « grand soir ». Aucune ne voulait changer *toute* l'économie ou *toute* la société. Bref, quand il s'agit de faire vivre des hommes ensemble, mieux valent la lucidité et la modestie que l'épanchement ou la transe.

*

Ce qui distingue nos misères sociales des misères ouvrières du siècle passé, ce n'est pas seulement qu'un chômeur aujourd'hui vit mieux qu'un mineur il y a cent ans, que le RMI des plus pauvres donne plus de pouvoir d'achat que jadis un salaire de « gueule noire ». C'est surtout que, pour notre malheur, nous avons appris, en ce siècle, que la liberté préfère la prose démocrate à la poésie fasciste et communiste.

Bien évidemment, la nature humaine étant ce qu'elle est, nous voyons toujours des puissants tricheurs et rapaces et des malheureux exploités et asservis. Et il est sain qu'on s'en indigne, sain que l'on y porte remède par divers processus d'assistance et de redistribution. Sain qu'une gauche moderne et réaliste joue à nouveau son rôle d'équilibre lorsqu'elle aura fini d'expier sa longue aberration.

La plaie moderne du chômage ne se soignera pas sans l'abandon, encore tabou, de quelques acquis sociaux par ceux qui ont du travail si l'on veut qu'une France plus compétitive offre du travail à ceux qui n'en ont pas.

L'important, c'est d'avancer sans s'abandonner à la désespérance ou à la bigoterie rétrospective. Notre histoire n'est pas à ruminer, mais à inventer.

(2 octobre 1993)

——— La fin du travail ?

Les politiques ont frémi. La revendication en chaîne de la retraite à 55 ans les a paniqués : Chirac, Balladur, Delors, sont montés au créneau pour, enfin, crier casse-cou. Le Parti socialiste refuse le plongeon. Quant aux syndicats, hors la CGT qui va au pire comme on va au charbon, ils répugnent à épouser cette glissade. Il faut dire qu'elle annonce béatement une faillite arithmétique. Quel enfant ne voit en effet que le système actuel des retraites est déjà piétiné par l'allongement de la durée de vie ? Au moins quinze ans de gagnés en un demi-siècle où, de surcroît, l'entrée dans la vie active recule de cinq ou six ans ! Comment veut-on alors qu'une population d'actifs constante, voire réduite, puisse payer, au train actuel, des retraites de plus en plus longues ? Et que l'on prétend allonger...

Loin d'avancer l'âge de la retraite, il faut, au contraire, le reculer. C'est à quoi se rallient d'ailleurs presque tous les grands pays en constatant que les progrès conjugués de la médecine, de l'hygiène de vie et des techniques d'un côté prolongent la capacité d'activité et de l'autre améliorent l'aménité du travail. Nous viendrons bien un jour à cette nécessité, mais la corde au cou ! En attendant, les nostalgiques du socialisme de papa prétendent interdire, pour 14 millions de salariés du secteur privé, des fonds d'épargne-retraite qui ne gênent nullement le régime général. Faute de caporaliser le secteur privé, on rêve de caporaliser ses portefeuilles.

Toutes ces aberrations jettent une lumière crue sur « l'exception française », et les ravages d'une hystérie démagogique qui donne le tournis. Les grèves paralysantes de décembre 95, puis celle des routiers, la bénignité publique qui les dorlote donnent la mesure de la gangrène. Sans compter quelques signes moins publics, mais qui en disent long. Je pense, par exemple, à la piteuse dérobade des parlementaires de la majorité, incapables d'expliquer à leurs électeurs qu'un impôt sur la fortune non plafonné s'ajoutant à l'impôt direct produit des impôts de 120 à 150 % du revenu c'est-à-dire, à proprement parler, confiscatoires. Peccadille, bafouillent nos élus, que sacrifier à peine 2 000 grosses fortunes au moloch démagogique ! Ah bon ? Puisque l'absurdité économique s'incline à ce point devant la passion égalitaire, puisque ces nantis dont le sort ne fait évidemment pleurer personne ont les moyens de quitter la France et ne s'en privent pas – comme d'ailleurs nombre d'artistes, artisans et jeunes chômeurs découragés par la mélasse française –, pourquoi ne pas aller au bout de ce beau raisonnement et décréter que les super-riches sont interdits en France ?

En fait, la souffrance de la société française devant la crise de civilisation laisse l'opinion dans un désarroi propice aux délires. « Demandons l'impossible », c'était le slogan de Mai 68. Il revient assourdi, pathétique et plaintif dans une sorte de Mai rampant. La protestation devant « l'horreur économique » exprime cette rêverie de fuite. Anathème dérisoire car les horrifiés ne songent pas à aller cueillir des pissenlits : ils veulent du travail, des salaires et des retraites. S'ils sont saisis par « l'horreur économique » c'est parce que dans la crise des idées et croyances, dans l'érosion des solidarités familiales, scolaires et civiques, dans l'angoisse du chômage vécu ou redouté ils ont perdu la sérénité mentale qui mettrait la nécessité économique à sa juste place dans une vie d'homme : pour son service et non son asservissement.

Car il y a, bien sûr, sous la sinistrose démesurée, une plainte qu'il faut entendre avant de la combattre. Pourquoi, demande fort justement mon confrère Bernard Morrot, tant d'hommes vont-ils aujourd'hui au travail comme on allait jadis au « chagrin », selon l'expression du temps que le travail était bien plus pénible ? Sans doute la morale ambiante ne prêche-t-elle plus autant les vertus de l'effort. Sans doute aussi une dépersonnalisation du travail, que l'automatisation accentue, une fièvre du rendement, une obligation permanente au recyclage épuisent les plus faibles.

Toutes ces mutations violentes conduisent quelques « allumés » à nier la valeur fondamentale du travail et d'abord sa vertu universelle d'intégration sociale. Des prophètes en chaise longue annoncent la fin du travail comme on annonçait, il y a peu, la fin de l'Histoire... Il faut sans doute explorer la nature nouvelle du travail, le temps partiel, le travail à distance, etc. Méditer la révolution technologique qui en décimant l'agriculture ancienne aura déplacé, en migrations énormes, le monde paysan vers l'emploi industriel, puis l'emploi industriel vers les services. Et après ? De cette question non résolue on ne déduira pas la fin du travail, mais une révolution du travail aussi bouleversante que celle des loisirs. Ni plus ni moins.

(18 janvier 1997)

11. *RÉVÉLATEURS*

Le symptôme Tapie

Dans les convulsions de la Maison Tapie, c'est moins un homme qu'une société qui se trouve mise en examen. Car Tapie est moins un héros qu'un symptôme. Lorsqu'il a commencé de faire parler de lui dans les affaires, les gens du « business » savaient que ses méthodes sentaient le soufre. Lorsqu'il se déploya ensuite dans les médias, le football et la politique, les gens de médias, les journalistes sportifs, les politiciens savaient que l'aventure Tapie écrivait le roman d'un tricheur. L'étonnant n'est donc pas cette dégringolade annoncée, mais bien qu'un acrobate de finances ait pu bénéficier si longtemps de la « loi du silence » avant que la justice ne le rompît. Le scandale est qu'il ait pu investir les sommets de l'Etat alors qu'il passait déjà plus de temps avec ses avocats qu'avec ses comptables.

On dira que la faveur des jobards – des millions de jobards – emportait tout, et que nos deux divinités – l'image et le « fric » – entraînaient sur leur char ailé un Tapie-superman dans les nues de la fortune publique. Oui, les supporters échauffés de Marseille adulent le Jupiter du ballon, sa pluie d'or tombant sur le gazon du stade et se soucient peu des trucages de vestiaires. Oui, les téléspectateurs éblouis par le charme, la « tchache » et l'abattage de Tapie admirent le « fils du peuple » sur son yacht, et n'imaginent pas quelle énorme « cavalerie » de finance a soutenu cet essor de cerf-volant.

Mais chez les autres, chez ceux qui savaient ? Chez ceux-là qui sont de l'élite financière et politique, quelle complaisance effarante pour l'affairisme ! Quelle chute de la morale des affaires, du sport et de la politique emportée dans le tourbillon des faiseurs de vent !

*

Tapie se dit victime. Et il l'est sans nul doute. Mais non pas, comme il le plaide, de l'acharnement judiciaire : sollicités par des dossiers distincts, plusieurs juges ne se sont pas rassemblés au sifflet pour sonner l'hallali. Mais victime, Tapie le fut, sans toujours s'en douter, d'une camarilla futile, complaisante, complice qui lui a laissé espérer, dès lors qu'il entrait en politique, l'immunité à la mode, celle de l'amnésie amnistiante : on zappe, on oublie tout, on efface, et on repart. Tapie a d'abord cru ce qu'il voulait croire et qu'on lui a laissé croire. Du songe au mensonge, et d'une vérité l'autre, il s'est laissé dévorer par son double médiatique.

Car victime, Tapie le fut aussi d'un pouvoir socialiste qui se servit, chez Bérégovoy à Nevers (Look), à Béthune (Testut), à Marseille (l'OM), de ses investissements intéressés; qui se servit ensuite de sa séduction à l'emporte-pièce pour affronter Le Pen; qui en fit – folie ! – un ministre épisodique bientôt rattrapé par une affaire tordue; et qui demande encore à ce magicien de la nouvelle cuisine de réchauffer les cassoulets refroidis des radicaux de gauche.

Victime, enfin, Tapie le fut d'un « parrainage » d'Etat qui fit dégringoler sur ses gouffres financiers les crédits d'une banque nationalisée, afin de prolonger l'infernale surenchère du joueur. Que ne se fit-il alors interdire de politique comme on se fait interdire de casino !

Au lieu de quoi, il se débat en citron pressé, oui, en victime plutôt pathétique d'un clan. Il a plaidé et plaidera encore sa cause avec cette énergie, ce bagout, cette jactance, cet art exceptionnel d'enjôler, ce charme gouailleur, voire cette sincérité lorsque, s'émerveillant de sa propre « réussite », il prétend en livrer à tous les acrobatiques recettes. Et il trouve et trouvera de l'audience – de l'audimat – pour tenter d'« emballer » la Nation comme il a « emballé » Terraillon, La Vie claire, Adidas, Marseille et l'Elysée.

Quel roman de mœurs que cette cavalcade effrénée pour, comme il dit, « gagner ». *Gagner* – c'est le titre de son livre, de sa confession d'un enfant de fin de siècle –, mais « gagner » quoi et comment ? Une course sans fin, où l'on ne se sauve que par la « relance ». Or voilà que s'effondre le château de cartes biseautées de l'argent et de la politique dont il était le prince charmant. Que faire sinon apurer ses comptes, et se dire qu'on n'est jamais à ce point ruiné qu'on ne puisse acheter au moins une conduite !

(27 novembre 1993)

——— Mythologies : Jackie K.

L'enterrement, au cimetière national d'Arlington, de Jackie Kennedy, figurera dans les légendes du siècle. Depuis que le monde est monde, le grand théâtre des hommes a besoin, pour rêver, de personnages au destin mythique. Ce n'est plus, de nos jours, la rumeur parlée des foules qui les exhausse. Ni même les contes de fées de la presse populaire. C'est désormais l'image, photographiée, filmée, des milliers de fois diffusée, qui édifie le mythe dans l'imaginaire collectif. Depuis la guerre de Troie, les ingrédients n'ont pas changé. Et même si le chœur antique, c'est désormais la télé, il faut toujours puissance, beauté, amour et mort pour couronner les nouveaux élus.

La puissance, Jacqueline Bouvier l'acquit par alliance en épousant le prince charmant de la démocratie américaine. Sa beauté tenait à son allure, à son port de jeune cavalière, à un je-ne-sais-quoi de liberté et de fraîcheur sportive bien assortie à celle de son jeune mari, afin d'afficher la double silhouette du rêve américain des années 50. De l'amour dans les yeux, de beaux enfants, une vie publique d'apparence harmonieuse, où les frasques de John restaient ignorées, c'est ce que qu'il fallait de radieux et d'exemplaire pour que parût plus tragique et cruelle la balle du fusil à lunette d'un assassin énigmatique. Jackie fut alors, sur la scène du monde, figée en héroïne d'une tragédie magistrale avec son tailleur rose Chanel éclaboussé de sang, dans le meurtre politique le plus spectaculaire du siècle. Image d'effroi, image du destin en action, et cette image sera la plus télévisée de la planète. Après les voiles blancs de la jeune mariée du rêve américain, les voiles noirs d'une jeune veuve impavide diront au monde que la gloire porte bien le deuil éclatant du bonheur.

La suite restera sans projecteurs. La jeune veuve idéalisée de l'Amérique épousera, dans l'île romanesque de Skorpios, le milliardaire grec Onassis, autre personnage de l'Olympe moderne qui lui sacrifiera la muse du chant, une diva, la Callas. L'Amérique en sera d'abord ahurie. Elle ne sera pas la seule. De Gaulle dira drôlement : « Si je venais à disparaître, je ne vois pas Yvonne épouser un armateur grec... » Certes ! Mais l'Amérique ne fera pas longtemps de Jackie une Hélène de Troie trahissant son clan. L'Amérique aime la vie, les recommencements, elle comprit le remariage. L'Amérique pardonnera. Et, pour finir, Jackie lui reviendra,

reviendra dans le giron du clan, redeviendra à jamais la veuve de John dans la tombe jumelle du cimetière d'Arlington. Car, depuis son retour à New York, Jackie n'avait plus dit un mot. Derrière ses lunettes noires – à la Garbo, à la Marlène Dietrich – elle préservait d'un silence opaque la mémoire élégante et digne des jours anciens. Dans sa fin de vie discrète, dans son courage muet pour affronter la maladie, dans le mystère d'une personnalité finalement peu connue, elle conservait le mythe en écrin. En n'appartenant qu'à elle, elle commençait d'appartenir à tous.

(24 mai 1994)

——— A propos de Madonna

Mgr Poupard et Madonna – éminences dans leurs paroisses respectives – viennent de mettre les gros projecteurs sur un phénomène majeur de notre société : l'effondrement du « système » chrétien. Le cardinal en a laissé tomber le constat : « La culture catholique n'existe pratiquement plus. » Quant à Madonna, la banalisation de son tonitruant message sexuel, le lancement épanoui de ses brûlots érotiques, qui lui eussent valu, il y a seulement trente ans, opprobres et censures, sa faveur, enfin, dans toute une partie de la jeunesse, tout montre que le magistère chrétien du « péché » a cessé de régenter nos mœurs et nos lois. Qu'elle vous réjouisse ou vous révulse – et peu importe Madonna ! – c'est la mutation dont elle est le totem dont il faut, à cette occasion, prendre la dimension.

*

En parlant de l'effondrement du « système » chrétien, je ne mesure pas le déclin des pratiques religieuses, qui est, en effet, lui-même sidérant. Je n'évoque pas non plus celui de la foi, qui peut, ici ou là, reverdir avec ou sans le parrainage des Eglises. Non, ce qui s'effondre, sans histoires, c'est un univers mental séculaire, un corps de croyances ou de préjugés qui s'imposait aux chrétiens comme aux non-chrétiens. Il définissait, par exemple, les principaux impératifs sociaux, inspirait notre « idée » biblique du travail, maintenait la solidité des mariages. Bref, il diffusait la morale dominante.

Ce « modèle » se décompose. Pourtant, ni la croyance en Dieu, ni, même, les Eglises chrétiennes ne subissent aujourd'hui d'assauts critiques des pouvoirs intellectuels. Plus de Voltaire, plus de

Homais ! Au contraire : la science n'est plus scientiste ; l'athéisme se tait, l'agnosticisme n'a pas de doctrinaires. En réalité, le système chrétien s'engloutit, dirait-on, parce que toute la modernité, celle d'une société industrielle, consommatrice et urbanisée, plus cathodique que catholique, est vécue comme rétrécissant, étouffant chaque jour un peu plus les espaces du Dieu chrétien. Non par quelque extinction métaphysique du divin, mais par la lente décadence historique d'un ordre mental, moral et religieux. A peu près comme s'éteignit la civilisation antique devant, justement, le lent investissement du Dieu chrétien.

*

Si les prestiges commerciaux de Madonna invitent bizarrement à ce genre de considérations plus austères que sa silhouette, c'est que, symboliquement et médiatiquement, elle frappe très fort au cœur du dispositif moral chrétien : celui des relations des hommes et des femmes. Dans cette « mutation bouleversante, la plus importante de notre civilisation » (Duby dixit), l'essentiel s'est joué, il y a vingt-cinq ans, lorsque la contraception chimique a disputé au Dieu créateur le mystère de la naissance. Une révolution qui aura plus libéré les femmes que ne le fit leur accession massive dans les métiers. Mais ce qu'y ajoute le symbole Madonna, c'est la proclamation, par scandale médité, de la conquête par les femmes d'un érotisme d'apanage masculin. Madonna et ses sœurs popularisent, pour les femmes, un droit au plaisir confiné, jadis, par la morale ambiante à l'aristocratie mâle et réputée infâme des libertins.

*

Contre les fantasmes répressifs de la honte et du péché, elles affichent, en suffragettes du plaisir, la revendication de leurs fantasmes libertaires. Ils se déclinent, désormais, dans les magazines féminins entre les conseils de beauté et les recettes de cuisine. On y bovaryse avec Emmanuelle. Contre le diptyque « mère ou putain » – « ange ou démon » de la femme latino-chrétienne, Madonna, vêtue ou dévêtue d'un harnachement psychédélique, invite des démons de bande dessinée aux pizzerias du samedi soir. Elle dynamite, par paroxysme et dérision, un féminisme hommasse et blafard qui ressasse sa révolte conte le « sexisme » masculin. Les spécialistes vous diront que la pratique sexuelle des ménages de France ne sera guère modifiée par ce messianisme de bacchantes. Certes ! Mais l'idée qu'on s'en fait, oui ! Ainsi, par exemple, d'une tolérance nouvelle à l'homosexualité et aux minorités érotiques, qui évoque, peu à peu, celle de l'univers antique.

Il est, accessoirement, piquant de constater que Madonna, provocatrice organisée, se présente en même temps comme une artiste réglée par un ascétisme gymnaste et diététique. Et qu'elle s'affiche surtout en croyante préoccupée de « spiritualité », ou en démocrate avisée lorsqu'elle affirme – banal mais juste ! – que les démocraties ne se sauveront que par « l'éducation renforcée de leurs peuples ».

En somme, Madonna, à sa manière, fait de la politique. En amont de la politique. Libre à chacun, et selon sa pendule, d'y voir une succube de Sodome et Gomorrhe avant leur chute. Ou la messagère d'une aventure nouvelle des libertés.

(17 octobre 1992)

Clovis et le Pape

Devant le Pape venu honorer Clovis, l'opinion aura joué à la *Mégère apprivoisée.* On commence par tumultes et hystérie, et puis tout se pacifie lorsqu'une majorité d'abord indolente, mais réveillée par le tintamarre, calme le jeu et apprivoise l'événement.

*

J'ai beau être, comme on dit, laïc et républicain, et nullement « papiste », je ne fus pas le seul ahuri par cette éruption de frénésies qui préfacèrent l'arrivée du Pape. Qu'en notre douce (?) France persistent deux traditions – la chrétienne et la laïque –, que la seconde ait donné depuis près d'un siècle sa forme à la République en soustrayant l'État à la norme religieuse, rien dans cette évolution, jadis conflictuelle mais désormais apaisée, n'invitait à accueillir le Pape par des cris d'orfraie et des danses de Saint-Guy. A entendre nos oies du Capitole, on eût dit la République chancelante devant la papauté. Mais on avait beau se pincer, on ne voyait qu'une déchristianisation en marche, un clergé français sur sa défensive gallicane, et un Pape délivrant un message de pape à des fidèles qui ne suivent guère ses prescriptions.

Aussi bien, associer ce pontife à une commémoration nationale – celle du baptême de Clovis – ne méritait en rien de telles transes. C'est un fait que par un de ces symbolismes qui inscrivent l'Histoire dans la mémoire des peuples, le baptême de Clovis tient son rôle dans la scène primitive de la France, tout simplement parce que Clovis y marie l'archipel germano-franc à la latinité gallo-romaine. Acte fondateur de la France ? Oui et non : les cuistres peuvent en disputer. Mais, pour présenter, bonne idée, ces jours-ci l'histoire de notre pays en cent tableaux, je vois par exemple que Jean Lacouture, sans se tortiller, a choisi Clovis pour inaugurer son livre-florilège : « Ce n'est pas encore la France, écrit-il, qui se manifeste en ce baptême, mais il commence à dessiner la France. » On ne peut mieux dire.

Quelle tarentule a donc piqué des intégristes de la laïcité pour refuser cette évidence et nous faire accroire que la France ne sortit du néant qu'en 1789, comme si l'espace français – ses monarchies, sa pensée et ses arts – n'avait pas été labouré, ensemencé, fleuri pendant plus d'un millénaire par la chrétienté, comme si les Droits de l'homme eux-mêmes ne trouvaient pas maintes racines dans le ciel chrétien ? Par quelle absurde chirurgie devrait-on amputer d'un tel passé la mémoire nationale ? Que ne se range-t-on à Bonaparte qui voyait, à sa manière, l'histoire de France comme un bloc : « De Clovis au Comité de salut public, je me tiens solidaire de tout... » Et pourquoi donc quelques francs-maçons, délaissant le soleil du Grand Orient pour de très vieilles lunes, en vinrent-ils à maugréer, devant les caméras, en leurs étoles rituelles, contre les calottes non moins rituelles des pontifes de Reims ? A bigots, bigots et demi !

Et que dire, enfin, de ces défilés télévisés où l'insulte bien épaisse à un chef religieux en visite chez ses ouailles, eût appelé, s'il s'était agi non de lui mais de quelque imam, les foudres légales et médiatiques d'une vigilance à sens unique ?

Le résultat fut que l'opinion, au début léthargique, mais peu à peu secouée par tant d'extravagances, redécouvrit la personne du Pape, et la vigueur de l'ancien cardinal polonais impavide jadis sous la chape bolchevique. Alors, chrétiens et laïcs observèrent d'un œil rafraîchi la force d'âme de ce vieillard malade prêchant à ses fidèles, et selon sa mission, la résistance de l'esprit. Quant aux plus suspicieux, ils ne trouvèrent, en ses faits et gestes, qu'une cautèle vaticane propre à les rassurer. Bref, le voyage finira à l'avantage du souverain pontife, et il en sortira grandi par les nabots.

*

On retire de cette comédie quelques messages politiques. Le premier est que l'hystérie de dérision commence de lasser. Le second est que la laïcité moderne se passe d'invectives et d'agressivité : elle campe sagement aux portes de l'espace public, mais laisse à tous la libre disposition de la sphère privée, et chacun fait de mieux en mieux la différence. Quant au mystère de ces crispations soudaines sur des intégrismes nouveaux, il faut sans doute l'éclairer par le désarroi d'une nation orpheline, en recherche d'identité et avide de nouveaux repères. Elle ne les trouvera pas dans les débris du vase de Soissons.

(28 septembre 1996)

——— JJSS

Jean-Jacques Servan-Schreiber aura marqué un demi-siècle de la presse française d'un paraphe – JJSS – dans le goût de l'époque : fulgurant, scintillant, une trajectoire d'étoile filante. Un paraphe qui se rappelle à nous par un livre venu de son exil américain [1]. JJSS me fut proche. C'est lui qui, à *L'Express*, m'a mis le pied à l'étrier. Auprès de Françoise Giroud, je l'ai suivi avec bonheur et l'ai quitté sans joie, lorsqu'il s'enfonça dans les glaises de la carrière politique pour laquelle il n'était sacrément pas fait. Jean-Jacques n'est pas un fantassin du présent. Il est resté un paladin du futur, qu'il voit de haut. En aviateur.

La vertu rare de JJSS, ce fut d'être un chevalier poète, un prophète des chocs du futur. A la différence de beaucoup de ces caciques qui excellent dans le détail et la fioriture électorale, et ne se trompent que sur l'essentiel, JJSS aura turlupiné dans l'accessoire, mais illuminé l'essentiel. En Don Quichotte de la modernité, il aura rompu beaucoup de lances pour une fuyante Dulcinée qui était le bonheur des hommes. Mais toujours en montant, toujours contre la faiblesse, toujours contre le déclin. Et dans le culte obstiné des défis.

*

Le bilan de ces Mémoires, pour flatté qu'il soit, laisse un beau sillage. Jeune bourgeois, frais émoulu de l'X, traînant tous les cœurs après soi – et d'abord celui de sa mère – JJSS va fuir l'Occupation et ses arrangements pour s'engager en pilote, dans la France libre. La victoire venue, il pressent, un des premiers, l'impasse désastreuse des guerres coloniales : l'indochinoise puis l'algérienne. Contre elles, il s'engage à nouveau, à sa manière, avec courage et cymbales.

Ensuite, il est vrai, sous de Gaulle, il s'est fourvoyé : il n'a pas vu qu'il reviendrait à ce général reclus d'Histoire de terminer une guerre qui naufrageait la IVe République. De même qu'il n'a pas vu ou compris qu'il reviendrait à Mitterrand d'enterrer l'utopie marxiste, dont son ami et mentor Mendès France eût aimé libérer la gauche. C'est que JJSS n'est pas – ne fut jamais – un homme politique : il ignore le compromis, la négociation nécessaire avec le Temps, grand artisan de la chose publique. Sa renommée restera

---

1. *Passions*, de Jean-Jacques Servan-Schreiber (Editions Fixot).

celle d'un publiciste exceptionnel, d'un visionnaire impatient, d'un spartiate de l'idée-slogan, d'un ascète de la ligne droite. Une ligne si roide que, dans les méandres de la politique, elle le mena au fossé.

J'ai souvent rêvé à ce qu'eût été son pouvoir d'influence si, au lieu de descendre dans l'arène pour faire un député qui tournait en rond et un ministre de douze jours, il était demeuré, à *L'Express*, dans son ciel médiatique, s'il avait acquis – ce lui fut un moment possible – *Le Figaro* et *Paris-Match*, alors dépouilles de l'empire Prouvost, si donc... Rêve absurde ! Son destin était d'avoir raison sur l'aventure humaine et de se tromper sur lui-même.

*

« Je ne me suis pas vraiment entendu avec la France. » Cet aveu assourdit d'une petite musique pathétique le péan de ses Mémoires. Celle d'un homme hors du commun, extrémiste du centre, Martien du Parti radical, qui installait ses badges et les premiers ordinateurs au beau milieu des cassoulets. J'entends encore le sage et latin Maurice Faure, vaguement effrayé par ces tambours un peu prussiens, lui murmurer le conseil de Sénèque : « Cher ami, n'enseignez pas trop fort... » En vain ! Jean-Jacques n'enseigne qu'à coups de gong.

Mais il enseigne ce qui importe. Avant tout le monde, il tournait – un peu vite – la page d'un gaullisme trop longtemps confit dans une idée de la grandeur qui commençait de dater. Quand l'establishment intellectuel rabâchait encore la vulgate marxiste, il discernait ce que devait être l'Europe future et – contre le neutralisme d'un Beuve-Méry ou d'un Couve de Murville – la nécessité, face aux désordres à venir, d'une solidarité affermie des valeurs atlantiques.

Mais, surtout, avec un je-ne-sais-quoi d'excessif qui tenait, il y a trente ans déjà, de VGE et de Jean-Paul Goude, il inventait la modernité. Il savait déjà que les futures « guerres coloniales » seraient des guerres économiques, que la communication – télématique, informatique – serait la reine de ces batailles, que le grand défi planétaire serait le défi du Savoir, et que dans le grand tournoi de l'intelligence future il y a, pour l'Occident, des Pearl Harbor à redouter. Il répète aujourd'hui que l'avenir immédiat des grandes nations développées se jouera sur l'Education, une Education décadente aux Etats-Unis, décadente en France. Et que la seule Révolution qui vaille aujourd'hui, c'est la révolution du Savoir. Nous ne disons pas, au *Point*, autre chose. Sur l'essentiel de l'héritage, nous restons ses héritiers.

(8 avril 1991)

Ayrton Senna : un « héros » moderne

Il était jeune, beau, riche et fiancé avec la mort. La mort, enfin, l'épouse. Alors, des centaines de millions d'hommes font à Ayrton Senna un deuil de « héros ». Dans l'Olympe médiatisé de l'homme moderne, le « héros » est de moins en moins le champion d'une patrie ou le combattant couronné d'une grande cause. De ces « héros » des temps passés, il conserve l'auréole tragique du défi à la mort. Mais ce que son défi conquiert, ce que sa renommée exalte, c'est la mythologie *individualiste* de l'homme contemporain : une réussite éclatante et solitaire dans le bruit et la vitesse de la piste et de la fortune. Pour ce demi-dieu de l'accélération, le village planétaire a donc décrété des obsèques mondiales.

Ce « héros » est en réalité une « idole », mais une idole qui vit sa vie « aux limites », comme Senna aimait à dire, entendez aux limites de la mort. Très semblable en cela à un gladiateur adulé de l'empire romain dont la beauté et la bravoure enfiévraient la foule du cirque. Les télévisions ont fait du cirque une arène planétaire. Mais c'est toujours l'aile de la mort et l'ivresse du risque qui créent la magie trouble du spectacle.

*

« Les victimes d'Imola, écrit le professeur Claude Got, qui dressait dans *Le Monde* ce même constat, accroissent une fois de plus la différence entre ceux qui sont aptes à comprendre le sens de ce spectacle et ceux qui ne peuvent en décrypter le message. » Les premiers sont rares, les seconds innombrables. Les organisateurs de la Formule 1, eux, en tout cas, mesurent au tiroir-caisse l'attrait équivoque que leur mise en scène suscite. C'est que l'argent coule à flots sur l'arène planétaire : celui du public, celui des colossaux droits télévisuels, celui des publicités qui peinturlurent les voitures, les pilotes, les tribunes, les stands.

On observe que le sport automobile de haute compétition requiert des qualités d'adresse, de maîtrise de soi, d'équilibre nerveux, d'harmonie physique et qu'à ce titre il n'y a rien d'immérité dans l'admiration que l'on porte à l'excellence sportive d'un Prost ou d'un Senna. Certes ! On nous dit aussi que ce « sport » de bolides contribue à l'amélioration des techniques automobiles. Sans doute ! Mais un peu comme le PMU sur les courses de chevaux contribue à « l'amélioration de la race chevaline ». Les grands vices publics usent de ces prétextes bénins pour emballer leur marchandise.

En réalité, le spectacle de Formule 1 organise surtout l'exhibition vertigineuse du risque pour faire vrombir des millions d'écrans de télés dans la torpeur des dimanches. C'est si vrai que les caméras s'attardent peu sur le dépassement régulier des voitures mais redonnent sans cesse les dépassements acrobatiques et irréguliers, les accidents, les débris de voitures qui volent en l'air. Il arrive d'ailleurs qu'un des « parrains » de la Formule 1 vende la mèche : ainsi, Bernie Ecclestone, patron de l'Association des constructeurs, qui concéda, un jour, froidement : « Il y avait autrefois une sorte de sélection naturelle des coureurs. On en perdait un ou deux chaque année... » Le voilà à nouveau servi !

Les commentateurs, eux, ne s'y trompent pas qui soulignent, d'un ton cafard, le vrai piment des circuits : leur dangerosité. Ils savent ce qui titille le spectateur : le frisson d'observer une jungle mécanique et mercantile, un cirque de Bas-Empire où l'on achève bien les champions.

*

Autant dire que la préoccupation sécuritaire inspirée, pour quelques jours, par le drame éclatant d'Imola, n'ira pas loin. Réduire la vitesse ? C'est le déclin assuré du spectacle, la fuite des publicitaires et l'argent qui se débine. Mais voilà, « la mort est aujourd'hui inacceptable » (Stirling Moss). Alors on réclame de la vitesse sans risque, du risque sans accidents, le frisson de la mort mais sans mort. En somme, une mort « à blanc ». Hypocrisie ? Oui, sans doute, mais confuse tant la foule déteste éclaircir l'enjeu de son plaisir. Elle est choquée, remuée, ébranlée par le drame, mais feint d'en avoir ignoré, tout au long du spectacle, l'obscure et lancinante présence.

L'aficionado de corrida, aussi ennemi soit-il du style « tremendiste » (celui de l'abus de risques), reste plus lucide : il sait que la corne du toro construit la grâce du « toreo » et que la mort est au bout de la corne.

Bref, la mort d'un chevalier des circuits, chantée comme celle d'un « héros » moderne, sacrifie vainement au repentir dans les gloses techniques sur les dispositifs sécuritaires. Mais elle en dit long sur notre inconscient collectif. Si le tombeau des héros, passés ou présents, est la mémoire des vivants, parions que ceux d'aujourd'hui seront vite sans sépulture : la mémoire des foules modernes n'est qu'un tombeau précaire.

(7 mai 1994)

——— L'Abbé Pierre

Depuis que le système médiatique a épousé la Charité, ils ont proliféré. Dans leur descendance, on trouve de tout : de vrais apôtres, d'édifiants altruistes sans frontière, et quelques acrobates aussi du business humanitaire. Mais l'Abbé Pierre, lui, est le plus vieil et authentique enfant de la lignée. De sa mère – la Charité – il tient un dévouement sans borne à la misère, et de son père – l'Audiovisuel – une rare disposition à incarner sur écran la bonté. Sa canne, sa pèlerine et ses « grolles » ont incrusté dans chaque foyer l'image d'un saint Vincent de Paul des modernes détresses. Jusqu'en sa cambuse, les politiques viennent, par hélicoptère, comme de gros papillons, se lisser les ailes sous sa lumière médiatique.

L'Abbé Pierre tient donc la vedette au Top 50 de la popularité. Seulement voilà : qu'il dise une grosse bêtise et cautionne les stupides assertions de son ami Garaudy niant le génocide juif, et alors la bêtise se voit, enfle, déferle sur des millions de lucarnes. Le vieil abbé aura beau ergoter, s'enfoncer, et pour finir, avaler son béret, le mal est fait.

*

S'agit-il d'une énorme bévue de vieillard naufragé par l'âge ? D'un relent de l'antique procès catholique contre le peuple juif déicide ? Je ne le crois pas. C'est autre chose. L'Abbé Pierre, pour digérer les poisons de la renommée, n'a pas le métal d'une Sœur Emmanuelle, blindée de foi, de finesse et de modestie. L'Abbé Pierre, lui, a bien la foi mais aussi des idées chaotiques et des faiblesses cathodiques.

Voici longtemps qu'après une impeccable Résistance il a quitté les rivages de la démocratie chrétienne qui en fit, jadis, un député. En fondant sa communauté d'Emmaüs, il se jette, de tout son cœur, dans la compassion active pour des misérables, des réprouvés, des expulsés, des sans-logis. Il trouve, pour l'aider, des hommes de bonne volonté, des ardents. Il assume son rôle : « La détresse, je le sais, est aujourd'hui médiatisée. A nous d'en faire bon usage... » Et de fait, il résistera aux invites électorales des partis qui veulent doper leur liste à son téléthon.

Mais, peu à peu, la célébrité aidant, il se monte le bourrichon. Quand il fait une cure de désert, *Paris-Match* est derrière la dune. Et l'abbé, à petits pas, dérape en politique, bénit un pacifisme simplet en pleine guerre froide, admoneste George Bush pendant la guerre du Golfe, veut anéantir les Serbes en Bosnie. Ben, voyons... Il laisse des brigadistes de l'ultra-gauche italienne infiltrer ses offices, y insinuer la lyre de l'activisme palestinien. C'est dans cette nébuleuse qu'il retrouve son vieil ami, Roger Garaudy, ancien catholique, communiste défroqué, vagabond idéologique tombé de Marx en Mahomet et qui connaît, dans les mosquées de France, depuis sa conversion à l'Islam, une faveur suspecte sous le nom de Cheikh Raja ou Cheikh Mansour...

Garaudy y est devenu un gourou de l'antisionisme. On y lit ses livres traduits en arabe comme on y lit les *Protocoles des Sages de Sion*, effarant pamphlet de la légende antisémite, réimprimé sans fin chez Hitler ou les princes saoudiens. Pauvre abbé qui sauva des Juifs pendant la guerre et qui, en fin de vie, aventure ses brodequins dans ces marécages !

*

L'affaire ne vaudrait pas un clou si la baliverne du saint homme n'allait grossir les nappes d'antisémitisme qui baignent quelques-uns de nos souterrains. Car l'antisémitisme, pour contourner la répulsion du génocide juif, emprunte aujourd'hui la plume dévoyée de pseudo-historiens. Ils nient le génocide et son évidence, ils nient les témoignages des rescapés squelettiques qui virent leurs frères et sœurs partir en fumée, ils nient les vestiges des chambres d'extermination et la comptabilité macabre que des centaines d'historiens ont, pendant trente ans, rassemblée, compilée, comparée. Ceux que Vidal-Naquet appelle les « assassins de la mémoire » exultent lorsqu'ils ont établi qu'à Auschwitz il n'y eut pas un million de victimes mais... neuf cent mille. Et alors ? Que diable allait faire l'abbé dans cette nef de fous ? Les négationnistes, rappelle-t-il, veulent un débat sur l'histoire des camps. Mais quel débat ? Le vrai mystère du génocide, ce n'est pas celui de sa réalité avérée. C'est plutôt de se demander comment l'Allemagne a pu fomenter cette atrocité.

Cela dit, traduire devant les tribunaux, comme une loi française le permet, les auteurs de ces fantasmagories révisionnistes en fait d'inutiles victimes d'on ne sait quelle « vérité officielle ». Il n'y a pas de vérité officielle dans l'Histoire. Il faut, certes, combattre tous les délirants, refaire sans fin la mémoire des générations nouvelles, mais, de grâce, sans les tribunaux !

Quant à l'abbé, plaignons-le ! Lorsqu'il exhibera sa légendaire statue d'icône au bazar de la charité, nous ne pourrons désormais nous empêcher d'y voir cette fêlure. Et de dire, comme le poète : « N'y touchez pas, elle est brisée ! »

(4 mai 1996)

——— Noël

Le Père Noël, figure bienveillante et tutélaire de l'imaginaire occidental, est un brave homme en perdition. Il passe par maintes métamorphoses dont l'accélération impressionne.

La première, c'est que de père de la légende chrétienne, il est devenu Père Noël païen. Combien d'enfants, voire d'adolescents, de la France d'aujourd'hui, savent que le Père Noël fête d'abord la naissance de l'enfant Jésus ? Je n'en ai trouvé mention, cette semaine de la Nativité, que dans une invitation imprimée – tenez-vous bien – de l'ambassade d'Iran dont le souci théocratique n'a pas oublié de rappeler respectueusement la naissance d'un autre prophète que le sien.

La seconde métamorphose c'est que l'univers spatial, cet au-delà céleste et mystérieux que le Père Noël traverse avec sa hotte, dépouille peu à peu ses mystères sous l'effet des techniques et des médias. Les parents voient le parcours interstellaire du Père Noël parcouru, sur diverses orbites, de satellites expédiés à forte cadence par nos fusées, et le projet existe d'y expédier aussi des déchets nucléaires qui tourneraient sans fin dans l'espace. Autant dire, comme dans ce film déjà ancien, que le Père Noël y deviendrait, parmi d'autres, une ordure. Quand les enfants s'amusent aux jeux vidéo et aux fantaisies de la fiction, ils voient plutôt le ciel peuplé de Martiens, de Superman et de vilains pilotes d'engins dotés de rayons mortifères, entre lesquels le Père Noël circule déjà si peu que le cinéaste de *Batman* le voit ces jours-ci sur nos écrans kidnappé par un méchant distributeur de têtes de morts et autres monstruosités.

La troisième métamorphose tient à la mercantilisation du Père Noël. Elle est loin, elle aussi, d'être nouvelle. Mais, elle devient proliférante. Les Pères Noël pullulent aux abords des grands magasins, pour arracher aux enfants un cliché Polaroïd vendu à prix d'or. Et vous avez vu qu'une société, spécialisée dans le Minitel rose, vient de se voir interdire les communications avec le Père Noël qu'elle encourageait, toujours sur le Minitel, avec un tarif qui ruinait les parents. L'arnaque télématique aux enfants est une invention que le Père Noël à l'ancienne n'avait pas imaginée.

Tous ces phénomènes enlèvent au Père Noël ses anciens prestiges qui étaient ceux de l'émerveillement de l'enfance. Et ils concourent à ce qu'on appelle aujourd'hui le désenchantement du monde. Une consœur, que je lisais récemment, semblait se réjouir de la disparition progressive – je la cite – « des inepties qu'on racontait aux enfants ». Son ineptie, à elle, prouve – est-ce un progrès ? – que les adultes ne sont plus épargnés. Sous la houlette du Père Noël, le marketing de fin d'année progresse, mais le rêve passe.

(20 décembre 1994)

Michael Jackson

Pour bien sentir son époque, il faut aller voir les artistes. Ceux, bien sûr, dont l'œuvre exprime leur temps. Mais ceux, aussi, qui sont à ce point fabriqués, façonnés par l'époque qu'ils en deviennent le révélateur. Ainsi Michael Jackson, recordman du monde à l'audimat mondial. Des centaines de millions de fans, des centaines de millions de disques, et milliardaire en dollars ! Tous ces superlatifs empilés le hissaient jusqu'à la lune, où il se promenait au final de son dernier spectacle et dont il vient de redescendre brutalement pour se terrer dans un trou noir de la galaxie médiatique.

Je ne suis pas franchement énamouré de Michael Jackson. Mais sa silhouette et son destin méritent qu'on s'y arrête tant ils illustrent le personnage énigmatique du *mutant*, dans une époque de grandes mutations. Jackson est une chimère, un emblème mythologique de la transition, mi-larve mi-papillon, et qu'on verrait bien sortir d'une bande dessinée de science-fiction. D'abord, c'est un noir dépigmenté en blanc, avec un visage d'homme-femme qui hésite entre les deux sexes et qui exprime dans cette fin d'époque le double vertige du métissage et de l'androgynie, que vous trouvez si répandu dans la mode et les clips de la culture rock.

Ensuite, vous saurez sans surprise que Jackson ne cesse de se livrer aux scalpels, lasers et silicones de la chirurgie esthétique, afin de coïncider de façon immuable avec cette image ambiguë qui lui assure, au moins autant que son talent de chanteur-danseur, son triomphe planétaire. Cet homme-prothèse, comme la poupée Barbie, a été sculpté et resculpté par l'imaginaire collectif.

De surcroît, il hésite entre l'enfance et la maturité. Il vit dans la nostalgie obsessive d'une sécurité prénatale. Isolé de tout et de tous, ce Peter Pan de 35 ans, protégé par une diététique infantile, s'angoisse dans la hantise du microbe. La légende prétend qu'il suce volontiers son pouce dans un caisson de régénération qui l'éloigne des miasmes de la vie courante. Ses seuls et épisodiques compagnons sont de très jeunes enfants qu'il convie chez lui, dans une ménagerie d'animaux en peluche, de game-boys et de maquettes de navettes spatiales.

Le cocooning avec ces petits diables lui vaut d'être accusé de câlins libidineux par l'un des bambins. On ne sait pas, au juste, si le délit n'a pas été inventé. Mais le mécène Pepsi-Cola, déjà, fait la grimace. Jackson, déprimé, a donc couru se réfugier sur le sein, désormais maternel, de Liz Taylor. On ne s'éloigne pas du jardin d'enfants.

Ni homme ni femme, ni nègre ni blanc, ni enfant ni adulte, Jackson hésite enfin entre l'image et la réalité. Disons que c'est une apparition, un de ces spectres volatils mis en orbite par la sphère médiatique pour fuir à tire d'aile la galère, le métro et le MacDo. Quand il n'est pas en combinaison vinyle de navigateur interstellaire, il recule dans le temps pour endosser la vareuse à épaulettes et brandebourgs d'un officier sudiste de la guerre de Sécession. Mais qu'il circule dans l'avenir, au milieu d'étoiles en plexiglas, ou dans le passé, sur un horizon de cactus phosphorescents, il paraît toujours descendre d'un écran de juke-box. Un ludion, d'une époque qui bascule, un fantasme électronique qui crépite avant le tilt!

(20 novembre 1993)

Madame B.B.

Quelle histoire de voir Brigitte Bardot, à nouveau rayonnante, à la une des gazettes! Non plus dévêtue cette fois, mais couverte d'un triomphe de papier. Cinq cent mille livres de ses Mémoires déjà vendus ravivent une renommée dont la longévité sidère. Qui eût dit, il y a 40 ans, que les initiales rebondies de B.B. atteindraient sans s'avachir la fin de siècle? Que la sauvageonne d'après-guerre nous reviendrait, épanouie, à l'avant-scène sur un piédestal de confessions à l'emporte-pièce? Qu'après avoir jeté son corps à la gloutonnerie des foules, elle leur offrirait, pour dessert, sa verte mémoire?

Le plaisant, c'est qu'on ne trouve rien, chez elle, de ce déclin d'anciennes stars, fuyantes et replâtrées. Rien, de ces veuves de gloire cruellement exhumées dans un « Que sont-ils devenus? » pour confirmer l'équarrissage égalitaire de la vieillesse. Non! Bardot maintient, sur l'âge, une robustesse inégalitaire. Sa vie, c'est une histoire rocambolesque où Claudine à l'école tourne à Madame Sans-Gêne, où une jeune Diane raflant les plus beaux trophées mâles de son temps, renaît en Madelon de la gent animale. Avec, tout au long du parcours, la bienveillance du ciel qui la fit plus solide et naturelle que nature. De Gaulle ne s'y était pas trompé, qui lui trouvait à ses débuts une « simplicité de bon aloi ». Je gage qu'il eût salué, de même, notre Madame Bardot pour avoir su vieillir, loin des armateurs grecs ou des yachts à glaïeuls, dans l'aimable compagnie des ânes et petits lapins de France.

*

Devant le phénomène B.B., tous les « nouveaux sociologues » ont, à l'époque, épluché la mirobolante assomption d'une jeune bourgeoise émancipée passant, en un clin d'œil, du cours Hattemer à l'empyrée des vedettes mondiales. Madame Bardot explique le miracle par l'avènement de « son cul, comme symbole sexuel universel ». Sans doute ! Mais elle n'était pas la seule à avoir un cul et c'est l'avènement du sien qui intrigue. Car, pour animer son corps de jeune bacchante mais aussi des yeux de biche aux abois, une bouche proche des bouderies de l'enfance, B.B. inventait une candeur intrépide, une ingénuité dans l'impudeur, qui allait ouvrir en fanfare l'ère de la libération des corps.

Le choc, ce fut que B.B. rompit avec le vénéneux des pécheresses de l'écran, modèle Ange Bleu. Loin des alcôves et du stupre à l'ancienne, une juvénile Phryné, dansante et ensoleillée, mettait les bikinis sur les plages, l'amour dans une ronde, et le péché aux oubliettes. En 1958, le Vatican, dans son pavillon de l'Exposition universelle, en fit l'emblème de la dépravation. Quelle erreur ! C'était une innocente diablesse des temps nouveaux, qui aimait Dieu, sa famille, son pays, les hommes et les animaux.

Dans l'actuel triomphe de ses Mémoires, on devine évidemment le remâchage bizarre de notre époque, qui ne s'aime pas, pour un passé convoqué dans tous ses états : Clovis, Picasso, Malraux... et donc B.B. comme Vénus de ces années 50 qui furent les jeunes années de ses contemporains aujourd'hui innombrables. Mais on peut y voir aussi la victoire d'une tête de mule qui aura résisté aux maquignons du cinéma, aux amants qui ne volèrent son corps qu'en effeuillant son cœur d'artichaut, aux tarentules de presse qui pourrirent sa vie privée, aux chasseurs de bébés phoques, et même, ces temps-ci, aux nouveaux cagots qui la traînent en justice pour avoir râlé, comme vous et moi le ferions, contre l'égorgement musulman des moutons lequel répugne, nous n'y pouvons rien, à nos mœurs et à nos lois.

Cette rusticité insolente, maintenue envers et contre tout, donne du tonus et de la pâte à ses nunucheries, ses plaisanteries de garçon de bain, ses ferveurs de midinette, ses bigoteries animalières et ses duretés gros-bourgeoises. Bref, Madame Bardot fascine, c'est comme ça ! Son personnage rameute le grand public, comme on dit, chez les cameramen, d'un visage qu'il prend bien la lumière. D'où ce triomphe de cinéma d'une femme qui ne sut ni ne voulut être une actrice. Et ce triomphe de plume d'un auteur qui ne sut ni ne voulut être écrivain. Sacrée gamine, sacrée bonne femme !

(12 octobre 1996)

12. *PHARES*

——— Sénèque

Comme un mutilé souffre de son membre amputé, notre génération souffre encore d'une morale perdue. Le Dieu chrétien, les interdits du péché, comme ceux de la morale laïque, les fameux « impératifs catégoriques », tous ces grands prescripteurs anciens se décomposent dans le « crépuscule du Devoir ». Tant bien que mal, la société juxtapose les pièces d'un puzzle moral disloqué par l'usage de techniques, de libertés nouvelles, et qui ébranlent les totems anciens de la famille et de la nation. L'obligation sociale impose toujours ses règles, mais désormais hors de toute transcendance, et sans ciment métaphysique ou idéologique. Alors, les individus ainsi « libérés » cherchent, chacun pour soi, la morale encore incertaine d'un univers postchrétien. Et voici le piquant : l'un de leurs nouveaux guides est un intellectuel, qui fut aussi homme de pouvoir et d'argent. Il est né à Cordoue, un an après Jésus-Christ, et mort à Rome, de sa propre main, en 65 de notre ère. Il s'appelle Sénèque.

*

Extravagance du désarroi contemporain ? Non. Il n'y a pas, dans une époque de chambardements, plus d'extravagance à remonter vingt siècles pour y chercher un compagnon de route que d'en remonter quatorze comme le firent quelques géants de la Renaissance – dont Montaigne – cherchant, dans un autre désarroi public, le fil rouge d'une direction de vie. Dans la superbe préface qu'il donne au *Sénèque* de la collection « Bouquins », Paul Veyne dit fort bien cette renaissance du stoïcisme : « Il est devenu, pour notre usage, une philosophie du repli actif de soi sur soi. » Ainsi l'un de nos plus modernes explorateurs intellectuels, Michel Foucault, passa-t-il ses dernières années dans la compagnie de ce Romain, précepteur de Néron – ni mage ni saint – et qui n'avait pour seul souci que « savoir se fixer et séjourner avec soi ».

Si cette voix d'airain nous parle encore, c'est que la solitude de l'homme contemporain retrouve la solitude de l'homme antique, lorsque, en ces premiers siècles « où les dieux n'étant plus et le Christ n'étant pas encore, il y eut un moment unique où l'homme seul a été [1] ». Dans cette vacance que notre siècle retrouve, les plus dignes s'astreignent à une modeste mais vigoureuse lucidité. Comme la chouette, emblème de la raison antique, ne s'envole que dans la pénombre, Sénèque revient donc à nos chevets dans la nuit qui tombe sur un ordre ancien. Confident discret de nos veilles, il ne dispense nulle morale collective, nul ensemble de normes destinées au plus grand nombre. Mais simplement une sagesse privée et les conseils pratiques d'un compagnon de cordée.

Ce qui lui attire aujourd'hui des faveurs inattendues, c'est à la fois la sereine simplicité de sa méditation sur la mort et sa résistance à l'agitation dans la vie. Contre notre instabilité énervée par le médiatique, contre les caprices du « zapping », contre la dispersion de l'attention et de la volonté, il apprend que c'est être « nulle part que d'être partout ». Il protestait déjà contre la gloutonnerie de ceux qui sautent d'un livre à l'autre (il eût aujourd'hui préconisé des stages de lecture lente). Il abhorre la vitesse, et loue la lenteur qui permet la maîtrise du temps. On croirait qu'il dénonce l'exaltation, les tourments, la paranoïa, le stress de notre époque qui gâtent les miraculeux progrès de la longévité et de l'aménité de nos vies. Contre la drogue de toutes sortes de « consommations », il enseigne à combattre « la surenchère des désirs ».

Mais il le fait sans monter en chaire, en patient très humain des défauts qu'il dénonce. Ce n'est pas un gourou qui nous parle, un stylite prêchant son ascétisme dans le désert, mais un homme bien dans son siècle, rompu aux affaires publiques, inventeur d'une banque de crédit, favori enrichi mêlé aux intrigues néroniennes, et qui ne détestait ni le luxe ni les plaisirs des sens. Il n'est radical que sur le suicide – comme affirmation dernière de la possession de soi – mais nullement sur la politique et l'argent, où il recommande l'art du compromis. Trop content, dirait-il de nos jours, si un peu de liberté intérieure relayait la poursuite obsessive des autres libertés.

*

Comme il inscrit ses leçons de sagesse hors des morales et des obligations sociales de son temps, il ne se trouve nullement déprécié par le changement, en vingt siècles, des unes et des autres. Il n'a rien à nous apprendre sur la politique ou l'économie qu'il pratiqua sous

1. Flaubert.

un prince despotique. Il ne suggère, sans forcer le ton, qu'un savoir-vivre, savoir-vieillir, savoir-mourir. Un viatique très intime, en somme, contre le bruit et la fureur, et dont il est plaisant de constater le regain.

(30 avril 1993)

——— Montaigne aujourd'hui

Si nous saluons ici le quatrième centenaire de la mort de Montaigne, c'est que nous le tenons pour un guide sûr dans la traversée de notre époque. Nous le recommandons comme on le ferait d'un médecin de famille de diagnostic subtil et d'humeur engageante. Depuis qu'il tient mon chevet dans le texte bien modernisé du Livre de poche, j'admire que son esprit agile et grand chasseur d'illusions fomente un si bon viatique contemporain. Il n'est aujourd'hui aucun mirage collectif ou privé, aucun dogmatisme, aucun enragement fanatique, aucune outrecuidance moderne du « moi » qu'il n'ait d'avance débusqués de sa plume ingénieuse et savoureuse.

Stefan Zweig, un des écrivains européens les plus justement prisés de l'entre-deux-guerres, avait trouvé refuge en 1942 au Brésil, chassé par la persécution des Juifs hors de sa Vienne natale. Il avait longtemps caressé, aux années 30, l'espoir d'une Europe assagie, délivrée de ses sempiternels massacres. Et voici que dans son exil il médite, dix ans plus tard, sur les gouffres où le fascisme entraîne à nouveau le Vieux Continent. C'est alors, nous dit-il, qu'il découvre l'actualité souveraine de Montaigne, dont l'enfance baigna dans l'aube optimiste de la Renaissance et qui verra, lui aussi, trente ans plus tard, l'espérance de la Réforme s'engloutir dans les guerres atroces de Religion.

La première leçon moderne de Montaigne, qui vaut toujours pour notre Europe, c'est ainsi celle que Zweig en tirait : la sauvagerie des hommes affleure vite sous la surface fragile des civilisations les plus endormies dans la « piperie » des espérances collectives.

*

Une légende de lecteurs pressés veut que Montaigne ait surtout pratiqué l'art de faire retraite dans le cocon d'un scepticisme aristocrate et nonchalant. Quelle erreur !

Dans son époque terrible, il n'a cessé d'aiguiser sa conscience en infatigable voyageur, entre la Cour et sa mairie de Bordeaux, entre les ligueurs (qui le jetèrent en prison) et les huguenots, entre

Henri III et Henri IV, quand ce n'était pas, dans sa thébaïde, en voyageur incessant de l'esprit. C'est en se frottant à son époque qu'il s'est au contraire convaincu, hors système et à la vagabonde, que l'absolu du bien collectif était inatteignable, mais que le mal, lui, pouvait être défini, circonscrit et réduit.

Il a beaucoup payé de sa personne, ouvertement et secrètement, pour le rétablissement de la paix civile. Sa compassion – très moderne – va aux « cannibales d'Amérique », aux paysans, aux « pauvres gens souffrant » et qu'il dépeint plus impavides devant leurs misères que les stoïques de bibliothèque. Il n'invite à aucune retraite quand il s'agit de combattre « la cruauté ». C'est qu'il avait appris « à se donner à autrui sans s'oster à soi-même ». Le siège qu'il conduit de sa citadelle intérieure n'est pas pour s'y édifier un fortin, mais pour explorer le champ de la condition humaine, les franchises et les bornes de l'animal humain, de la naissance à la mort. Son temps n'avait encore inventé ni l'idée de Progrès ni l'Histoire avec majuscule comme puissance du devenir collectif. Eût-il connu leur double descendance, je veux dire l'explosion scientifique des derniers siècles et les grandes utopies ravageuses du nôtre, qu'il n'eût pas, j'imagine, changé de monture : il eût salué avec bonheur l'atténuation des misères. Et il n'eût donné dans aucune des grandes chimères du « maniement public ».

*

Dans la sphère privée, Montaigne, « qui avait continuellement la mort en bouche », s'effarerait sans doute de voir la mort naturelle si soigneusement escamotée par nos contemporains. Lui qui recommande « d'ôter toute étrangeté à la mort », que dirait-il d'une société qui traduit, dans l'évitement acharné de l'inéluctable, une régression de l'esprit de vérité, une perte du sens de la réalité humaine dont les conséquences pèsent sur le pathos social. Il n'aurait vu là-dedans nul « progrès ». Mais il eût opiné à la libération des femmes, et à l'affranchissement du sexe qu'il considérait librement, à la mode antique.

On peut aussi, par jeu, l'imaginer daubant sur notre culte de l'économique, sur l'assèchement d'une société où les hommes ne sont plus estimés qu'à leur valeur marchande, et qui, se dupant eux-mêmes, en viennent à ne plus « besogner que pour l'embesognement ». S'en indignerait-il ? Pas vraiment ! Il sait que l'illusion maîtrisée aide à vivre. J'aime qu'à la fin de ses jours il se « laissât aller un peu à la débauche par dessein » de crainte que l'âge ne le tirât que trop vers le rassis et le pesant.

Bref, accueillez-le comme lui-même nous aborde : à la buissonnière, avec plaisir, bienveillance et humanité. En ami.

(22 août 1992)

De Gaulle

Au crépuscule de ce siècle, lorsqu'un Français se retourne pour contempler l'histoire de son pays, de Gaulle lui bouche la perspective. Dans l'alignement des grands totems patriotiques du passé, le « Grand Charles » reste le plus proche bien qu'il soit déjà érigé dans le même granit que Louis XI ou Richelieu. La légende le polit sous nos yeux, à peine est-il sorti de l'atelier de l'Histoire. Aujourd'hui, dans le « trop-plein » des prétendants à une élection présidentielle qu'il légua à nos institutions, sa silhouette de menhir pèse encore sur nos mémoires, comme un bloc de nostalgie. Et de sa bouche d'ombre, sa statue de Commandeur admoneste nos égarements.

Autant dire que le magnifique livre d'Alain Peyrefitte *C'était de Gaulle* est, à sa manière, un livre d'actualité. Jadis, tout jeune journaliste politique, j'ai vu de près Alain Peyrefitte, ministre et « confident » désigné du Prince, noircir des carnets de notes cabalistiques après chaque conversation privée et libre que le Général lui accordait. Chaque semaine, il y en avait au moins une, longue et nourrie, à l'issue du Conseil des ministres. Le soir même, rentré chez lui, et pour que rien ne s'évapore, il s'attelait à son pupitre pour mettre au clair ses paperolles. Ce zèle prodigieux, je n'ai jamais douté qu'il servirait grandement l'Histoire. Peyrefitte savait quel géant lui parlait, et qu'il en serait le chroniqueur, le Commynes. Il a laissé passer trente années sur le « secret du Roy ». Voici enfin le premier tome (1958-1963) du mémorial. Le moins qu'on puisse dire est qu'il ne déçoit pas.

Comme d'antiques fresques décapées font apparaître des couleurs brutales, criantes que l'œil n'avait pas imaginées, ce de Gaulle vivant (« live », dirait le jargon du jour) en étonnera plus d'un. Dans le rechampi que la trivialité des propos donne au portrait, le Général apparaît plus véridique, plus proche de nous, plus sanguin, plus cruel, mais toujours aussi altier tant cette nue restitution souligne son altitude, et son étrangeté. J'entends encore Pompidou, un sourire fiché sur sa cigarette pendante, me dire : « Vous savez, le Général est spécial, très spécial... »

Sous cette plaisante litote – que cite aussi Peyrefitte –, je voyais se mouvoir un personnage chimérique, un Don Quichotte, amoureux transi d'une France, « madone vouée à l'éminence », un autocrate dissimulé et rancunier, un cyclothymique emporté par des exaltations euphoriques suivies de noires dépressions, un travailleur acharné qui portait comme un cilice le service de la Nation, un maître du suspense (que Jean Marin appelait « le Hitchcock gaulois »). Il déroutait, et méprisait tout l'établissement politique et médiatique, lequel, en retour, clabaudait à perdre haleine contre lui, son boulangisme, son césarisme, « son coup d'Etat permanent ». C'était à la fois un empereur de la Rome antonine, un monarque très catholique, et un tyran démocrate, avide du soutien populaire de ces Français qu'il voulait sortir de leurs « petites querelles », de leur « petite soupe ». Bref, un énergumène, hors normes, que Peyrefitte nous montre tel que Bossuet voyait Louvois : « D'un caractère si haut qu'on ne pouvait ni l'estimer, ni le craindre, ni l'aimer, ni le haïr, à demi. »

*

Dans ce livre tumultueux qu'avive la verve du Général, le précipité des situations, la crudité des éclairages, l'Histoire palpite dans ses pénates, et Taine ou Saint-Simon y tiennent la chandelle. Deux traits m'ont, à première lecture, frappé.

1) Le souci démesuré de « grandeur » française qui agite le Général ne lui vient pas de sa seule nature, mais aussi de ce constat historique : « Lorsqu'on ne propose pas aux Français des buts élevés, de la dignité et de la noblesse, ils se disputent et se traînent dans la médiocrité. »

2) Le Général prend tout de haut, au propre et au figuré. S'il cède, jusqu'à l'odieux, à l'aveuglement d'antiques vindictes, s'il reste myope sur la « péripétie », il garde un œil d'aigle sur les grandes perspectives. En 1940, il ne doute pas que les Alliés gagneront la guerre. En 1959, il peint l'Algérie française comme une « fichaise » qui verrait, au sein d'une même nation, des Arabes pauvres et prolifiques envahir inéluctablement la France, et le mettre, lui, de Gaulle « à Colombey les deux mosquées ». En 1962, il assure, contre le pronostic d'Adenauer lui-même, que l'Allemagne divisée se réunira, etc. etc. Ce prophète du sens commun sculptait dans l'« élémentaire », avec trois burins, aujourd'hui hors d'usage : le sens de l'Histoire, le sens de l'Etat, et le sens de l'honneur.

Bref, un souffle venu d'ailleurs ! Il fera respirer beaucoup de Français. Mais qu'ils se couvrent bien ! Quittant les marécages où nous pataugeons, ils pourraient, là-haut, prendre froid !

(15 octobre 1994)

Soljenitsyne : la grande question

Partout et encore Soljenitsyne fait scandale. Car sur nos yeux habitués à l'ombre, il fait tomber une insolite lumière spirituelle. Derrière son front monumental, sa démesure crève l'écran : fermeté dans les goulags staliniens, gigantisme de son œuvre, densité d'une pensée trempée par l'épreuve, la solitude et la méditation. Cette force d'âme a ébranlé, en son temps, les colonnes du temple bolchevique. Et l'on sait combien la publication de ses livres – comme aussi l'avènement d'un pape polonais – a pu miner les fondations du château fort léniniste. « De combien de divisions ces deux énergumènes disposent-ils ? » a demandé le spectre de Staline du fond de son mausolée. Eh bien, d'aucune ! Mais leurs armes, celles de l'esprit, ont conduit, depuis leur ciel à eux, une autre guerre des étoiles.

*

Soljenitsyne, chez nous, dérange. C'est qu'il est « ailleurs ». Il dérangeait déjà les beaux esprits de gauche quand il tonnait contre la totalité d'un système totalitaire : son anticommunisme était plus que primaire – Dieu merci, essentiel. Il dérangeait quand il voyait justement en Gorbatchev un syndic de faillite précaire, toujours contaminé par l'ancienne nomenklatura ; il dérangeait quand il prédisait, pour son pays, le chaos. Et les actuelles convulsions du pouvoir russe n'en sont que la dernière péripétie. Il y en aura d'autres.

Mais il dérangea plus encore quand il considéra, de son œil sidéral, l'Occident où il s'était réfugié : il y trouvait dévoyées des libertés qu'il avait chéries dans la servitude. Et le voici donc, en France, saluant la mémoire des Vendéens massacrés par les conventionnels de 1793 ! Soljenitsyne ne croit pas que la Révolution française soit un « bloc » où l'on devrait admirer « en bloc » les Droits de l'homme et la Terreur. Et alors ? En France même, et depuis belle lurette, Philippe de Villiers n'est plus seul à déchirer, comme lui, la vieille vulgate révolutionnaire. Il reste que son déboulé contre-révolutionnaire agace. Son vol d'albatros agite tout le fretin qui le voit en prophète vieux-russe prophétisant le passé. On prédit qu'en Russie, ses ailes de géant l'empêcheront de marcher. Et qu'à l'Occident, en tout cas, il n'a pas grand-chose à dire.

*

Voire ! Car sa grande voix pose une question bien universelle : celle de la morale et de la politique. Cette question-là n'agite guère les élites, mais beaucoup les peuples. Ils sentent confusément que, dans nos démocraties, l'effondrement des valeurs morales gangrène peu à peu les structures de la vie publique, effrite les principes d'autorité, corrompt les liens sociaux, de la famille jusqu'à la nation, enferme les citoyens dans le cocon individualiste, et mine, par le nihilisme ou la dérision, les espérances collectives. L'idée même de Progrès en est atteinte. « Le Progrès, dit Soljenitsyne, d'accord... mais en quoi ? Et progrès de quoi, si la civilisation technologique n'a pas policé la nature humaine ? »

Ce message de Soljenitsyne est un message chrétien. Il pense que, sans la présence de Dieu au cœur de chacun, il n'est pas de morale privée, et, sans elle, au bout du compte, pas de morale publique. Il pense que, sans l'autorité transcendante d'un Dieu, il n'est pas de morale qui tienne. Il croit que sans la grande horloge divine – Voltaire lui-même l'écrivait – toutes les pendules, sur Terre, se dérégleront. A-t-il raison ou tort ? La réponse, intime, appartient à chacun. Et l'Histoire n'a pas donné la sienne.

*

Cette déploration de Soljenitsyne, qui nous paraît si actuelle, sur le relâchement des ressorts sociaux n'est pourtant pas – loin s'en faut – une invention de notre siècle. En 1833, Chateaubriand se désolait déjà d'une « société sans passion, sans caractère, sans goût, sans règles, sans admiration, sans convictions politique et religieuse, frénétique par excès, apathique par impuissance, une société qui n'a pas su s'élever par l'augmentation de ses droits et qui en s'élargissant s'est abaissée ». Depuis ces cent soixante ans, nos sociétés ont inventé, au fur et à mesure que Dieu désertait les consciences, des mystiques de contrebande : la Nation, la République, le Prolétariat, qui ont connu des fortunes diverses. Aujourd'hui, dans le désarroi, elles aspirent à une autre forme de vie collective.

Plutôt que d'espérer une restauration religieuse, elles appellent confusément à la renaissance – hors transcendance – d'une morale publique, fondée sur le consensus démocratique et le Droit. Toute l'éthique libérale, née de la laïcisation des Etats et du « désenchantement du monde », s'établit sur ce découplage des morales individuelles et de la morale publique. Illusoire, comme le pense Soljenitsyne ? Pas sûr : on peut, sans légèreté, en son âme et conscience, douter de ses réponses. Mais on n'échappe pas à sa question.

(25 septembre 1993)

Fellini

Je n'ajouterais pas de grain de sel à la mort de Fellini, si Fellini n'avait été qu'un grand cinéaste. Mais il fut à un tel point le peintre et le reflet de son temps, un historien et un magicien si accordé au second demi-siècle de notre vieille Europe qu'il restera, pour nous, comme un géant poétique de notre propre histoire. Comme le griot d'une ère expirante qu'il nous aura fait comprendre entre rires et larmes, et qui se découvre dans la vérité déchirante de son chant du cygne.

Comme Goldoni, son ancêtre vénitien du XVIIIe siècle, ne cessait, à son théâtre, de peindre la fin d'un monde qui allait expirer dans les révolutions, Fellini n'aura cessé de considérer son temps – le nôtre – comme un malade exquis en phase terminale. Poète de décadence, il observa notre époque comme *déjà* à demi engloutie par le passé, et inspirant *déjà* la nostalgie d'un monde aboli.

Amarcord (« Je me souviens », en dialecte romagnol), c'est le titre d'un de ses plus beaux films, mais c'est surtout le mot clé de toute son œuvre : car Fellini se souvient de ce qu'il voit et pendant qu'il le voit. Il se souvient des bas-fonds de nos villes d'aujourd'hui, dans la Rome de Pétrone et du *Satyricon.* Il se souvient des frasques libertines de notre propre temps, dans le baroque vénitien de *Casanova.*

Il se savait le dernier de son espèce, cinéaste-démiurge, inventeur total, improvisateur, scénariste, dialoguiste et décorateur de ses propres films qui n'existaient jamais que dans sa tête, dans ses petits carnets de croquis, dans le porte-voix et les mimiques par lesquels il inspirait mots et gestes aux figurants-figurines de ses rêves, homme Protée d'un cirque magique dont il était à la fois le M. Loyal, le dompteur et le clown. Tout cela pour faire danser son époque sous son chapiteau attitré de Cinecittà.

L'émouvant c'est que pour évoquer les mirages d'une histoire expirante, Fellini ait usé d'un art qu'il pressentait lui-même comme expirant : il était, dans le cinéma italien moribond, une « exception culturelle » à lui tout seul, et son univers poétique s'enfonce dans l'actuel océan médiatique, comme la déesse totem du Carnaval de Venise s'engloutit, dans son *Casanova*, sous les eaux noires de la lagune.

Tous ses derniers films sont des fables. Le film *La Répétition d'orchestre*, avec ses chamailleries de musiciens avant qu'un chef ne les écrase de son ordre nouveau, est une fable sur les misères de la démocratie. *La Nave va*, c'est l'allégorie du grand bateau d'Occident confronté d'abord à la révolte de ses soutiers puis à l'abordage des barbares. *Intervista, Ginger et Fred* sont autant d'apologues sur l'abrutissement télévisuel, sur le mercantilisme de l'image.

Ses femmes-fantasmes, ses bizarres et ses loufoques déroulent une ronde – fellinienne – d'humanité funambulesque et tendre que va briser la dureté des machines. Il a dit un jour que la « fin de notre monde commencerait dans un embouteillage ». Mais sa protestation n'était ni violente, ni âpre. Elle baignait dans le fatalisme italien, fatalisme léger d'un peuple qui en a beaucoup vu. C'était la chanson douce-amère d'un baladin du monde occidental, d'un sans-domicile fixe enfin logé à sa vraie place : dans les étoiles.

(6 novembre 1993)

Camus

Camus, modèle contemporain, éclaireur d'une nouvelle morale ? Allons donc, le Camus de papa ? Eh bien oui, Camus, le plus vivant survivant d'une génération défunte où la France alignait, dans la mêlée intellectuelle du monde, quelques grands capitaines : Gide, Sartre, Camus, Malraux... La pauvre France, exténuée par la guerre, sa défaite et sa honte, pouvait encore aligner cette chevalerie d'une antique culture pour questionner les ruines, les horreurs d'une Europe avilie, et aborder, par les prestiges de l'esprit, aux rives lointaines.

La puissante biographie qu'Olivier Todd consacre aujourd'hui à Camus vient à point [1]. Pour exciter non la nostalgie mais les rêveurs d'avenir. Car, de ce petit cercle des géants disparus, et alors que tant d'eau a coulé sous les ponts, c'est Camus qui nous reste le plus fraternel, parle toujours à nos confusions, à nos angoisses, trouve la voix claire et classique pour nommer, dans l'absurdité d'un monde échappé à l'ordre divin, les pistes de l'Occidental d'aujourd'hui. C'est lui, le moins dogmatique, le moins professoral, le moins jargonneur, qui devient le plus visionnaire. Sur la ruine des idéologies qu'il annonça le premier, il dispense, sans prêche, une morale contemporaine de la dignité humaine. Les garçons et filles de vingt ans qui lisent *L'Etranger* y trouvent ce que les meilleurs d'entre eux attendent : un rai de vrai soleil dans une eau vraiment froide.

1. Olivier Todd : *Albert Camus, une vie* (Gallimard).

Alors que prospéraient les prophètes du prêt-à-penser idéologique, alors qu'en pleine glaciation européenne Sartre ne descendait de sa chaire de penseur germanique que pour tendre sa main aux mains sales du marxisme, Camus, sous son soleil latin, tirait des bords à l'écart de la flotte. Et voici que son sillage entraîne, en 45 langues, au moins trente millions de lecteurs, voici qu'il devient le plus moderne des écrivains français de ce demi-siècle !

*

Par quel miracle, aujourd'hui, cet épanouissement jadis si improbable ? D'abord, cette grâce : il fut le plus humain, le plus consentant aux déchirements de l'humaine condition, le plus rétif à tous les absolus. A l'absolu divin, cet agnostique n'a substitué aucun ersatz idéologique. Des illusions de l'espérance, il avait fait son deuil, tout occupé du seul présent, soucieux d'en dénouer l'intrigue, ardent surtout à le vivre avec sa tête, son cœur et son corps.

Il fut aussi peu prophète que possible. Et si l'on célèbre son triomphe posthume, c'est pour les seules intuitions de l'artiste-romancier et l'exemplarité de son témoignage. Voyez plutôt ce qui lui valut, de son temps, les railleries des esprits forts ! Vous trouvez sa vulnérabilité, ses chagrins algériens, sa fidélité à son passé de « Petit Chose », sa fibre populaire, sa rébarbative distance pour les frétillements parisiens, son goût du foot, des théâtres et des liaisons passagères, sa défiance à la fois instinctive et raisonnée pour l'aplomb et le surplomb des penseurs à systèmes. « Piètre philosophe pour classes terminales », disait-on. Peut-être ! A l'éther des idées scintillantes, il ne sacrifiait pas le lait de la tendresse humaine, sa mère, ses amis, ses amours. Moraliste français plutôt que penseur de l'universel. Et dans son pessimisme de Sisyphe heureux, cet honneur intime à rester, à jamais, Grec, Romain, pied-noir et Français.

Sa préoccupation morale, laïque et civique, fait encore ricaner les petits maîtres de gauche et de droite. Comme sa noblesse, qui les dépasse, à « servir la dignité de l'homme par des moyens qui restent dignes dans une Histoire qui ne l'est pas ». Morale moderne, sans moralisme et sans la honte d'être heureux : « Trop d'imbéciles, disait-il, ont peur de jouir. » Mais morale active, citoyenne et sans effets de manche qui le fait, pendant la guerre, bien plus résistant que Sartre, prêcheur, lui, d'un engagement surtout vécu à la terrasse du Flore. On verra Camus plus enclin, aussi, au pardon dans les procès bâclés de la Libération. Et, loin des absurdités sartriennes, il se dressera, avec intransigeance, devant les goulags et le terrorisme. Laissons à la gauche, via son ami Jean Daniel et Jacques Julliard, le soin de tirer la leçon : « Sartre représente tout ce que la gauche est obligée, aujourd'hui, de renier. A l'inverse, qu'il s'agisse de la démocratie, de l'Europe, du droit d'ingérence, du dépassement des nationalismes, Camus a eu raison. Raison trop tôt [1]. »

Pour nos temps compliqués, deux hommes, en somme, auront fait, sans l'avoir voulu, bonne et juste école : Aron pour comprendre notre époque, Camus pour la vivre. Ces deux-là, qui s'ignorèrent, peuvent se rejoindre outre-tombe sur cette maxime du second : « Il faut du réalisme dans toute morale : la vertu toute pure est meurtrière. Il faut une part de morale à tout réalisme : le cynisme est meurtrier. » Eh bien ! oui, hors de ce balancier, nous le voyons tous les jours – chez nous et ailleurs –, c'est en effet le pire qui gagne.

(17 février 1996)

Mozart

La fabuleuse faveur populaire de Mozart – disques, radio, théâtre, films, opéras – devient désormais un événement. Si, au bord des passions du globe, de l'agitation de nos rues et des courses éperdues où s'essoufflent nos vies, nous proposons ici cette « halte Mozart », c'est pour que vous vous demandiez que cherche notre siècle chez Mozart. Pourquoi ce ludion dégringolé, en perruque poudrée, d'un très vieux cadre s'installe-t-il dans la galerie des créateurs que notre époque mythifie ? Répondez avec nous et, en lisant sur lui, vous apprendrez sur vous.

Nous sommes, c'est certain, de plus en plus fascinés par le miracle intriguant du génie à l'état pur. Déconcertés par l'étrangeté de cet innocent, possédé de la création, déposé, au petit bonheur des dieux, voilà deux siècles, entre deux âges de notre civilisation, dans ce pli de l'Europe où se languit Salzbourg, par quelque Apollon musagète. Nous avons la tête tournée par la légende dévote de cet astre éphémère qui, en vingt-cinq ans – entre ses cabrioles chez la Pompadour et cette noire calèche qui l'expédiait à la fosse commune –, aura laissé une telle queue de comète dans nos têtes et dans nos cœurs.

Sommes-nous, aussi, victimes de l'adulation bénigne pour le chérubin prodige pianotant dans un décor en sucre glace de statuettes de Saxe ? Oui, sûrement : il entre de tout, et aussi du fade et du toc, dans toute ferveur populaire. Et il y a, on le sait bien, un Mozart de bonbonnière.

Mais l'enchantement, celui du fort, du beau et du vrai, efface de

---

1. Jacques Julliard : *L'Année des dupes* (Le Seuil).

son grand souffle toutes mignardises. L'extraordinaire pérennité de Mozart, elle tient à l'unique simplicité d'un art qui, par-delà les siècles, impose ses charmes aux hommes d'aujourd'hui saoulés de cris et de stridences. Elle est dans cette inspiration souveraine et concertante qui met, comme aucun ne le fit, de la grandeur dans la grâce et de la désespérance dans la joie.

Ce que Mozart dispense, au siècle du rock, c'est une croissante nostalgie pour la forme musicale achevée d'une civilisation à son apogée, pour le naturel harmonieux de l'Europe créatrice à son zénith, au temps du grand quatuor des villes-muses qui n'étaient pas encore des villes-musées : Vienne, Prague, Venise et Paris. Ce que Mozart réveille, c'est la mémoire des paradis d'Orphée lorsque, par la maîtrise parfaite du système tonal, de la mélodie, des rythmes et des timbres, une musique accessible à la cour comme à la ville exprimait « l'essence d'un ordre civique et moral ». Quand on fredonnait à Vienne les airs de *Figaro* et à Prague ceux de *Don Juan*. Quand la même oreille passait sans peine des gigues, chaconnes et siciliennes des places de villages aux sarabandes et menuets de la musique de cour, et jusqu'aux grands oratorios à la gloire du Seigneur. Lorsque, entre le violoneux de kermesse et les musiciens des princes-archevêques, les différences du langage musical étaient de qualité et non de nature. Quand Mozart chantait toute la peine des hommes et toutes leurs amours, les humaines comme les célestes, du populaire au sacré – de *Figaro* au *Requiem* – du trivial au maçonnique, de l'opéra bouffe à l'opéra séria, de Papageno à Sarastro.

On dirait, en somme, qu'en nos temps de fractures Mozart, l'Amadeo – l'aimé des dieux –, l'oiseleur fraternel, ressuscite, pour ceux qui savent l'entendre, le sens d'une harmonie perdue. Certaine idée du beau dans un monde sans règles. Et l'idée du divin dans un monde sans Dieu.

(12 novembre 1990)

Un antimoderne : Poussin

L'événement parisien de cette rentrée, qui précipite une foule vers le Grand Palais, comme le ferait un grand événement sportif, c'est la magnifique rétrospective du plus grand peintre français, Nicolas Poussin.

Dans cette ferveur qui pousse des foules si considérables vers des musées après de longues queues incommodes, on vérifie la passion croissante pour le passé national. La journée du patrimoine a drainé, le mois dernier, vers les ors et les pierres de nos monuments nationaux six millions et demi de visiteurs, autant que *Rambo* ou *Jurassic Park.* On mesure là quelle puissante nostalgie conduit ces pèlerinages. On dirait que les processionnaires du Grand Palais viennent, en orphelins, faire, dans le passé, une sorte de recherche en paternité de civilisation, une cure d'identité culturelle que l'art vivant, l'art contemporain leur refuse. Car depuis la grande crise de la tradition, crise de rupture et qui a tant désorienté la pensée et les arts, le passé n'est plus comme jadis, transmis, inscrit dans la trame vivante et intime de notre temps. Il se visite dans les musées, les rétrospectives, les commémorations.

Le cas de Poussin est exemplaire. On loue – c'est l'incantation habituelle – la « modernité » de Poussin, et on a raison si l'on entend ainsi que la grande beauté s'impose à toutes époques. Mais Poussin est en même temps un antimoderne absolu, si l'on considère l'idée qu'il se faisait de son art. Tandis que notre peinture contemporaine exprime les désarrois des contre-cultures, des stérilités, des impasses, jusqu'à l'exhibition de la toile blanche ou les fumisteries de déchets aléatoires, Poussin, au grand siècle de Louis XIV, est le maître d'une harmonie à son sommet, d'une culture rassemblée.

Ce n'est pas un peintre figuratif, mais quand il se présente en peintre poète ou peintre philosophe, c'est pour, dit-il, que ses tableaux expriment une « belle idée », une « grande idée » : la providence, la grâce, le massacre des Innocents, l'amour, le destin de l'homme et les mystères de la Nature. Les épisodes, l'histoire qui mettront en scène cette inspiration viennent tout à la fois de l'Ancien Testament chrétien ou de l'univers antique qui baignaient alors l'univers mental. Mais cette façon de peindre des toiles qui, disait Poussin, « ne se font pas en sifflant ni en un claquement de fouet », cette ambition qui les porte, la méditation qui les soutient, le temps consacré aux calculs patients de la composition et aux recherches d'harmonie, tout chez Poussin nous livre la mémoire d'un art évanoui. C'est l'exact contraire de notre peinture à l'estomac.

Poussin est le produit délectable d'un univers d'idées, de formes, de croyances et de sentiments qu'on appelle une culture. Il fait rêver pour nos descendants, qui sait ?, à un art souvenir qui chanterait, à nouveau, le sens retrouvé des choses et de la Vie.

(4 octobre 1994)

13. NOS ISLAMS

La France fille aînée de l'Islam

L'immigration arabe ne partage plus l'opinion. On convient largement qu'il s'agit d'un souci crucial pour notre sécurité intérieure et extérieure. Que la persistance d'un flux incontrôlé d'immigrants arabes submergera nos capacités d'intégration. Enfin, que l'Islam des quatre millions de musulmans français, selon qu'il évoluera ou se raidira contre nos mœurs et nos lois, fera pencher la balance.

Le temps, en tout cas, n'est plus où *Le Point* dénonçait dans le désert, voilà plus de dix ans, la longue et indécente inconscience publique. Où les socialistes confondaient à dessein l'immigration européenne et maghrébine et convoquaient Zola, Picasso, Montand, Platini pour faire honte à ceux qu'accablaient les nouveaux ghettos. Où le magistère des beaux quartiers pérorait, en somme, à la gauloise, sur le racisme, plutôt que d'en combattre les fondations.

On sait aujourd'hui que l'immigration arabe est un fait acquis de notre collectivité. Il ne faut ni la diaboliser ni en sous-estimer les risques. Elle peut être un atout pour la nation par la vitalité de sa greffe. Elle peut, un jour, faire lever chez nous le ferment, finalement fécond, du métissage culturel. La France, qui en a vu d'autres, est apte à en faire son miel. Mais ce beau rêve tournera au cauchemar si n'est pas protégé, par mille soins, le lent et fragile phénomène de biologie sociale que suppose toute intégration.

*

Le plus urgent est évidemment d'établir contre l'immigration clandestine des barrages solides, faute de quoi la crue noiera la récolte. Le pouvoir s'y emploie. Le Conseil constitutionnel constate, comme c'est son devoir, que certaines des mesures proposées écornent la Constitution. Eh bien, la sagesse consiste alors à réformer la Constitution. La France doit disposer des moyens dont usent maintes nations qui ne sont ni moins civilisées ni moins démocratiques qu'elle. Non pour atteindre une illusoire « immigration zéro » : la masse des familles maghrébines installées chez nous constitue, en soi, un pôle d'attraction irréductible. Mais le retour à une nécessaire rigueur découragera le plus gros des clandestins.

*

Cela dit, comment la nation française pourrait-elle intégrer autrui si elle doute à ce point d'elle-même ? L'identité nationale ne se mesure pas à la citoyenneté. Elle vit d'un passé de mots, de signes et de mémoire. Elle est un musée imaginaire, mais vivant, dont chacun, à chaque génération, est l'architecte, l'artiste et le conservateur. Elle n'exprime pas le fond d'une race, mais d'une culture. Edgar Morin et « Le Petit Robert » l'appellent « francité ». Qu'elle se barricade dans la nostalgie et elle se dessèche ! Mais qu'à l'autre extrême elle se jette, en évaporée, à tous les vents exotiques, et elle sera emportée ! Claude Lévi-Strauss là-dessus a tout dit : « Que des cultures attachées à un style de vie, un système de valeurs veillent sur leurs particularismes, cette disposition est saine et nullement pathologique. »

Pour servir à sa mesure cette préservation, le politique doit restaurer, et d'abord par l'école, une éthique laïque et républicaine lézardée par l'incurie. Notre langue, nos usages et nos lois doivent, sur notre sol, s'imposer. Faut-il consentir, au nom d'un amour délirant de l'humanité, que les droits des hommes soient sur notre sol violentés par des mœurs et des règles abolies chez nous depuis deux siècles ? Folie !

*

La pierre d'achoppement principale sera l'Islam, carcan de l'archaïsme arabe. La loi coranique suggère un ordre moral et social où nos libertés ne fleurissent guère. Cette loi n'est pas pour rien dans le fait que le monde musulman ne compte aucune démocratie et aucun pays développé, sinon ceux où Allah a dispensé sa manne pétrolière. L'Islam n'admet ni la sécularisation du pouvoir ni même celle du savoir.

L'idéal, entre nous, n'est pas que la France devienne la fille aînée de l'Islam, mais qu'il s'étiole ou du moins se civilise chez nous au grand air des sciences et des libertés. Seulement, ne rêvons pas : pour cela, l'Islam français doit chercher sa propre voie d'une laïcisation relative. Qu'il regarde donc vers Cordoue et la tolérance de ces grands siècles passés plutôt que vers le fanatisme messianique de ses modernes inquisiteurs ! En attendant qu'il trouve ses « Lumières », souhaitons-lui du moins un Luther et un Calvin.

Pour y concourir, nous ne devons d'aucune façon baisser les bras. Contre la fièvre islamique, contre la *fatwa* qui condamne à mort Rushdie, comme elle eût condamné chez nous Beaumarchais, contre la sauvagerie qui étouffe une adolescente turque à Colmar, contre l'assassinat systématique de l'intelligentsia algérienne, toute faiblesse coûtera cher. Les jeunes beurs nous disent : « Si vous êtes incapables de défendre ce que vous croyez, vers qui donc pouvons-nous aller ? »

(28 août 1993)

——— Les limites de la tolérance

Cette excitation pour s'emparer de trois foulards coraniques et y nouer un débat national est-elle déraisonnable ? Non ! Mais révélatrice, sûrement ! On prétendit cacher ces coups de canif de l'Islam à l'école laïque, nous en écarter comme des enfants d'un secret de famille. Mais rien n'a pu contenir l'éruption. Pourquoi ? Parce que derrière le voile coranique se profilait la question brûlante de l'intégration. Et derrière elle, celle de l'identité nationale. Autant de « bonnes questions » qui couvaient comme le feu sous la cendre.

Les Français n'ont jamais craint l'immigration parce qu'ils ont toujours réussi à l'intégrer. Mais avec plus de trois millions de musulmans, ils voient désormais que la magie du creuset national n'opérera pas comme jadis avec Polonais, Italiens, Espagnols et autres Portugais.

La difficulté nouvelle n'est nullement raciale : elle est culturelle, religieuse et tient à l'Islam. Il n'y a aucun « racisme » à relever, quant à l'Islam, quelques vérités qui crèvent les yeux de toute la planète. La première tient à sa propension à mêler le spirituel et le temporel, à régenter les mœurs, le sexe, le vêtement, l'alimentation, à prescrire le rythme des prières, le temps du ramadan, quand ce ne sont pas l'opinion des fidèles et le régime qu'il leur faut. La deuxième est que l'Islam maintient la femme dans un statut d'infériorité insupportable à nos mœurs et à nos lois. La troisième est qu'il a développé dans certaines de ses traditions un fanatisme abominable. Ce n'est pas tout à fait un hasard si aucun pays musulman ne pratique encore, à notre manière, la démocratie libérale. Un connaisseur, V.S. Naipaul, met le doigt sur l'essentiel : « La religion, pour un musulman, écrit-il, n'est pas affaire de conscience et de pratiques privées comme le christianisme peut l'être pour un Européen. Accepter l'Islam, c'est accepter (...) un certain ordre social[1]. » Dans ces quelques mots, tout est dit.

Ce constat déprimant doit-il nous faire trembler ? Non. Car il existe, au sein de notre communauté d'origine maghrébine, une majorité de fidèles dont l'Islam, heureusement, se fait tiède ou déclinant. On y rencontre un fort courant laïc, et, chez les beurs, le souci de fuir le Moyen Age. Mais les ferments de l'intégrisme en France, ses capacités de violence, le renfort médiatique du messianisme de la Jihad (pensez à l'affaire Rushdie), le regain de l'islamisme algérien, les aliments que le fanatisme peut trouver en France dans le chômage, le désespoir des ghettos et la détestation d'une société riche et permissive, tout cela justifie en effet que nous fixions des limites claires à notre tolérance.

Entre nous, je fais plutôt confiance au Président tunisien qu'à Monsieur Jospin ou à Madame Mitterrand pour apprécier la symbolique du voile que les musulmans modernistes interdisent dans leurs classes : ils y voient, mieux que nos jobards, l'ostentation d'une règle coranique qui maintient les femmes, au-delà d'une pudeur imposée, dans un asservissement répugnant pour des peuples libres.

C'est une erreur de rêver que, dans une France aplatie de tolérance, l'Islam resterait confinée dans la sphère privée. Une autre erreur est de nous monter le bourrichon avec le projet fantasmatique d'une nouvelle « société multiculturelle » en invoquant l'exemple américain. D'abord, cet exemple n'est guère engageant. Ensuite, pour transposer chez nous la mosaïque américaine, il nous faudrait l'espace, la culture biblique, la morale du shérif et le rêve américain. Chez nous, le mythe intégrateur de la nation reste, via l'Ecole, l'idée républicaine.

Les valeurs de la République ne sont pas neutres. Elles n'appellent pas ces contorsions chèvre-chou pour prescrire aux fillettes de l'Islam la gymnastique – où l'on se dévoile – sans proscrire le foulard qui voile... Cette laïcité gagnée par l'esprit jésuite, on dirait le pied de nez de Voltaire à un Bicentenaire flageolant.

(30 octobre 1989)

1. V.S. Naipaul : *Among the Believers. An Islamic Journey.*

——— La menace

Le coup de force des islamistes contre l'Airbus, le jour le plus chrétien de notre calendrier, était une action de guerre menée contre la France. Il y fut répondu, de bout en bout, avec jugement, courage et baraka. Alors, nous respirons. Mais la guerre civile d'Algérie n'est pas finie. Comme c'est une guerre sans caméras, nous oublions trop ses 30 000 morts, sa redoutable proximité, sa propension à exporter, chez nous, via l'immigration musulmane, son fléau. En fait, l'islamisme constitue désormais, pour la France, la menace numéro un.

*

Pour la jauger, on évitera deux pentes opposées : celle qui, dans l'angoisse, fait voir l'islamisme là où il n'est pas. Et celle qui, à l'inverse, le tient pour une fièvre violente mais limitée.

Que l'islamisme ne soit pas l'Islam, c'est, Dieu merci, une évidence ! Sur le milliard de musulmans de la planète, l'intégrisme ne tient, pour le moment, dans ses griffes que l'Iran, le Soudan et des zones du chaos afghan. Au Maghreb, il ravage l'Algérie, mais il reste sous contrôle en Tunisie et au Maroc. Son terrorisme sporadique ruine la tranquillité égyptienne, mais l'extravagant Kadhafi s'en écarte après l'avoir caressé. Il constitue, avec le mouvement Hamas et la frénésie hezbollah, le principal adversaire d'Arafat et de la paix israélo-palestinienne. Mais vingt-cinq chefs d'Etat musulmans viennent, enfin, de prononcer à Casablanca, sous la houlette du sage Maroc, une condamnation non équivoque de l'islamisme. Nos ambassadeurs en pays arabes, réunis récemment à Tunis, voyaient le ferment islamiste plutôt contenu. Certes, nous savons nos diplomates souvent enclins à un optimisme peu perspicace (le pronostic sur l'Algérie, dans les années 80, fut pitoyable). Mais il reste qu'on ne voit pas que l'Islam arabe bascule lourdement vers l'islamisme et sa « guerre sainte ».

Cela dit, l'islamisme dispose en Iran et au Soudan d'appareils d'Etat. Les « experts » donnaient peu d'avenir au pouvoir des ayatollahs : il dure depuis quinze ans. L'Arabie saoudite est un adversaire « officiel » de l'intégrisme, mais son riche prosélytisme d'apprenti sorcier le nourrit aveuglément. Et puis, qu'un conflit oppose un pays arabe à l'Occident, et l'on peut voir, alors, le leader le plus « laïc » du Moyen-Orient, Saddam Hussein, invoquer soudain Mahomet contre l'infidèle occidental et enflammer les foules, du Caire à Casablanca. Ajoutez que la globalisation médiatique de la planète « islamise » des conflits disparates : ainsi la violence serbe en Bosnie, ou russe en Tchétchénie est-elle vue, chez les islamistes, comme la persécution de « frères musulmans » par la chrétienté orthodoxe. Enfin, l'Iran, la Turquie déchiffrent dans l'agitation des Républiques musulmanes de l'ex-Union soviétique les prémices de futurs Afghanistan. Et, sur l'ensemble, flotte comme une nostalgie ottomane.

C'est que l'intégrisme garde en Islam un riche terreau. Car si l'islamisme n'est pas l'Islam, il reste une maladie de l'Islam, une maladie de famille. Les islamologues le tiennent pour une hérésie née de la misère et du ressentiment arabe devant ses échecs. Soit ! Mais où voit-on que la misère arabe, entretenue par la démographie, aille diminuant ? La dispersion, l'inorganisation de l'« Eglise » islamique fait que les voix de ses théologiens les plus sereins sont couvertes par le tumulte des « barbus ». Et d'ailleurs, dans ce flou, combien de recteurs et d'imams condamnent le matin un terrorisme qu'ils absolvent le soir ?

*

En France, un criminel laisser-aller – celui d'une immigration incontrôlée, et celui, tout un temps, du rêve de la société multiculturelle bénie par les illusions élyséennes – nous remet un héritage pourri. Notre droit, conçu pour une société d'hommes libres, défaille déjà à l'école où des lois manquent pour y défendre la laïcité. Il défaille devant la polygamie et l'asservissement des femmes, des fiancées vendues.

Nos hérauts « médiatiques » se dépensent pour fustiger l'intégrisme au Bangladesh ou en Iran. Très bien. Mais, au nom de l'urgence, qu'ils concentrent donc les mêmes talents dénonciateurs pour l'Algérie toute proche, voire pour nos propres banlieues ! Khalida Messaoudi, enseignante traquée d'Algérie, vit un pire calvaire que Taslima Nasreen pour avoir, en Algérie, défendu, avec ses sœurs, l'honneur démocratique. Combien de Rushdie chez les journalistes d'Alger et qui meurent, sans *fatwa*, dans les charniers d'une nouvelle abjection ? Quant aux démocrates algériens que nul Casque bleu ne protège, ils méritent, faute de mieux, les mêmes soutiens intellectuels et moraux que les musulmans bosniaques.

En vérité, il y a, chez nous, tout près, là sous nos yeux, sur le terrain, beaucoup à défendre : des valeurs républicaines en perdition, des musulmans épris de la France et qui, déjà, ont peur de l'avouer. La fierté nationale se satisfait du courage magnifique du GIGN. Mais, chez nous, à l'arrière, un peu de courage politique, civique, quotidien ne serait pas de trop !

(30 décembre 1994)

——— L'Islam et l'école

En ces temps de rentrée, l'Etat français, une fois encore, défaille pour défendre l'école devant les insidieuses entreprises de l'Islam. Le silence ou les contorsions des politiques prolongent leur ancienne incurie devant les soucis préoccupants de l'immigration maghrébine. De même que les vannes grandes ouvertes à cette immigration incontrôlée auront jadis noyé l'espoir d'une intégration patiente, harmonieuse et réussie, de même la reculade de l'école publique devant les prétentions envahissantes de l'Islam laisse s'installer, au cœur du principe républicain, un germe pourrissant.

L'enquête inquiétante de Christian Jelen montre que le ver est dans le fruit. Ne pas dénoncer aujourd'hui ce vice politique, c'est perpétuer l'inconscience de ceux qui depuis plus de vingt ans ont fait de l'évitement et de la dérobade une méthode de pouvoir. C'est entretenir, dans les tréfonds de la société française, une poche de grisou qui explosera un jour ou l'autre.

*

Le cheval de Troie des ennemis larvés ou déclarés de la République laïque, c'est notre Droit. Un Droit bien conçu pour une société d'hommes libres et protecteur des libertés de chacun. Mais un Droit désemparé lorsque les ennemis de la liberté utilisent – la manière n'est pas neuve ! – les espaces de liberté qu'il protège, pour envahir la demeure républicaine et y installer, d'abord subrepticement puis ouvertement, un ordre et des usages contraires à nos mœurs et à nos lois. Un Droit de pays libre qu'invoque, sans vergogne, un Vergès goguenard en faveur du terrorisme assassin. Un Droit qui, dans l'école, et par le biais des tribunaux administratifs ou du Conseil d'Etat, lie les mains des maîtres et des chefs d'établissement désireux de défendre la neutralité laïque, mais qui tolère, dans le même temps, la polygamie, l'asservissement des jeunes filles, et les fiancées vendues ! Un Droit sollicité pour interdire l'expulsion hors de France de ceux qui complotent contre elle. Un Droit qui, en l'occurrence, sert les avocats de la barbarie, mais dessert les procureurs, auxquels notre société délègue sa défense !

Ce Droit, on peut le réformer. Non pas, évidemment, pour y ôter, dans son esprit et sa lettre, tout ce qui fait l'honneur d'une nation démocrate. Mais, par exemple, pour qu'à l'école il ne permette plus de miner un ordre laïc approuvé par plus de 80 % des Français. Car voici maintenant qu'un hiérarque musulman, réputé modéré, trouve la « laïcité française trop rigide » ! Le bon apôtre rêvasse-t-il déjà qu'on va l'assouplir pour le satisfaire ? Cette laïcité est le fruit d'un lent compromis historique dont ceux qui, chez nous, croient au ciel et ceux qui n'y croient pas se sont accommodés. Par quel avachissement en sommes-nous réduits à voir posée, en cette fin de siècle, dans un pays développé, cette question sidérante : ce qui convient à la Bible, devrait-on le changer pour complaire au Coran ?

C'est le contraire qui s'impose : il faut donner aux règles laïques les moyens juridiques de se défendre, puisqu'elles sont désormais ouvertement récusées par une minorité prosélyte. Il faut ôter à cette minorité les instruments de procédure dont elle abuse. Le Parlement, que l'on sache, est encore capable de voter des lois. Il peut consulter le Conseil constitutionnel et le Conseil d'Etat pour s'assurer de leur validité. Si la Constitution doit être sur tel point amendée, eh bien, qu'on l'amende ! Rien n'est impossible à la volonté de la nation.

*

Encore faut-il qu'il y ait un pouvoir pour la dire et la satisfaire ! L'on n'attend plus rien, là-dessus, du chef de l'Etat. Ce président de gauche (?) n'aura pas trouvé, en 14 ans, un souffle, un élan, une conviction pour réévaluer les valeurs de la République devant le défi nouveau de « l'intégration ». Pas un mot pour solenniser les droits et devoirs des nouveaux citoyens. Il aura même longtemps sacrifié, via la pantomime antiraciste, au mirage désastreux d'une société multiculturelle. Mais les autres ? Sont-ils à ce point bâillonnés par la cohabitation ? Si l'on excepte Pasqua, et aujourd'hui Bayrou, personne, chez les caciques de la République, pour aborder clairement ce qui inquiète, en France, des millions de foyers.

Il est vain de dénoncer le dragon intégriste lorsqu'il déploie tous ses anneaux en Algérie ou ailleurs, si on laisse l'Islam militant installer chez nous ses couveuses. Les musulmans de France, éduqués dans le flou islamique qui mélange les aires du public et du privé, doivent apprendre les frontières françaises des Eglises et de la République.

L'occasion, en tout cas, est bonne pour demander aux candidats à la présidentielle d'annoncer là-dessus la couleur : quels actes, quelles propositions de loi ? Fini d'acheter chat en poche : les électeurs voudront pouvoir juger sur pièces. Ils ont bien raison.

(10 septembre 1994)

L'Islam et la République

Il y a aujourd'hui, en France, plus de musulmans que dans les Emirats arabes unis. Détail anecdotique pour rappeler que l'Islam est devenu, en deux ou trois décennies, la seconde religion française. Grand avènement qui pèsera sur le destin national puisque chez nous, cette religion rassemble l'immigration arabe, gouverne ses croyances et ses mœurs. De ce que sera l'Islam français dépend donc, pour une bonne part, la réussite ou l'échec de l'intégration de la communauté arabe. On ne dessinera pas, sans l'Islam, le visage de la future France.

Il est désormais vain de pleurnicher sur l'incurie des pouvoirs qui depuis 20 ans ont permis à des flux incontrôlés d'immigration de constituer dans notre pays des « ghettos ». Leur pénible concentration va sinon interdire du moins contrarier le lent processus de biologie sociale où les croyances et les traditions se côtoient pour s'adapter, se métisser ou se refuser. En revanche ce qui urge, c'est de conjurer les tensions. Contre elles, nous parions à tort sur les seules vertus des milliards déversés en zones sensibles, sur l'expédition de policiers aguerris, de médiateurs « sympas », de profs missionnaires, sur l'angélisme antiraciste et les bariolages Benetton. Mieux vaudrait aborder de front la grande affaire de l'Islam sans se tortiller dans les préjugés ou la naïveté. Et on s'apercevrait que le pire n'est pas sûr.

*

L'Islam, il est vrai, inspire des inquiétudes particulières et légitimes. Pourquoi ? Parce que pour un musulman, la religion n'est pas seulement affaire de conscience et de pratique « privées », comme le christianisme l'est devenu pour un Européen. Pour le musulman, « accepter l'Islam, c'est accepter un certain ordre social » dont le moins qu'on puisse dire est qu'il n'épouse guère, dans le vaste monde, la démocratie et la modernité. Tantôt cet ordre social s'accommode des mœurs et les lois de notre République, tantôt il les agresse et les maudit. C'est cette ambiguïté qu'il convient, chez nous, de réduire. Avec ce précepte simplissime que c'est à l'immigrant de s'adapter et non au pays d'accueil de renoncer à ce qu'il est. Or la France est une République laïque qui a enfin, par longs et difficiles compromis, organisé sa vie entre ceux qui croient au Ciel et ceux qui n'y croient pas. On ne voit rien, de nos jours, qui suggère de changer un iota à ce statut. La République doit consentir et refuser au Coran tout ce qu'elle consent et refuse à la Bible. Ni plus, ni moins. Quitter cette conduite, c'est à terme la collision assurée !

Hélas, notre conduite reste erratique. Le pilote défaillant, c'est le pouvoir qui refuse de rappeler avec force et simplicité les Droits et Devoirs républicains. Là-dessus vous chercheriez en vain, en 14 années de mitterrandie, la moindre affirmation claire. Vous trouverez au contraire maintes reculades obliques devant la « différence ». Ajoutez que notre Droit, conçu pour une société libre et laïque, se trouve encore détourné, dévoyé dans le « droit-de-l'hommisme » et le « politiquement correct » à la française. Il arrive que ce Droit agenouille le Conseil d'Etat devant le foulard islamique, alors qu'il échoue à se faire respecter – et pour cause ! – dans toutes les zones de non-droit. On dirait que chez les pouvoirs centraux, régionaux, communaux, toute conviction républicaine s'évapore. Et que nos élus bafouillent et cafouillent devant chaque minaret.

On veut bien que l'esprit républicain ait perdu, dans l'Ecole et désormais la conscription, quelques-unes de ses places fortes. Mais la nouvelle démocratie qui se cherche ferait bien de garder la laïcité dans son patrimoine. Faute de quoi, ce qui l'emportera, c'est le multiculturalisme, et l'acceptation grandissante de communautés séparées. On sait où cela mène. Car le multiculturalisme ne cesse, à terme, de s'affaler dans le sang : au Liban où il fit jadis rêver ; en Bosnie où il fit illusion sous la tutelle titiste ; dans le Caucase, etc. Quant aux Etats-Unis où il s'étale, tiendra-t-on pour « modèles » ces communautés cloisonnées où fermentent en vase clos des ressentiments ethniques ou religieux dans un nouvel apartheid ? Allons donc !

*

L'Islam français est à la croisée de ces chemins. Le livre édifiant que notre collaborateur, Philippe Aziz, consacre à Roubaix, ville de France où les musulmans sont majoritaires (53 %), apporte, entre autres, cet enseignement : l'Islam est, chez nous, vécu dans un large éventail d'adhésions, lesquelles vont du militantisme fanatique et explosif jusqu'à celles d'un Islam réformateur non seulement capable, mais désireux de s'adapter à notre laïcité. C'est celui-ci que nous devons aider. Et non l'Islam noir de l'Iran ou du prosélytisme saoudien. On verrait alors qu'un Islam français, protégé des frénétiques par nos propres libertés, pourrait s'épanouir en éclaireur pour tous les musulmans innombrables qui n'ont pas la haine de l'Occident chevillée au corps. Un vœu pieux ? Pas sûr ! A moins, évidemment, que la République ne continue à sucrer les fraises.

(2 mars 1996)

La peur

Voici un couturier dandy, Karl Lagerfeld, qui déploie sur les seins épanouis de son mannequin Claudia Schiffer non pas, comme il le croyait, une strophe d'élégie arabe mais – Allah l'ait en miséricorde ! – un verset du Coran. Un uléma d'Indonésie découvre la satanique méprise. Alors aussitôt, mes amis, quel branle-bas ! On incinère le vêtement impur, on court, ventre à terre, à la Mosquée de Paris. Monsieur le Recteur est bien bon : il dénonce le sacrilège mais il n'imposera pas, pour cette fois, la lapidation publique de la robe maudite. Il suffira que son image démoniaque soit partout abolie, voire couverte, comme on l'a vu, d'un cache noir à la télévision. Dans sa mansuétude, le saint homme n'exige pas, pour cette fois, que Karl Lagerfeld soit conduit, catogan coupé, place de la Concorde, pour y être fouetté, cul nul, comme on l'eût fait dans nos chers émirats. Il se contentera que Chanel s'abîme en excuses bien plates et réitérées. Ainsi fut fait. Amen !

Cette contrition publique vient à point pour restaurer chez les infidèles que nous sommes la pieuse conscience du sacrilège. Pour que l'Islam nous courbe dans des prosternations oubliées. Lorsque la même Claudia Schiffer exhibera, selon son ordinaire, une vaste croix sur sa gorge très profane, nul doute que Monseigneur Ducourtray exigera les mêmes repentirs publics. D'ailleurs plusieurs princes de l'Eglise avaient déjà, en leur temps, trouvé quelque excuse à la *fatwa* qui condamna Rushdie à mort pour ses écrits sacrilèges.

Sur cette dévote lancée, il serait bon aussi que, au retour d'une manifestation sur la laïcité, une commission universitaire de l'index décidât les livres à interdire : ainsi Voltaire pour son abominable *Mahomet*, Montaigne, Beaumarchais, sans oublier Kant, un autre Teuton aussi pernicieux que Lagerfeld. Je me souviens que, sous l'Occupation, des papiers collés occultaient la prose des auteurs juifs dans nos manuels d'allemand. C'est un procédé très commode : nous pourrions, de même, occulter les sacrilèges nombreux qui, dans nos classes, de Rabelais à Verlaine, offensent la lecture. Et puisque des francs-maçons blasphèment étourdiment le nom d'Allah dans leurs loges et que les juifs déplaisent tant à nos califes, on devrait songer à les proscrire de toute fonction publique. Quel beau progrès ce serait !

*

Bon ! Cessons de persifler ! Si on rit encore de ces mômeries, on rit déjà jaune. Il s'exerce, et déjà plus qu'on ne croit, sur notre liberté de penser une pression insidieuse et qui est celle de la peur. Après sa bévue, Chanel a eu peur. Les hôtels qui refusent de recevoir Rushdie, les compagnies aériennes qui refusent de le transporter ont peur. Mais surtout l'Algérie, toute l'Algérie, qui parle français, a peur. Les langues y sont cadenassées. Les Algériens, nombreux, qui refusent la potion intégriste, ont peur. Les universitaires, les médecins, les journalistes qui ne sont pas prosternés ont peur.

La France qui est tous les jours insultée à Alger n'est pas celle des marchands, ni même celle des colons et des pieds-noirs, c'est celle des Droits de l'homme. Chez nous, dans les prêches des mosquées, on ne dénonce pas un régime, on dénonce des valeurs. Ainsi la liberté des femmes, petites beurettes qu'on prétend encore livrer à des mariages arrangés, gamines entchadorées vouées à l'assommoir machiste de pères et frères fouettards.

Notre liberté de pensée, ce n'est pas, bien sûr, d'insulter la Bible ou le Coran. Mais c'est de tenir l'une et l'autre dans la sphère privée. Et qu'aujourd'hui le Coran n'exige pas plus que la Bible !

*

Prend-on bien la mesure de ce que serait l'établissement d'une république théocratique à Alger ? La fuite, vers nous, des élites algériennes (qui a déjà commencé) ? Le renforcement de réseaux intégristes en France assurés, à Alger, d'une logistique d'Etat ? La multiplication du risque syrien, libyen, iranien, celui du terrorisme d'Etat. Ce n'est pas notre piteuse restitution à Téhéran de deux Iraniens réclamés en vain par la justice suisse qui nous rassurera. Car devant le terrorisme, les démocraties, elles aussi, ont peur.

Je n'ai ni les moyens ni l'intention de discuter le bien-fondé d'une « raison d'Etat » qui libère ainsi des coupables. Ce qui, par contre, est assuré, c'est qu'à la poursuivre cette pente-là mène à l'abîme. On aimerait qu'une autre raison d'Etat songe aux moyens réels de « terroriser les terroristes ». Contre une guerre secrète et impitoyable, les démocraties doivent se donner les moyens d'une guerre secrète et impitoyable. Encore faut-il ne pas faire l'autruche devant la menace, et trouver la volonté politique de résister. Encore faut-il ne pas déjà consentir à des petits « Munich » de l'esprit. Il n'y a, de nos jours, en politique, pire malheur que le déclin du courage. De la ruse, nous avons à revendre. Mais du courage ?

(29 janvier 1994)

Symptômes

Sur la tombe de Nazmiyé, toute jeune immigrée turque, assassinée, en France, près de Colmar, il manque une gerbe : celle de la compassion publique. Nazmiyé n'a pas sombré dans un fait divers ordinaire. Lorsque son frère l'étrangle pour laver, comme il dit, « l'honneur familial » – c'est, en fait, que la jeune fille de 15 ans sortait avec un jeune Français –, ce frère assassin n'est pas seul. Il est assisté de son père, de sa mère, de son cousin. Un conseil de famille, en quelque sorte, procède à un meurtre rituel. On immole Nazmiyé comme une agnelle dans un sacrifice antique. Folie exceptionnelle ? Sans doute ! Mais voici qui nous concerne plus : la communauté turque présente au procès s'insurge contre le verdict des juges. Pas les vieillards qui se taisent, enfermés dans le huis clos mental où bouillonne un tumulte de sang, de sexe et de croyances venu du fond des âges. Mais, plus intriguant, les jeunes, aussi, s'indignent contre la sanction. Ils trouvent ce meurtre pétri d'excuses. Ils laissent entendre que l'honneur de leur famille valait bien qu'on bousculât le droit républicain.

Et ce que l'on devine alors derrière cette abomination, derrière une atrocité si théâtrale, et Dieu merci exceptionnelle, c'est la permanence, dans l'archaïsme de la tradition arabe et coranique, d'une terrible magistrature des mâles. Le statut de dépendance de la femme, dans nos communautés immigrées, il perdure. On séquestre toujours des filles aux Minguettes, et à Sarcelles. On les voile, puis les pères leur négocient des mariages arrangés avec des barbons, comme sous Molière. Mais les fils ont toujours la dégelée facile contre la gamine surprise à dire trois mots à son voisin d'autobus. A l'inverse, et par l'école, ce sont les filles qui mènent, en France, le ralliement au progrès démocratique. C'est par l'émancipation des femmes que se forment dans les têtes, les reins et les cœurs, l'adhésion à l'esprit de la République. Et en Algérie même, ce sont les femmes qui conduisent, avec un stupéfiant courage, la résistance publique à l'intégrisme assassin. C'est une femme, Taslima Nasreen, qui devient, au Bangladesh, le porte-drapeau de la même résistance.

Le fond de tout, c'est qu'il n'y a pas de vraie liberté moderne de l'homme sans libération de la femme. Dans le fanatisme d'un Islam intégriste, la religion couvre de son manteau l'obscur effroi du sexe et de la procréation. La femme y est enclose dans le système –

« mère » ou « putain » – dont la Sicile et la Corse conservent encore quelques sinistres reflets. Ce que l'on y appelle l'honneur familial n'est que le cerbère enragé des mâles. Et l'indépendance de la femme reste une idée neuve dans le monde arabe. Aidons, chez nous, celles qui veulent la conquérir : elles sont, dans l'univers de l'immigration, les suffragettes de la République. Et souhaitons qu'un poète ou un chanteur dresse une sépulture de mots à Nazmiyé, petite martyre (de 15 ans) étouffée entre deux cultures.

(6 décembre 1994)

14. L'AUTRE EUROPE

Pays de l'Est : on aura des surprises

L'effacement de l'utopie communiste laisse partout un vide sidéral dans des politiques, des économies, des stratégies organisées, depuis un demi-siècle et sur toute la planète, autour du couple antagoniste des espérances et des craintes que cette religion sans Dieu faisait lever. Ainsi pour l'Occident, Sisyphe désormais sans rocher, déconcerté par sa victoire dont il pressent les lendemains énigmatiques.

Ce qui, d'emblée, a poussé partout, dans l'Est européen, sur les nouvelles jachères, ce sont des nationalismes, congelés par le communisme et restitués par le dégel, quasi semblables à ce qu'ils étaient au début du siècle, sinon parfois exacerbés. Première énigme : quel chemin vont prendre ces peuples devenus maîtres de leur sort ? Toute l'Europe s'obnubile sur le destin du plus puissant d'entre eux, le peuple allemand, et l'on voit assez quel remue-ménage son essor nouveau suffit à provoquer. Mais c'est toute l'Europe de l'Est que nous allons devoir « réapprendre » dans sa renaissante diversité. Il faudra nous ressouvenir que la Tchécoslovaquie de Skoda dispose de bien plus d'atouts que la Pologne. Que la Hongrie, qu'imprègne encore le passé de Vienne et de feu l'empire austro-hongrois, n'est pas la Bulgarie, et encore moins cette Roumanie que le Magyar méprise. Que l'Union soviétique est une mosaïque (en péril) de républiques dont les plus adaptables au modèle occidental – Pays baltes, Géorgie, Arménie – sont justement celles où fermente le plus l'aspiration sécessionniste. Bref, à l'Est, nous allons trouver notre trop-plein de nouveautés !

Le constat de diversité aura pour première vertu de ridiculiser cette vision puérile d'une démocratie uniforme qui tomberait du ciel des bons sentiments et remplirait d'un coup les vides de l'univers totalitaire. Les surprises sont au contraire garanties. Car, à l'Est européen, rien n'est uniforme : ni la culture marchande, ni le niveau d'éducation, ni le socle économique, ni le goût de la démocratie, qui demande ici simplement d'être réveillé, là d'être inventé.

On profitera de ce même constat pour dénoncer cette autre idée reçue que de la souveraineté des peuples il ne peut sortir que le meilleur. Absurde ! Il est des peuples qui se jettent démocratiquement dans la guerre – voire la dictature – alors qu'il est des despotes éclairés qui protègent sinon les libertés, du moins la paix de leurs peuples. Le nationalisme expansionniste n'a pas toujours été l'apanage des dictateurs, même s'il en est le ferment habituel. Aussi bien, ce n'est pas parce que le pacte de Varsovie est en morceaux et le Comecon en miettes que nous devrions renoncer aux sécurités éprouvées de l'Alliance atlantique et de la CEE. Au contraire : elles peuvent, demain, se révéler plus précieuses encore contre le désordre des nationalismes qu'elles ne le furent jadis pour contenir le messianisme communiste.

On remarquera enfin que l'adhésion plus ou moins explicitement souhaitée au modèle occidental est le fait, dans les pays de l'Est, soit d'une révolution politique d'origine populaire (Allemagne de l'Est, Tchécoslovaquie, etc.), soit d'une initiative délibérée du pouvoir (Gorbatchev) : mais, dans les deux cas, la révolution politique a précédé la révolution économique. Peut-être une compréhensible aspiration libertaire a-t-elle mis ainsi la charrue avant les bœufs. Dans plusieurs pays d'Occident qui connurent des dictatures de droite (l'Espagne de Franco, le Chili de Pinochet), la transition fut inverse : c'est l'établissement d'une bonne santé relative de l'économie qui précéda la mutation vers la démocratie. Et c'est à cette formule – malgré Tiananmen et contre les vents et marées de l'aspiration libertaire – que le Chinois Deng accorde toujours sa préférence.

(12 mars 1990)

Les Russes

Voyez la trogne d'Eltsine, tsar clignotant entre deux éclipses, voyez la nuque du général Lebed à l'escalade du Kremlin, voyez le peuple russe, ses vieilles icônes et ses nouveaux fêtards, ses anciens mages et ses nouveaux boyards, et dites-moi donc si soixante-dix ans de communisme ont englouti la sainte, énigmatique, humaine et trop humaine Russie ! Bien sûr que non ! La Russie bouge à nouveau dans sa vieille Histoire, bien haletante, transpirante et souffrante.

Dans l'équation de la guerre froide, l'Occident prit le pli de ne voir à Moscou que la Mecque d'une utopie calcifiée, que la Rome d'un empire redouté, même si quelques lucides, comme de Gaulle, savaient discerner les « Russes » derrière les Soviétiques, et l'ombre de Boris Godounov ou des Khans sous le charme ténébreux du grand Staline. Obnubilé par le Système et l'équilibre de la terreur, l'Occident oubliait le pays russe, le peuple russe.

Cette vision appauvrie, doublée de cette manie occidentale de juger l'autre selon nos seuls critères, aura perduré dans l'effondrement de l'empire soviétique : avant, nos guides ne voyaient que la machinerie communiste ; après, ils n'attendirent qu'une démocratisation à l'occidentale. Incroyable illusion qui culmina dans la « gorbymania » : au lieu de manier Gorbatchev en commode syndic de faillite d'un « machin » totalitaire qui, à l'évidence, l'emporterait dans sa chute, l'Occident n'a cessé de chanter à tue-tête le grand Libérateur qui allait ouvrir les vannes de l'économie de marché et du régime libéral... En France même, Mitterrand, Paganini de la politique, grisé par ses trilles, n'entendit pas le trombone d'Eltsine ni la tonitruante cacophonie du grand dégel. Etonnant...

Mais enfin, tout arrive : nous redécouvrons désormais la Russie, Cyclope énigmatique, grand peuple erratique et humilié qu'agitent violence et ferveur, cruauté et bonté, passions et remords, et qui balance, comme jadis, entre les deux pentes de son histoire – l'occidentale et la slave – entre Pierre le Grand et Ivan le Terrible.

*

L'espérance serait-elle donc vaine d'une Russie nouvelle, démocrate et de libre marché ? Pas forcément ! Mais son avènement prendra du temps, les progrès démocratiques ne seront ni évidents, ni continus, les reculs probables, convulsifs. Et, surtout le cap russe est encore incertain.

Une grande clarté, tout de même : c'est qu'avec l'élection d'Eltsine, le peuple russe a claqué la porte au passé. Il y fallut une impressionnante conviction populaire, tant le système communiste, moisi mais cimenté, pouvait, chez le petit peuple, se faire encore regretter devant l'effritement général, la chienlit, et la noire misère. Sans oublier, bien sûr, le naufrage de la « patrie soviétique » et de son prestige mondial qui restait, avec l'assommoir de la vodka, l'unique baume patriote du moujik prolétaire. La vodka survit, mais l'orgueil soviétique s'en est allé. Il n'empêche : en votant pour un président égrotant, la Russie a moins voté pour une démocratie cacochyme que contre le retour au communisme. C'est un tournant à lui seul décisif et qui clôt – en effet démocratiquement – une ère de glauques incertitudes. Il consacre l'apparition, comme acteur historique, du peuple russe, qui ne fut, au fil des siècles, jamais consulté sur rien et pas même sur le démembrement de l'Union.

*

Cela dit, le cycle contre-révolutionnaire où nous sommes entrés en 1989 est loin d'être achevé. Un épais brouillard persiste sur deux orientations capitales. La première est celle de l'« Ordre ». Sa revendication devient criante lorsque le dépeçage des biens nationaux se fait dans la pogne de spéculateurs éhontés, dans l'étalage de la corruption et des mafias, alors que trois Russes sur quatre vivent au-dessous du seuil de pauvreté. Dans cette désolation, l'organisation démocratique ressemble aux façades en trompe-l'œil des « villages Potemkine » que le favori de la Grande Catherine faisait édifier pour masquer aux regards les taudis et la crasse. Ce décor n'attend plus, selon un processus historique éprouvé, que le héros du deuxième acte, l'« homme fort » qui viendra sauver la Russie du chaos. Se déploie donc, sans surprise, la silhouette d'un certain général Lebed – « à demi démocrate », dit-il de lui-même – et qui est aimablement comparé, selon l'inspiration, à de Gaulle ou à Pinochet.

La seconde question, cruciale, c'est de se demander si une reconquête bonapartiste de l'ordre pourrait se passer de son aliment favori : le nationalisme. Si la tentation ne viendra pas, avec ou sans Eltsine, d'exploiter le sentiment aujourd'hui le plus répandu dans le peuple russe et qui va de la méfiance à la haine de l'Occident.

Dans le calcul et la dissimulation d'une diplomatie immuable et fermement patriote, la Russie, n'en doutons pas, voudra retrouver les espaces soviétiques perdus, étouffer au sud la renaissance islamiste et monnayer à nouveau l'influence stratégique d'une puissance nucléaire. Le souci sécuritaire de notre Europe en sera, sans cesse, affecté. Mais cela est une autre histoire, qui déjà commence. Ou recommence.

(13 juillet 1996)

La leçon bosniaque

L'Europe a un ventre – dont le nombril est à Bruxelles – mais elle n'a pas de bras. Elle ne peut garantir, chez elle, l'ordre civilisé qu'elle prône ailleurs. Objurgations et gémissements ne valent rien contre cette vérité. Vers la Bosnie, nous ne pouvons expédier que des vivres ou des déplorations. Avec, pour les soutenir, des Casques bleus désormais otages et qui assurent, toujours, sur écrans, le spectacle de l'impuissance. Nous boirons la coupe jusqu'à la lie. Sachons du moins pourquoi !

Les Serbes sont en passe de gagner leur guerre et de parachever, par le fer et le sang, un conflit de nationalités du XIXe siècle. Mais, dites-vous, leur violence fait honte à l'Europe ? Oui, bien sûr ! N'ouvrent-ils pas la voie à l'embrasement chez d'autres peuples avides, en cette région, de nouveaux pénates ? Sans doute ! Et alors ? Alors, rien ! Non que notre diplomatie ne sue sang et eau pour vendre une paix négociée. François Mitterrand, Alain Juppé n'ont là-dessus rien à se reprocher. Mais ils font ce qu'ils peuvent avec ce qu'ils ont. Or, l'Europe n'agite que des moignons. Les deux évidences n'ont pas changé qui, dès 1992, fixaient le cours de cette guerre civile. Un : l'Europe ne dispose d'aucun système militaire spécifique au service d'une politique commune. Deux : le seul système existant est l'Otan, dont la clef est américaine et qui, pour être lui-même efficace, supposerait un engagement terrestre dont personne ne veut. Rideau !

*

Cette impotence démontrée installe sur le continent un pénible défaitisme. L'Occident, confit dans son optimisme de nanti, découvre chaque jour à quel point le glacis communiste avait prolongé l'ordre ottoman ou habsbourgeois sur le marécage balkanique : la décongélation y voit grouiller à nouveau les passions nationales, ethniques, religieuses. Mais l'Occident découvre aussi que l'Europe n'a guère progressé, depuis l'avant-guerre, pour apaiser ce pandémonium. Et, au-delà, que toute l'affaire de la sécurité européenne est désormais à reprendre.

A reprendre de zéro ? Non, Dieu merci ! Car si le continent ne se trouve pas comme jadis entraîné dans le vertige balkanique, c'est que l'Allemagne, la France, l'Angleterre ont appris, par la construction européenne, à éteindre leurs propres différends. Non, car aucune force conquérante ou messianique, comme autrefois le fascisme, ne menace. Non enfin, car Milosevic n'est pas Hitler. Mais il est vrai aussi que l'Europe n'a pas franchi le seuil décisif qui lui permettrait de faire le ménage chez elle, que l'Amérique désabusée par ses propres soucis et par nos impuissances s'éloigne, que la crise rétrécit les budgets militaires, et que c'est dans cette mauvaise conjoncture qu'il va falloir réformer une Otan conçue pour une menace qui a changé de nature.

*

Car la menace a changé, mais non disparu. D'abord, la leçon bosniaque donnera des idées à des peuples aux ventres creux et, donc, sans oreilles pour nos conseils bénins. Mais surtout, la Russie, aussi ravagée qu'elle soit, reste une superpuissance capable de lourdes nuisances militaires et écologiques. Il est naturel que l'Occident la ménage pour lui permettre de se « retrouver ». Mais nous nous leurrons avec Eltsine, comme jadis avec Gorbatchev, en imaginant qu'elle épousera bientôt la démocratie, voire l'économie de marché. Beaucoup de Russes attendent leur Pinochet, et quel qu'il soit, il nous créera plus de soucis que l'autre. Voyez déjà comment les impavides diplomates russes, formés par le national-communisme, feignent d'ignorer leurs misères intérieures et usent du bluff et de la crainte qu'inspire leur grand peuple erratique. Jamais, depuis des siècles, la Russie ne fut si bien délivrée de sa crainte ancestrale du danger allemand. Or, aujourd'hui que le chevalier teutonique n'a plus de glaive, la Russie donne toujours la comédie de l'assiégée, de l'« encerclée » dès que l'Occident, via l'Otan, songe à associer à son système défensif la Pologne, la République tchèque, la Hongrie, inquiètes à la fois de l'éruption balkanique et du possible aventurisme de leur puissant voisin. La Russie récupère, peu à peu, les républiques prodigues de l'ex-Union soviétique. Et s'occupe à recouvrer, sur ses anciens satellites, une étroite influence. Sans doute, l'ours russe n'est plus le géant agressif de l'ère soviétique. Mais il n'est pas – comme le dit Pierre Lellouche – le « bon nounours » de la jobardise occidentale. Kissinger : « Une sécurité maximale (réclamée par les Russes) à leurs frontières signifie une insécurité maximale pour les autres. » Bref, nous disposons de trois ou quatre ans pour arracher à Moscou, et par l'UEO, le droit qui nous honore de protéger à Varsovie, Prague et Budapest ceux qui le réclament. Après, il sera trop tard.

Et comment, dites-vous, peser à ce point ? Eh bien, avec l'Europe et plus d'Europe ! On commence à voir que l'objectif primordial de l'Europe communautaire n'est plus la santé économique, mais la paix.

(10 décembre 1994)

——— Bosnie

Le marécage bosniaque inflige à l'Europe le supplice du sable mouvant. L'enfoncement prévu s'y poursuit avec son tempo de brèves rémissions et de longues tragédies. Tout est, depuis le début, inscrit hélas dans cet axiome fondamental : veut-on, en Occident, faire la guerre pour la Bosnie ? Réponse : non ! On ne le veut pas et d'ailleurs, on ne le peut pas : la France, par exemple, ne peut y aller sans ses partenaires européens, l'Europe qui n'a pas d'existence militaire ne peut rien sans l'Otan, l'Otan sans l'Amérique, l'Amérique rien sans l'Onu dont l'impuissance ne fait qu'exprimer celles des décideurs, lesquels, nous venons de le dire, ne veulent rien de décisif.

Une impuissance que Serbes et Bosniaques ont, depuis belle lurette, mesurée. Ils se brûlent tous les jours dans l'incendie, et savent que les Casques bleus ne seront jamais que des pompiers privés d'eau deux jours sur trois. Vous savez : ceux qui font la guerre savent ce qu'ils peuvent sur ceux qui ne la veulent pas. Les morts quotidiens pèsent lourd contre les théoriciens de la guerre à zéro mort.

Bien sûr, l'honneur européen impose de ne pas laisser, sans tenter au moins l'interposition, une telle infamie se dérouler sur le sol de notre continent. Et le chagrin et la pitié versés chaque jour à ras bord par les télévisions militent pour le devoir d'ingérence. Mais toute guerre civile s'enrage et se nourrit de ses propres exactions. Plusieurs diplomates et militaires, familiers du terrain, nous disent avec plus de cynisme encore que l'interposition de l'Onu fait aussi traîner la guerre civile en longueur. Et, avec tous les médias, ils dénoncent, certes, l'abominable rouleau compresseur serbe, mais à la différence des médias, ils ne prennent pas pour autant les Bosniaques pour des agneaux. En fait, ils ne croient plus à la viabilité d'une Bosnie multiculturelle. Pour tout dire, ils ne croient, par la paix ou la guerre, qu'à une partition avec regroupement de populations.

La France reste la plus active pour tenter jusqu'au bout d'imposer, fût-ce par les armes, un tel plan de paix. Et Chirac en faisant monter les enchères de l'engagement a tout tenté et tente encore de conjurer un destin au front de bœuf. Si le retrait définitif s'avère un jour inéluctable, du moins notre pays se prévaudra-t-il d'avoir beaucoup osé.

L'Amérique portera le chapeau qui, en décidant la levée d'un embargo des armes déjà bien écorné, aura accepté que la guerre civile aille à son terme. Dans ce genre d'affaires, le cynisme s'accroît de la distance : vu de New York, Sarajevo c'est loin, très loin...

Mais ne nous y trompons pas : l'Europe, première et vraie responsable, remâchera, en vieille pleureuse qu'elle devient, son impuissance, et l'étrange destin d'un continent dont la politique est indigne de la civilisation qu'il revendique. Son incapacité historique à s'organiser en communauté puissante défie la création, les techniques, la culture qu'elle a essaimées dans le monde. Il y a bien là un « mal européen » qui perdure. Et la Bosnie n'en est que la dernière tumeur.

(18 juillet 1995)

De Sarajevo à Sarajevo

Deux raisons plaident pour que la France ne reste pas les bras croisés devant la fosse aux serpents balkanique. D'abord, une raison humanitaire, celle qu'inspire à notre peuple européen l'interminable martyre d'autres civils européens. Ensuite, une raison plus cynique, qui ne prend, elle, en compte que nos seuls intérêts nationaux à moyen et à long terme. La première fait le plus de bruit, mais la seconde est plus déterminante. Si, en effet, une intervention s'impose, dans des conditions d'ailleurs bien définies par notre gouvernement, ce sera moins pour mettre un fusil au bout d'une morale que pour éviter un élargissement, catastrophique à terme, du conflit.

*

Il est naturel que le siège atroce de Sarajevo, les camps, les pillages et les viols nous inspirent de la répulsion. Mais il faut se méfier de notre bellicisme de l'indignation. S'élancer, flamberge au vent ? Mais où, avec qui, et pour quel objectif durable ? La France ne peut songer à éteindre toutes les barbaries, télévisées ou non, dont le monde regorge. Les va-t-en-guerre assènent à tort le cliché historique de Munich : la Serbie n'est pas une grande puissance qui menace la France. Elle ne « liquide » pas une « ethnie » adverse en rêvant de conquérir l'Europe. C'est un peuple qui cherche ses pénates dans le sang. Dans une Yougoslavie où craque le glacis communiste, des peuples « décongelés » se débattent dans leur passé, celui d'une zone labourée par la tradition nationale serbe, par six siècles d'occupation ottomane, par l'ordre des Habsbourg. Dès lors qu'on consentait au délabrement de l'ex-République fédérative, via l'indépendance slovène, croate, puis bosniaque, il était assuré que les Serbes, imbriqués partout, n'auraient de cesse de reconstituer une « patrie ». Ainsi « nettoient »-ils d'atroce façon des Bosniaques musulmans – qu'ils continuent d'appeler « Turcs », mais qui sont, comme eux, de même souche slave, qui furent parfois leurs voisins de palier, et sont simplement d'une autre religion qu'eux. Leur guerre est comparable à ce que furent, jadis, nos guerres de Religion, avec le même cortège d'exactions, de viols et de pillages. Autant dire que, si notre condamnation morale va de soi, elle ne rencontre pas un Etat à punir (comme en 1991 l'Irak), mais le patchwork d'une guerre civile. Et que toute notre légitime indignation ne change rien au fait que notre armée de métier, aux capacités cruellement réduites, ne peut à elle seule se fourrer impunément dans ce champ de mines. Mais l'Europe ? direz-vous. L'Europe n'a pas de bras. La Grande-Bretagne ne veut guère bouger. L'Allemagne ne le peut pas, sauf à réformer sa Constitution, ce que son opinion refuse. L'Europe militaire reste un continent-croupion.

*

Conclusion : si la France intervient, ce sera avec l'Amérique (comme dans le Golfe ou en Somalie). Et si l'Amérique se mêle – et nous avec – de cette affaire, ce ne sera pas principalement pour soulager nos consciences blessées, mais parce que la poursuite de la guerre civile menace désormais de gagner deux zones ultra-sensibles de la planète : la russe et la musulmane. Et ce risque d'internationalisation nous concerne.

Les plus massacrés, aujourd'hui, ce sont les Musulmans bosniaques. Que les Albanais musulmans, qui dominent à 90 % l'ex-République yougoslave du Kosovo, bougent à leur tour contre la minorité serbe, que la Macédoine se mette en branle, et l'embrasement est alors garanti : les Turcs et les Grecs – donation de l'Otan – retrouveront leur antique querelle. Mais, surtout, contre une Serbie qui découpe au couteau de boucher ses nouveaux apanages, le risque existe d'une coalition musulmane qui, depuis la Bosnie, puis l'Albanie, gagnerait la Turquie, seul grand verrou pro-occidental, avec l'Arabie saoudite, d'un Proche-Orient toujours explosif.

Second grand risque : l'ex-Union soviétique. Chez ce monstre disloqué, lui-même parcouru de plusieurs guerres civiles oubliées, le pouvoir russe est mal assuré. Pour l'heure Eltsine fait triompher le courant pro-occidental. Mais, tout autour, s'agite une opposition slavophile que remue – vieille histoire – la fraternité serbe, et qu'inquiète, à l'inverse, la dérive islamiste des anciennes Républiques soviétiques et musulmanes d'Asie.

S'il faut donc rassurer le monde musulman, que trouble, un peu partout, le martyre des « frères bosniaques », s'il faut contrer l'ambition serbe que soutiennent la slave Russie et la chrétienté orthodoxe, autant le faire tant qu'Eltsine tient le manche et tant que les Turcs, dont la tête reste froide, peuvent calmer l'ébullition islamique.

Tel est désormais le souci majeur de Washington. Et, derrière

Washington, le nôtre. Il exige sang-froid et détermination. Faute de quoi, le Sarajevo d'aujourd'hui – un demi-siècle après celui de 1914 – n'aurait été que l'œil d'un nouveau cyclone.

(9 janvier 1993)

L'œil de Sarajevo

On peut refuser le mot même de Sarajevo, fermer les yeux, se boucher les oreilles, tourner le bouton, coucher les enfants – et dormir. On peut se dire qu'en Chine, au Mexique, en Arménie, dans les jungles du Centrafrique, il se perpètre des horreurs égales, et qu'on ne peut battre sa coulpe sur toutes les misères du monde.

Mais on n'échappe pas aisément au tocsin bosniaque. Parce que Sarajevo est à deux heures de Paris, parce qu'à Sarajevo sonna le premier glas de la guerre de 1914, parce que la ville est au centre de l'Europe, parce qu'il se forme chez nous un début informulé de conscience européenne, parce que des civils enfermés dans une cuvette y crèvent sous l'aléatoire d'un obus venu des collines, parce que ce siège interminable et télévisé donne, jour après jour, la représentation lancinante d'un massacre d'innocents, pour toutes ces raisons ajoutées, nous sentons dans notre dos l'œil de Sarajevo, un œil qui est dans la tombe et nous regarde.

Ce regard sur nous, d'abord, il nous emplit d'indignité, comme de fuir, sans arrêter sa voiture, un cycliste écrasé et qui va mourir. Mais il y a plus, et qui tout à la fois excuse et accable : nous sommes emportés par cette voiture de la honte, et nous ne tenons pas même le volant. Nous sommes enfermés entre quatre murs d'impuissances, et nous cherchons encore la petite porte pour en sortir.

*

Sur le premier mur, s'exhibe l'impuissance nationale. Aucune nation d'Europe ne peut ni ne veut aller, seule, faire la guerre en Bosnie. En France, qui est la nation la plus remuée par le drame bosniaque et la plus active pour le faire cesser, personne n'imagine une expédition militaire solitaire. Quel pays envisagerait de mobiliser des dizaines de milliers d'hommes pour se jeter, sans alliés ni logistique, dans un conflit aux conséquences incalculables ? Absurde ! Ne déplorons pas cette inhibition nationale. Dieu merci, les grandes nations européennes ne prétendent pas faire, seules, de la gendarmerie. Elles ne s'associent pas, hors la Communauté, à des systèmes d'alliances qui entraînèrent jadis, par l'effet-domino, des catastrophes. C'est un progrès.

Un bien mince progrès, puisqu'il bute sur le deuxième mur, celui de l'impuissance européenne. L'Europe communautaire, c'est entendu, vient d'atteindre son âge adulte économique et de démontrer sa maturité dans l'affaire du Gatt. Mais cette même Europe n'est pas politiquement adulte. Elle n'a pas encore de bras militaire. Elle peut un jour y parvenir, si le transfert progressif des responsabilités militaires sur notre continent a le temps de s'opérer sans heurt entre l'Otan et l'UEO, si l'Allemagne de demain reste fidèle aux options du chancelier Kohl, si, si si... Bref, l'Europe politique et militaire n'est pas née.

Le troisième mur d'impuissance, c'est justement l'Otan, seul dispositif militaire crédible en Europe. Les Américains en tiennent les clefs. Or le peuple américain est une maquette en réduction du monde, et le poids spécifique des Asiatiques et des « Latinos » y grandit tandis que déclinent les valeurs européennes du *Mayflower* : celles de la Bible et du shérif. Résultat, les liens affectifs avec l'Europe ne se rompent pas, mais se distendent. Dans cette évolution, s'inscrit déjà l'incertain destin de l'Otan. Washington veut bien prendre en charge le grand souci russe parce que la nation russe reste, par sa masse, une nation majeure de la planète, et que les stocks nucléaires y sont angoissants. Mais pour le reste du continent, l'Amérique dira de plus en plus à l'Europe : débrouillez-vous ! Elle veut, quant à elle, des guerres sans morts américains, comme fut la guerre du Golfe. Et le chaudron balkanique n'en a pas la recette.

Le quatrième mur d'impuissance, c'est la Babel onusiaque dont les résolutions bafouées se perdent dans les sables de Somalie ou les fax engorgés de Sarajevo. Onu dont les Casques bleus sont humiliés, et les caisses vides.

*

Entre nous, vous trouverez plus d'un Européen – et non des moindres – pour s'accommoder, sans le dire, de ces impuissances : il se lavent les mains des massacres pourvu que soit « liquidé » un séculaire méli-mélo de peuples ennemis et que chacun s'ajuste, par violence, à l'ambition de sa géographie.

Mais pour ceux que l'ignominie écœure et qui veulent sortir du carré des impuissances, une petite porte est encore accessible : celle d'imposer de force un plan de paix accepté, fût-ce du bout des lèvres, par toutes les parties. Il y faudrait beaucoup plus de Casques bleus avec armement lourd sur le terrain. Qu'ils soient autorisés à frapper sélectivement, par les airs, les factions qui s'y opposent. Et qu'ils aient les moyens d'établir des forces-tampons résistantes aux enragés. Pas facile ! Mais c'est la seule façon de protéger notre Europe du virus contagieux de la barbarie.

(15 janvier 1994)

Moscou-Belgrade : la France empêtrée

« Dans les temps de révolution, disait Talleyrand, on ne trouve d'habileté que dans la hardiesse. » Hélas François Mitterrand n'en est guère convaincu. Face aux convulsions d'une partie de l'Europe, de Moscou à Belgrade, notre pouvoir aura d'abord traîné à identifier le bouleversement, renâclé ensuite devant ses conséquences, et adopté pour finir une voie frileuse et moyenne, où l'on trouve tout, sauf de la hardiesse. Et notre estimable zèle pour l'Europe communautaire de Maastricht ne peut éclipser, à l'Est, le spectacle d'une certaine médiocrité française.

Réjouis comme tous les Occidentaux de l'effondrement communiste, on dirait que nous déplorons plus que les autres ses fatales conséquences. Il est vrai que le système léniniste, cruel et dangereux, présentait depuis quarante ans pour la France de cyniques avantages : il surcotait notre atout nucléaire, et sous la banquise totalitaire, des peuples européens congelés étaient empêchés de s'entre-déchirer. Lorsque le dégel arriva, la perspective d'un avenir à risque, aussitôt, nous tétanisa. Question : dans ce remue-ménage en effet périlleux, fallait-il se boucher les yeux sur l'inéluctable et s'empêtrer ensuite dans la passivité ?

*

Et d'abord, comment donc notre pouvoir a-t-il pu croire à ce point Gorbatchev capable de conjurer un effondrement prévisible dès 1987 ? Je ne sais s'il entre, à l'Elysée, de cette outrecuidance de « cousinage » qui fait que les chefs d'Etat s'accordent entre eux une importance excessive sur le destin de leur peuple. Toujours est-il que notre pouvoir s'est, sur Moscou, beaucoup trompé : d'abord, en faisant de Gorbatchev l'inspirateur de génie d'un constat de faillite dont il n'était que l'exécuteur désigné par ses pairs. Ensuite, en croyant qu'un administrateur de faillite, aussi habile soit-il, pourrait être un repreneur.

Le résultat néfaste fut, en tout cas, d'associer la réputation de la France au soutien d'un « soviétisme » discrédité. Il fut d'accueillir avec des pincettes les nouveaux pouvoirs des Républiques où nous sommes aujourd'hui encore moins présents que les Américains ou les Allemands. Il fut ensuite de ménager avec légèreté les putschistes de Moscou. Il fut de prêcher la distribution de l'aide occidentale à travers un « Centre » introuvable où elle s'évaporait.

Mais, surtout, cette « gorbymania » convainquit longtemps Mitterrand que la réunification allemande – foi de Gorbatchev ! – resterait un mythe. Si bien que la réunification allemande tomba comme une tuile imprévue sur un Mitterrand abusé. Faute d'avoir anticipé cette modification majeure dans l'équilibre européen, la France donna à toute l'Europe – et d'abord à l'Allemagne – le sentiment de subir, à la hâte et à contrecœur, une réunification qu'elle aurait pu, au contraire, accompagner d'un appui amical et solennel.

Maintenant que le chaos s'installe sur les décombres soviétiques, nouvelle difficulté : après avoir tant surévalué un léninisme moribond, saurons-nous ne pas surévaluer l'espérance démocratique ? Car, bien sûr, ce qu'on voit se profiler, ce sont des dictatures léninistes au pire, ou des Pinochet au mieux. Il faudra apprendre, comme on dit, à faire avec.

*

Une myopie de même nature nous a trop longtemps inspiré de tenir la balance égale entre Serbes et Croates. Il crève pourtant les yeux que l'armée dite yougoslave – dernier marteau-pilon communiste d'Europe – n'est fédérale que de nom. Elle est aux mains d'un pouvoir serbe. Le matraquage cruel et byzantin de Dubrovnik, le siège atroce de Vukovar, celui, aujourd'hui, d'Osijek ont levé le masque. Pourquoi donc, au lieu de les dénoncer, notre Président préfère-t-il rappeler les massacres des Oustachis croates en 1941 ? Sous-entend-il, à la serbe, qu'il faut faire payer aux Croates l'engagement nazi de leurs aïeux ? N'avons-nous pas, Dieu merci, pactisé nous-mêmes depuis longtemps avec l'Allemagne ? Puisque Bernard Kouchner et son activisme humanitaire sont seuls à mettre un peu d'honneur français dans cette sauvagerie, écoutons du moins son conseil : il est urgent d'établir, à douze, la responsabilité serbe. Elle est aveuglante. On conçoit bien que, dans ce guêpier, il faille redouter l'extension de la guerre civile à l'inextricable Bosnie. Mais croit-on qu'on l'évitera en se lavant les mains du massacre des Croates ?

La vérité cachée, mais capitale, c'est que rôde, sur notre diplomatie en Europe centrale, une crainte vague, insistante et inexprimée : celle d'une surpuissance allemande où Slovènes et Croates rejoindraient le vaste giron d'influence d'une Allemagne réunifiée. Le principal tort des Croates, aux yeux de nos diplomates, serait en somme que l'Allemagne les soutienne. Mais, s'il en est ainsi, que valent les beaux discours de Maastricht ?

(21 décembre 1991)

15. *LES ENRAGÉS*

Le spectacle du Mal

Le cinéma reste le meilleur capteur de l'air du temps ! Cette année, c'est le massacre qui est à l'affiche. *La Reine Margot* ne porte ce titre que par la grâce abusive d'Adjani, car le véritable agent dramatique du film, c'est bien le massacre de la Saint-Barthélemy. Depuis ce film-fiction que Chéreau lui consacre jusqu'au terrible film-reportage de Bernard-Henri Lévy sur la Bosnie, par-dessus cinq siècles, les images s'enchaînent dans l'entassement des cadavres, et la même jonchée de corps pantelants sur les vieux pavés du Louvre et l'actuel marché de Sarajevo. Chéreau, en artiste, BHL en essayiste, produisent ainsi devant nos consciences le spectacle du « Mal », de cet enragement des hommes à s'entre-tuer.

*

L'après-guerre a vu, une première fois, nos pays stupéfaits, assommés de devoir méditer, sur des ruines, l'abomination d'un conflit généralisé et la démence du génocide dans un continent, l'Europe, qui exhibait, tout juste avant d'y sombrer, les prestiges d'une civilisation délicate, et l'insouciance des années folles.

Sur les décombres, et avec les joies de la délivrance, se levèrent alors, chez nos pères, deux sortes d'espérances. Celle des Etats de l'Europe de l'Ouest cherchant, via le Marché commun et la réconciliation franco-allemande, à conjurer les désastres récurrents des guerres de 1870, de 1914, de 1940. Et, chez la classe ouvrière et les intellectuels de plusieurs nations d'Europe – dont la France – l'espérance socialiste ou communiste d'une autre société, égalitaire et fraternelle.

La première espérance – celle de l'Europe communautaire – n'est pas morte : cette Europe-là est malade, très malade mais encore guérissable. Ce n'est pas le cas de la seconde – l'espérance socialiste. On sait ce qu'il en advint, les millions de morts dont elle accoucha, et le paysage désolé qu'elle laisse derrière elle partout où elle prit ses quartiers. Ses lendemains ne chantent pas : ils gémissent.

Si bien que le constat, à nouveau sinistre, que l'Europe fait, après le drame yougoslave, de cette malédiction, nous tombe à nouveau dessus. Il accable d'abord les plus jeunes d'entre nous qui avaient oublié que, d'une génération l'autre, le Mal court.

La nouveauté c'est qu'il installe désormais son universelle présence à nos foyers télévisés : le village planétaire sait tout du dépeçage bosniaque, du génocide rwandais, des meurtres algériens, etc. Et même si nous ignorons les multiples horreurs perpétrées hors caméras (Sud-Soudan, par exemple), nous savons que la guerre rôde partout, que le massacre et la torture prolifèrent et que le Mal a plusieurs masques : celui du fanatisme tantôt religieux, tantôt ethnique, tantôt nationaliste. Et que même, il se mêle inextricablement à la révolte légitime des opprimés. De notre balcon occidental encore épargné, nous réalisons à nouveau que le Mal est inscrit dans l'Histoire comme la mort dans la vie.

Hélas, cette transparence nouvelle du Mal tend dangereusement à le « déréaliser», à en faire un spectacle qui, à la fois, le met sous cloche et le blanchit. De même que la « terreur blase le crime comme les liqueurs fortes blasent le palais », de même le spectacle de l'horreur blase nos consciences dans le hachoir rotatif des journaux télévisés.

Nous percevons aussi – et, là, ce devrait être un progrès ! – qu'il devient plus sage en politique, d'identifier le Mal pour s'en défendre que d'imposer une vision idéologique du Bien dont nous ne savons pas où elle mène, dès lors qu'une fin idéale prétend légitimer les plus répugnants moyens : l'histoire du communisme est là-dessus édifiante.

BHL, dans son film, simplifie, je crois, à l'excès le contexte politique de la guerre civile bosniaque, mais il a raison de hurler, et de montrer avec tant de talent et de force, son dégoût devant l'abjection d'un massacre européen. En ce sens, la conscience renouvelée de la proximité du « Mal » dans nos sociétés protégées est salutaire. Le Mal sous toutes ses formes – et l'assassinat des enfants est la pire – reste un éternel défi à la théologie, à la philosophie, à la politique. Mais le cri d'un Chéreau ou d'un BHL ne répète pas la lamentation de Job sur la souffrance des justes. Il ne redit pas l'accablement devant le tumulte et la fureur de tous les Capulets et Montaigus s'entr'égorgeant de siècle en siècle, à tous les coins de la terre. Ce cri, aujourd'hui et maintenant, rappelle à ses devoirs la civilisation que nous prétendons encore servir.

(14 mai 1994)

Algérie : l'effroi

Le carnage algérien ne blesse pas, chez nous, la conscience publique : il l'assomme et l'étourdit. Pour s'émouvoir, réagir, compatir, assister, il faut que l'esprit trouve prise. Or, ici, nulle prise. Le pur effroi d'une machine affolée réduit à l'hébétude. Près de cet abattoir, aux portes cadenassées par la peur et la censure, nous, on bafouille, on titube, on se met un mouchoir sur la bouche. Pour ne pas vomir ou pour se taire, on ne sait. Et l'Algérie, derrière ses hauts murs, tourne toujours en rond dans sa cour de prison où une loterie funèbre décime son peuple. Un peu plus de 50 000 morts, pour l'holocauste d'Allah !

*

De grâce, fichons d'abord la paix aux intellectuels, aux politiques, à tous les préposés au dire et au faire, sommés ces jours-ci de se réveiller ! Car ils ne sont pas endormis, ils sont, comme vous et moi, tétanisés. Au bord de ce gouffre de sang, ils n'ont quasiment rien à dire ni à faire, sinon protéger nos pénates de ses éclaboussures, lever les bras au ciel (mais lequel ?) et n'exhiber alors que les moignons de leur impuissance. Que veulent dire Jospin et Giscard en bourdonnant sur l'Algérie sinon qu'à deux heures d'avion de la France le moulin de mort continue de moudre ? Nous dire qu'ils y pensent, qu'ils s'angoissent ? Très bien, bravo, nous aussi, mais après ? Qui donc veut mettre un pied dans la nef des fous, et quel pied ?

On voudrait, certes, soutenir les malheureux démocrates du réduit kabyle, les héroïques femmes algériennes qui tentent d'arracher le double bâillon du voile et de la censure, la jeunesse algérienne accablée par la misère et la terreur, et en somme tous ces Algériens qui ont rêvé, avec des mots et des idées de France, d'une Algérie algérienne. Oui, bien sûr, mais comment sans rajouter au pire ? L'Algérie fut tout un temps à la France, et ce passé empoisonne encore. L'Algérie s'en est arrachée, et la France aussi, chacune dans ses affres. La France en souffre comme les mutilés souffrent longtemps de leur membre perdu. Mais l'Algérie, c'est pour nous fini ! L'Algérie n'est pas la France : Charette le dit, le répète, et il a raison.

Nul doute que les aspirants sincères à la paix démocrate existent en Algérie, et même qu'ils sont plus nombreux qu'on ne dit. On voit bien qu'ils saisissent chaque occasion électorale point trop faisandée pour sortir de leur terrier. Mais, aussitôt, les deux cyclones de violence – le terrorisme islamiste d'un côté, une répression qui terrorise de l'autre – saccagent à qui mieux mieux la fragile espérance confiée aux urnes. Pour la nébuleuse des groupes islamistes, la démocratie reste la dernière invention du Satan français. Pour le pouvoir militaire, imbriqué dans l'engrenage de la répression, prôner les droits de l'homme et la sérénité démocratique, c'est comme prescrire l'eau de source à un ivrogne en delirium tremens. Un semblable étau étrangle les journalistes algériens : du côté du pouvoir, c'est le bâillon de plus en plus serré pour les empêcher de dire ce qu'ils voient ; et, du bord islamiste, c'est tout crûment l'assassinat (57 journalistes ont été assassinés en quatre ans). Même étau, au fond, partout, pour la paix et la démocratie !

*

Des deux bords de l'étau, nous n'avons rien de bon à attendre. Du côté des frénétiques d'Allah, qui égorgent leurs otages comme des moutons de l'Aïd-el-Kébir, où trouver des négociateurs ? Au Front islamique du salut ? Mais les Groupes islamiques armés, eux-mêmes divisés dans une multitude d'émirats anarchiques, le débordent. Du côté du pouvoir, consacré par l'élection présidentielle, les clans militaires tirent à hue et à dia. Ils glissent, dirait-on, vaguement vers une résignation arabo-islamique qui prescrit l'arabisation, proscrit le français, et renvoie les femmes à leur servitude. Si bien qu'au total c'est, pour le moment, l'Islam, on ne sait trop lequel, qui s'installe en situation d'arbitrer un jour sur le trop-plein des cimetières.

Alors, au lieu de dénoncer le silence des infidèles que nous sommes et qui n'ont rien à dire, dénonçons plutôt le silence assourdissant des autorités spirituelles de l'Islam ! C'est aux ulémas d'Al-Azhar, aux imams de tout l'Islam sunnite de condamner le monstre échappé de son sein !

(1er février 1997)

La diagonale des fous

Des clous et des boulons ! Depuis le carnage du métro Saint-Michel, dans chaque bonbonne infernale, les terroristes ont cette ferraille pour signature. « Des bêtes sauvages », dit Chirac. Peut-être ! Mais leur bricolage est bien humain pour meurtrir et déchiqueter. Et leur enragement, bien humain aussi, qui leur fait prendre une école pour cible parce que le délire du Mal se régale du sang de l'innocence... Toute une folie à vomir !

Pas de psychose, nous dit-on ! Ils sont bien bons nos hygiénistes de la vie publique. S'ils veulent dire que la vie doit continuer, leur conseil est superflu : contre l'aléatoire aveugle de la bombe, il ne reste qu'à se méfier des lieux de foule et espérer en la dissuasion policière. Mais après, eh bien, « Inch'Allah » ! Contre ses clous et ses boulons, l'Algérie nous exporte, en antidote, son fatalisme de prosternés.

*

Pour ceux qui, Dieu merci, ne s'en contentent pas, il reste à élucider cette folie. Ce terrorisme-ci, sans revendication, sans direction unique et identifiable, n'est pas un terrorisme d'Etat comme ce fut le cas, entre autres, avec la Libye, l'Iran, la Syrie, même s'il peut bénéficier de la « formation permanente » qu'assurent quelques noyaux plus ou moins consistants de la nébuleuse intégriste en Afghanistan, au Soudan ou en Bosnie. Ce terrorisme n'est pas comparable, non plus, à l'IRA irlandais ou à l'ETA basque. Aucun exécutif clandestin et centralisé n'y définit des objectifs donnant prise à une politique dissuasive de carotte et de bâton. Car à qui la carotte ? Et sur qui le bâton ?

Non, ce terrorisme est – l'enquête n'en doute pas –, dans sa furie aveugle et son bricolage de mort, le greffon, en France, de l'intégrisme islamique. Il est le fruit pourri des banlieues lorsque la diagonale des fous relie la haine qui fermente ici dans le béton à la haine de l'infidèle qui enfièvre, là-bas de Kaboul à Alger, les fous de Dieu. Lorsque la conversion enfonce un Coran dévoyé dans les têtes vides des « glandeurs » de terrains vagues, et met une barbe à la haine ordinaire.

Processus décrit ici depuis belle lurette, processus pronostiqué par plusieurs policiers et préfets depuis quinze ans au moins ! Processus prouvé et vérifié chez ces terroristes condamnés l'an dernier à Marrakech et qui étaient passés en cinq ans du petit commerce de drogue à La Courneuve, à l'entraînement clandestin en Ardèche et en Afghanistan, jusqu'à leur tuerie marocaine. Ce processus n'étonne plus que quelques benêts de gauche détournés de son évidence par l'angélisme tiers-mondiste. Or, l'évidence explose aujourd'hui. La France entretient des zones de non-droit où les candidats au crime gravissent en champ clos toute l'échelle de la petite et moyenne délinquance. Sur le dernier barreau, un « barbu » se présente, leur procure une religion, un salut dans l'au-delà et le mode d'emploi de la quincaillerie terroriste. Les ponts sont jetés entre la folie algérienne et nos réservoirs de haine. Un mercenariat se constitue. On y puisera selon des humeurs et consignes venues d'ailleurs.

*

Colère de constater, une fois encore, les ravages criminels de l'imbécillité officielle qui laissa, par une immigration incontrôlée, se constituer de tels viviers ! Quels sarcasmes nous sont tombés dessus quand nous refusions de laisser au seul Le Pen le mérite, sur cette gangrène, d'un diagnostic exact, aussi entaché fût-il, d'une thérapeutique impensable ? Souvenons-nous des fantasmes de l'Elysée mitterrandien rêvassant d'une aménité pastorale à tous les étages d'une future Babel multiculturelle ? Quel gâchis pour la France !

Car l'erreur majeure fut – et reste – d'avoir découragé la biologie sociale lente et délicate de l'intégration en la noyant sous un flux irrépressible. D'avoir sous-estimé l'altérité culturelle et religieuse de l'immigration maghrébine, d'avoir sous-évalué par naïveté rationnelle le poids historique et encore irréductible de l'irrationnel exotique. On ne plaque pas, en un tournemain, nos mœurs et nos lois démocratiques sur une culture qui, de la famille à la mosquée, tourne le dos à toutes nos valeurs républicaines.

Nous concevons que l'illettrisme devienne, chez nos propres concitoyens, le poison de la démocratie ; nous savons que l'inconscience criminelle naît des prisons intimes de l'ignorance, et de la marginalisation culturelle, et nous voudrions que des hommes et des femmes, claquemurés dans leur différence, ne s'enragent pas dans les ghettos de la haine ? La Corse vit, sous nos yeux, en marge de la culture démocratique d'un Etat de droit, et nous voudrions que les immigrés maghrébins deviennent en deux générations des Normands ou des Auvergnats... C'est idiot !

Ce vivier terroriste, nous l'avons fabriqué par outrecuidance culturelle et impéritie. La police, si elle le peut, en coupera les branches. Mais pour en ôter les racines, nous devrons nous résigner à miser sur l'Ecole et sur le Temps.

(16 septembre 1995)

——— Rushdie

L'appel public de Khomeyni au meurtre de l'écrivain Salman Rushdie en pays étranger survient en deux contextes. Le premier tient à la médiatisation de toute l'affaire. A l'origine, un livre alambiqué, édité en Grande-Bretagne et qui n'est pas plus blasphématoire pour l'Islam que des centaines d'autres qui courent le monde. Par la vertu aléatoire du son et de l'image, ce roman rococo-philosophique au titre iconoclaste *(Les Versets sataniques)* enflamme, en quelques jours, de petites communautés intégristes du Pakistan. Puis Khomeyni saisit ce brandon et le jette, via quelques mots et un micro, devant toute la communauté islamique, laquelle, sans lire le livre, ne retiendra que l'offense à sa foi. Par bonheur, tous les musulmans ne sont pas intégristes – mais tous seront, à des degrés divers, affectés par le grossissement médiatique d'un outrage universellement publicisé.

La seconde nouveauté, préoccupante, de cet appel au meurtre est qu'il s'adresse, en réalité, à ces communautés nombreuses établies chez l'« adversaire ». C'est que nous autres, « Satans », sommes investis par une immigration où l'imam espère trouver les bras de son messianisme assassin.

Le sentiment premier des opinions européennes devant ce diktat sénile et médiéval, c'est un mélange d'indignation et d'accablement ahuri qui suggère, pour traiter Khomeyni, tantôt la tisane de fleur d'oranger, tantôt le commando de marines. Quant aux Etats, le rappel des ambassadeurs décidé à Bruxelles représente à leurs yeux une condamnation dont la principale vertu est d'avoir été unanime : mieux vaut, disent-ils, une condamnation modérée prononcée par tous que des réactions disparates. Ils auront eu raison. Car pour le vaste monde la simplicité unanime de la résolution européenne aura plus impressionné que la modestie de son contenu.

En France, on ne peut certes pas dire que nous en ayons trop fait ! Il a fallu attendre huit jours pour que François Mitterrand condamne, par bonheur assez fermement, « le fanatisme » (en général) comme « mal absolu ». Mais aucune grande voix ne s'est fait entendre pour exhiber, contre le délire sanguinaire iranien, nos fameux droits de l'homme béatifiés pourtant par le Bicentenaire, et dont on assaisonne à tout propos l'Afrique du Sud et Pinochet.

Le trait constant de notre diplomatie à l'égard des deux paranoïaques de la violence islamique – Khomeyni et Kadhafi – est, hélas, celui de l'acharnement diplomatique, comme on dit l'acharnement thérapeutique. Il y a longtemps déjà, nous finassions en Libye avant d'aller en Crète saluer Kadhafi, pour finalement lui faire la guerre au Tchad. Pendant des années, nous avons armé l'Irak tout en laissant, sous cape, l'armement Luchaire filer vers l'Iran. Notre grande idée, depuis, c'est de flirter avec les « modérés » dans l'illusion, toujours déçue, qu'un jour ou l'autre ils nous en sauront gré. Ainsi Roland Dumas s'en fut à Téhéran pour recevoir sur le nez le camouflet de l'affaire Naccache.

Notre seule excuse, c'est ce boulet des anciens otages qui nous a si longtemps paralysés, et la peur secrète du terrorisme qui nous paralyse encore. Mais de peur en peur, jusqu'où descendrons-nous ? Il s'est trouvé un ministre, Fauroux, pour souhaiter qu'on continue de commercer avec l'Iran alors même que Khomeyni avait lancé sur l'Europe son abominable menace. Péripétie, pour le ministre. « Point de détail », peut-être ?

En réalité, le meilleur service que nous puissions rendre aux modérés d'Iran, c'est de cesser de rentrer dans le jeu des Fous de Dieu. C'est que l'isolement de l'Iran rende la situation intenable pour Khomeyni. C'est que, dans l'Islam, nous cessions de caresser nos ennemis pour aider, plus que nous le faisons, nos amis arabes modérés : ils sont plus crédibles que nous pour conseiller, avec quelque autorité spirituelle, une lecture moins belliqueuse du Coran.

La France a deux défis historiques à relever : le défi européen et le défi arabe. Ils demandent l'un et l'autre moins de cautèle et plus de courage.

(27 février 1989)

Les enragés de nulle part

Devant l'éruption de violence de quelques communes de la grande banlieue lyonnaise, la classe politique est comme une poule devant un couteau. Hébétée, inhibée par des sentiments mêlés de culpabilité et d'impuissance. D'impuissance, car, dans ces communes-ci, déjà amochées en 1981 par de semblables tornades, beaucoup, justement, avait été entrepris pour améliorer l'habitat, la pénétration scolaire, la formation, l'assistance aux jeunes chômeurs, pour contrarier le sentiment d'enfermement urbain d'où surgissaient, disait-on, ces explosions. Alors quoi ?

En vérité, les défaillances de l'urbanisme, le chômage, l'échec scolaire, la déréliction des banlieues ne suffisent pas à expliquer ces crises de rage. Contre ces maux l'action publique peut beaucoup. Mais elle ne peut pas tout, avec ses seules forces, contre la déprime, la psychose, le vertige de ces jeunes Français issus d'une immigration jadis stupidement incontrôlée. Et trop massive pour pouvoir être intégrée en une génération.

Le vertige de ces jeunes beurs, c'est de se sentir entre deux planètes. D'avoir quitté celle de leurs pères, sans avoir trouvé les clés de la nôtre. C'est de vivre cette mue en oxygène raréfié, dans le bocal des banlieues. Vertige de déracinés, enragés de n'être nulle part, privés de toutes les appartenances qui rendent la vie « habitable ». Vertige de « sans foi ni loi » d'un nouveau type : sans la foi islamique de leurs pères, ni la loi de notre ordre marchand et républicain. Leurs familles éclatées ne dispensent plus leur rigide morale. Leur seule adhésion, c'est celle de la bande avec laquelle on chasse, de nuit, dans des jungles de béton, le long de tunnels de graffiti, sous les réverbères où le dealer planque sa poudre. Encore enfants, et déjà fanfarons dans les joutes de la petite délinquance : vandalisme, piratage de voitures, chapardage de magasins. Bref, ce qu'on appelle le « frein moral » est inexistant. Et pour cause : d'où viendrait-il sinon de quelques « modèles » – parental, religieux, scolaire, idéologique – lesquels sont tous ici en capilotade.

Politique, cette révolte ? Non, pas vraiment. Ou pas encore. Le Parti communiste, qui exerça ici une certaine influence bénéfique par son réseau associatif, est en voie d'extinction. L'intégrisme musulman ne s'est pas vraiment implanté. La révolte, quand elle éclate, est une révolte nue, sauvage. On casse pour casser, on saccage des magasins parce qu'ils vendent ce qu'on ne peut acheter. Et que ces magasins sont autant d'ambassades de l'empire qui resplendit à la télé, celui du fric, des bagnoles, des rockeuses en strass et des baskets à semelle pneumatique, un monde interdit par la barrière de l'argent et dont le flic est le chien de garde. La politique, on s'en fout, comme les adultes se foutent, ici, des élections. Si l'on croit jouer, dans la rue, une comédie politique, c'est celle de l'Intifada, des jeunes lanceurs de pierres palestiniens qu'on a vus aux journaux télévisés. Saddam Hussein ? On lui accorde quelques vivats, mais c'est surtout pour enquiquiner les flics. Même si on se sent ethniquement différent, même si l'on s'estime victime du « délit de sale gueule » dans les contrôles de police, on ne milite EN rien. SOS-Racisme ne fait pas un tabac. Que des militants venus d'ailleurs tentent un jour de récupérer cette révolte, c'est possible, et déjà probable dans la Seine-Saint-Denis ou à la Goutte-d'Or. Mais, à Vaulx-en-Velin, on n'en est pas (encore) là. Puisqu'on n'est encore de nulle part. Et que c'est, justement, dans ce « nulle part » qu'on attrape la haine comme d'autres attrapent la grippe.

Je ne vois pas là-dessus que la classe politique doive se couvrir la tête de cendre et sonner le tocsin. Je sais bien qu'il y a, en France, 400 cités comme Vaulx-en-Velin, qu'au moins dans la moitié d'entre elles le terrain y est plus miné encore, et que la police hésite à entrer dans quelques jungles urbaines de Marseille ou de

La Courneuve. Mais je sais aussi qu'on y respire pas encore comme dans le Bronx de New York ou le Watts de Los Angeles, que le ghetto n'y est pas encore vécu dans le même apartheid fatal, le même taux de criminalité, la même mortalité infantile, la même dépendance de la drogue. Déjà, les jeunes filles et jeunes femmes beurs, mieux scolarisées, montrent chez nous la voie – laïque – d'une intégration réussie.

Ce que peut faire la politique, c'est, en somme, de donner du temps au temps, d'ouvrir les seules voies évidentes de l'intégration que sont le Travail et l'Ecole. Je ne dis pas que c'est gagné : ce n'est pas gagné. Mais c'est le premier front intérieur qui vaille de mobiliser sans relâche l'idéologie républicaine. Ou ce qu'il en reste.

(15 octobre 1990)

Racismes

Aux Etats-Unis, faille béante entre Blancs et Noirs après le verdict du procès de O.J. Simpson ! Et chez nous, « sanctification » de Khaled Kelkal chez les plus exaltés des musulmans de France ! Rien, direz-vous, de commun entre un géant noir du sport américain inculpé du meurtre de son épouse, et un jeune beur lyonnais, passé de la délinquance au terrorisme. Rien en effet, sinon que l'affectivité d'une communauté – noire là-bas, arabo-musulmane ici – s'engouffre dans ces grandes tragédies publiques. Et qu'ici et là, la passion ethnique ou religieuse saccage la vertu consensuelle de la Justice.

Dans une communauté chauffée à blanc par une tragédie sous caméras, le sentiment écorché d'une identité retrouvée ruine celle de la plus vaste communauté nationale. Chez ses membres, elle établit insidieusement la double appartenance qu'exprimait cette jeune Noire de Los Angeles : « Vous sentez-vous américaine ? » et qui répondait : « Certains jours... » Réponse évasive que pourrait formuler tel beur qui se sent tantôt français, tantôt algérien.

Sans lire dans le marc de café, nous voyons bien qu'il nous faudra désormais redonner une place éminente au syndrome des races et croyances dans l'histoire éternelle des conflits. Outre le combustible des intérêts économiques, outre celui des grands foyers idéologiques – communisme, libéralisme –, il faut compter désormais avec le combustible renaissant des passions « tribales ». Est-ce que l'axe central de la politique mondiale sera bientôt le « conflit entre l'Occident et le reste du monde » ? Des Cassandre le croient qui observent que la médiatisation universelle intensifie la perception des différences de civilisation. On l'a bien vu avec le conflit de Palestine, avec la guerre d'Irak qui a réveillé – et bien au-delà des « pays frères » – le sentiment d'une « fraternité » dormante.

Mais sans porter le regard aussi loin, nous voyons que chez nous jamais les conflits d'intérêt, jamais la lutte de classes ne mirent en question le sentiment d'identité nationale comme le fait la seule immigration d'une minorité musulmane dévouée à sa foi dans une société qui perd la sienne. Dans notre ère du vide, Dieu fomente une revanche. Mais c'est un Dieu venu d'ailleurs. Et Mahomet est son prophète.

*

Revenons à cette scène : 150 millions d'Américains, à la même minute, figés dans les bureaux, les rues, les cafés, les voitures, les avions, l'œil ou l'oreille collés au verdict bâclé et stupéfiant après 13 mois du procès le plus médiatisé du siècle : « Simpson innocent ! » 150 millions d'Américains qui, comme « dans un énorme test de Rorschach », découvrent les abîmes de leur inconscient collectif : presque tous les Blancs indignés d'une parodie de justice et presque tous les Noirs jubilant à la revanche de l'Oncle Tom.

Car Simpson est un Noir à Rolls blanche. As du football, star de télé, marié à une Blanche, un Noir très « blanc » en somme, et parfaitement indifférent à la cause de ses frères de ghetto jusqu'à ce que... Car voilà que le procès du siècle, l'échauffement médiatique, une défense d'avocats vedettes va l'installer en « totem » de la fratrie noire. Ces preuves matérielles qui l'accablent vont voler en éclats sous la démonstration que le policier qui les présenta était un indiscutable « raciste » blanc. Peu importe, direz-vous, si la matérialité de la preuve parle d'elle-même. Vous aurez tout faux car neuf Noirs sur douze jurés n'ont vu, eux, que la main blanche et raciste qui les avait réunies. Rideau !

Pendant près de deux siècles, une même parodie de justice – celle de jurys blancs – a condamné des Noirs innocents. Et tout récemment encore, un de ces jurys acquittait un policier blanc que toute l'Amérique avait vu, sur ses écrans, tabasser à toute volée des Noirs jetés à terre. Où est la Justice dans cette braderie de verdicts claniques ? Nulle part ! Avec la fortune du milliardaire Simpson qui a monté, pour sa défense, ce chapiteau de cirque judiciaire, l'Amérique se paye son affaire Dreyfus. A suivre...

*

L'accueil de la communauté musulmane à la mort de Kelkal n'exhibe nullement, Dieu merci, un tel « apartheid » des esprits.

Mais le ver est dans le fruit. Evidemment, nul au pouvoir n'a ordonné de « liquider » Kelkal, tant sa « liquidation » desservait l'enquête. Et s'il n'avait, le premier, tiré sur les gendarmes, il serait utilement sous les verrous. Or cette évidence ne pénètre pas la partie « murée » de la communauté musulmane. Dans les fantasmes de sa fièvre, le bourreau devient victime, sinon héros. Et c'est sans surprise que nous voyons les clercs éternels de la mauvaise conscience occidentale participer à cet escamotage des vraies victimes, et Mme Mitterrand réserver au terrorisme les cierges et chrysanthèmes de la bigoterie tiers-mondiste.

En vérité, si notre société pourrit c'est, comme le poisson, par la tête. Par l'affaissement des convictions dans des valeurs qui nous firent ce que nous sommes encore. Nos défauts désormais sont nos seuls ennemis. Edgar Morin, fort justement, écrit qu'il nous faut retrouver, réenseigner, restaurer « une politique de civilisation ». Courage !

(14 octobre 1995)

Les possédés

Dans notre Europe depuis un demi-siècle pacifiée, le terrorisme irlandais, basque, corse éclabousse à nouveau de sang une révolte plus ou moins radicale contre l'État-nation. Des groupes d'activistes acharnés exacerbent, dans l'attentat et le meurtre, le sentiment lancinant d'une identité exaltée.

La violence de l'ETA basque et ses assassinats ciblés, ses enlèvements répétés diffèrent du terrorisme irlandais enclin aux bombes anonymes. L'un et l'autre se gardent des théâtralités latines de la violence corse, en fait plus redoutable pour les biens que pour les personnes, si l'on exclut les sempiternels règlements de compte des cagoulés corses entre eux. Mais les uns et les autres glissent sur une même pente vertigineuse par la propension du terrorisme à se pérenniser. D'où, alors qu'on croyait à la trêve, ce rejet rageur des concessions politiques consenties à l'Irlande du Nord, des espaces linguistiques, culturels et institutionnels ouverts aux Corses ou aux Basques, lesquels ont obtenu un statut dont se satisfont, dans la même Espagne, les Catalans. Ainsi, l'enragement de quelques centaines d'hommes résolus au pire défie-t-il la majorité démocratique. La terreur contre les urnes !

Sur l'homme terroriste, sur ces « possédés », quelques romanciers, depuis Dostoïevski, ainsi que des grands « flics » nous en apprennent plus que les politiques. Ils savent que le clandestin, a fortiori le terroriste, s'installe au fil des temps dans une vie périlleuse mais à ses yeux exaltante, que cette marginalité le coupe peu à peu des réalités politiques, qu'elle le décourage de revenir à la vie courante. Le plus pâle des « héros » de l'ombre ne réintègre pas sans mal la platitude d'une vie d'employé. Si bien qu'à l'ETA comme à l'IRA, on trouve des desperados, égarés dans la paranoïa de la violence extrême, qui comme les braqueurs du grand banditisme répugnent à « raccrocher ».

Ajoutons que la marginalité terroriste tend, par-dessus les frontières, à rapprocher des réseaux disparates. Les techniques des artificiers s'échangent entre ETA et IRA, et il leur arrive de recourir à de communes filières d'armes. Ils ne disposent plus de la logistique du Kremlin ou de feu l'Allemagne de l'Est, jadis intéressés à les manipuler. Mais les nouveaux Etats terroristes – Iran, Soudan, etc. – porteurs du messianisme islamiste trouvent là, comme récemment la Libye, des instruments propices à la déstabilisation des Etats démocratiques.

N'exagérons pas : il n'existe pas encore d'internationale terroriste puissante. Mais, en cette fin de siècle, le terrorisme, en Europe, apparaît bel et bien comme un virus tantôt dormant tantôt ravageur. La France a souffert l'an passé de l'effroyable incendie algérien. Elle n'est pas à l'abri de nouvelles flambées. Quant au million d'Espagnols lucides qui défilèrent, cette semaine, contre la frénésie basque, ils défendaient tout simplement leur jeune démocratie.

*

A l'heure de l'unification européenne, ces éruptions d'extrémisme fanatisé nous semblent archaïques, de même que les micronationalismes, les séparatismes, les irrédentismes qui en constituent le terreau. Mais c'est que nous imaginons, bien à tort, que notre continent vogue vers un universalisme apaisé. La mondialisation des échanges commerciaux et médiatiques, le prodigieux rétrécissement du monde n'ont pas détruit l'ancestrale agressivité des sociétés humaines.

On dirait plutôt, comme le soutient Régis Debray, que chaque ouverture au monde suscite, en réaction, un désir d'enracinement inverse. Chaque homogénéisation, un désir contraire de différences. La révolution rationaliste et mondialiste des techniques, l'envahissement mécaniste et électronique voient proliférer, chez nous, l'occultisme, les sectes, les idolâtries. La conversion générale et rapide à la démocratie de marché, le règne d'un économisme triomphant blesse le désir de solidarité affective. L'intégration économique produit la désintégration politique. Le souci de l'écologie, celui des solidarités locales et associatives proteste contre l'abstraction déshumanisée d'un marché planétaire.

Nous serions bien légers de sous-estimer cette rétraction diverse devant « l'américanisation de l'univers ». La grande affaire pour les Européens que nous sommes, c'est de pouvoir aborder et corriger, en notre faveur, une évolution inéluctable. De retrouver de nouvelles « appartenances », en haut avec l'Europe, en bas avec la région. L'Europe pour défendre à l'échelle du monde les intérêts collectifs de nos nations; la région pour humaniser notre vie de tous les jours. Les Français réapprennent dans leur ville, leur commune, leur région, leur province, l'exercice d'une démocratie de proximité que notre centralisme étatique désespère. C'est d'elle, et non de Paris, qu'on peut attendre, aujourd'hui, le respect retrouvé de la citoyenneté.

(24 février 1996)

——— La Corse au fil de l'eau

Seigneur, qu'a donc dit Barre pour faire gémir les Tartuffes du Tout-Etat ? Il dit qu'en Corse le roi est nu, et l'Etat français en caleçon. Tout le monde le voit et le sait. Mais l'aréopage des autruches reçoit ces vérités comme autant de flèches dans le croupion. Pour elles, il n'y a pas, pensez donc, de « mauvaise graisse » dans la fonction publique. Et, devant la Corse ruinée, leur conseil c'est que la République bonne fille, puis fille publique, continue de vider sa tirelire pour les « machos » de l'île de Beauté. A l'opinion qui s'alarme, on répondra comme le valet de la chanson, téléphonant depuis le château qui flambe : « A part ça, tout va très bien, Madame la Marquise... »

Barre croit, comme tout le monde, qu'une forte majorité de Corses récuse l'indépendance. Mais pour les inciter à quitter une apathie complice, pour rompre avec l' « omerta » qui flotte sur l'île, il lance cette pique : « Si les Corses veulent leur indépendance, qu'ils la prennent ! » Simple façon de dire que leur tragi-comédie commence de fatiguer le « continent ». Alors, mes amis, quel scandale ! Les caciques corses enfilent toges et cothurnes pour exhiber une dignité antique outragée, et chanter le tribut de l'île à la gloire de l'empire romain, de l'empire napoléonien, de l'empire colonial, bref de la France éternelle. Très bien, bravo ! Mais ce n'est pas la question. La question, la voici : quelle autonomie la République peut-elle consentir à la « différence » corse sans prolonger la guignolade où elle réduit l'Etat de Droit, ses magistrats et ses policiers ?

*

Car la « différence » corse est bien là et il faut s'en arranger. L'autonomisme s'enterre, s'enkyste et s'encagoule hors la loi. Il est, malgré sa faiblesse électorale, plus implanté qu'on ne dit. Pour trois fortes raisons : d'abord parce qu'il rencontre un Etat faible. Ensuite parce qu'il dispose de militants résolus et armés. Enfin parce qu'une majorité de Corses, par solidarité insulaire, se montrent incapables d'aider l'Etat à imposer la loi écrite de la République.

La « différence » corse n'éclate pas seulement dans la marée des attentats et plasticages, dans les pactes clandestins des factions autonomistes et du banditisme. Elle s'affiche aussi dans le clientélisme, le niveau de la fraude fiscale, le trafic des monopoles, le record des faux pensionnés, des faux invalides, des subventions en tous genres, sans compter les vaches fantômes inscrites à l'abreuvoir de Bruxelles. Elle se déploie dans l'anarchie indolente des réseaux claniques où l'on n'obéit qu'au code immémorial du non-écrit.

De ce mal d'être, les élus corses accusent les contraintes économiques de l'insularité et les défaillances du pouvoir prétendument « colonial ». Mais, en vérité, ce sont les Corses qui, souvent, se voient eux-mêmes en « colonisés » et agissent en assistés toujours insatisfaits. Ils cultivent, en fait, dans cette revendication économique exacerbée, un alibi pour masquer le fardeau de leur exception culturelle et historique. Celle qu'instillèrent, en deux mille ans, une douzaine de dominations étrangères, et de lourdes périodes d'anarchie. Dans cette île où l'on s'acharne à rester, où l'on s'acharne à partir, entre les myrtes et les tours de guet génoises, l'Histoire, au fil des siècles, a infusé de ténébreux secrets, envies et violences, avec l'honneur au bout des lèvres quand ce n'est pas au bout du fusil.

Paris n'a pas plus converti le Corse que Rome n'a converti le Sarde ou le Sicilien. Le soleil jacobin n'a jamais franchi les volets clos de la méfiance insulaire, les murets de ses étranges cimetières où la majesté des morts écrase les vivants, jamais compris non plus la souffrance de ses émigrants, la sombre noblesse de ses cœurs, jamais déchiffré sous les mandolinades du tourisme, la nostalgie de ses racines de sel et de cendres.

Passe encore quand la nation française offrait aux Corses un drapeau, un rêve, le grand large d'Afrique, les uniformes de la Gendarmerie ou de la Douane ! La Corse avait alors Napoléon pour la grandeur, Colomba pour la légende et Tino Rossi pour le folklore.

C'est aujourd'hui bien fini ! Même la Douane est en peau de chagrin... ! Alors les vraies racines se découvrent à vif : noueuses, écorchées.

Devant le déclin du pouvoir et des prestiges de la République, la plupart des Corses s'enferment dans un scepticisme amer. Ils écoutent vaguement la rumeur des discours parisiens tombant dans un hémicycle dépeuplé, ces histoires de valises de billets de banque où l'on respire l'éternelle collusion des politiques – les anciens comme les nouveaux – avec la corruption souterraine. Un cadenas sur la langue, nulle majorité ne fut plus silencieuse. Le voisin italien, grand parrain de la région – *mare nostra*, *cosa nostra* –, attend ces bizarres « zones franches » promises par Paris pour se déployer à son aise. Alain Juppé, lui, a promis la fermeté sans trop savoir s'il peut y croire. Entre Paris et Ajaccio, c'est l'usure des désamours.

Barre a raison : le peuple corse se lasse vaguement d'une nation qui ne le comprend pas. Mais le peuple français se lasse d'une Corse exotique et rétive. Les volontés s'émoussent. Le destin, au fil de l'eau, n'a plus de maîtres.

(1er juin 1996)

16. NOTRE EUROPE

Il n'y a pas de « non » tranquille

Les partisans, fort hétéroclites, du non au Traité de Maastricht s'affirment tranquilles comme Baptiste : leur non, disent-ils, ne troublera pas l'harmonie des nations européennes. Ils trouvent notre « catastrophisme » ridicule. Je trouve leur optimisme léger.

Je crois, en effet, que si la France, fille aînée de l'Europe communautaire, se dérobe soudain à une vocation qui inspire depuis l'après-guerre toute sa politique étrangère, l'affaire constituera une rupture décisive, et non un simple coup de canif dans le contrat européen. Je crois qu'un pays comme le nôtre n'est plus, en cette fin de siècle, une chambre stérile où le bistouri du non pourrait opérer sans risques. Toute l'imbrication politique, économique, technologique, médiatique des nations développées d'Europe dément cette vision momifiée. Bref, si l'on pense qu'un ami va se ruiner, il ne faut pas craindre de lui crier casse-cou. Va donc pour le « catastrophisme », s'il est de bon aloi !

*

Qu'un peuple juge un traité n'est pas ordinaire. Et on ne s'étonnera pas que beaucoup l'approchent de travers. Ce traité obéit à deux considérations maîtresses : la première est de rapprocher par compromis des intérêts divergents ; la seconde est de faire de ce compromis un chapitre de plus au grand livre historique de l'Europe future que nos nations écrivent depuis quarante ans. Il n'est nullement un parchemin que l'on puisse isoler du partenariat dont il est le fruit, ou du dessein historique dans lequel il s'inscrit.

L'erreur des optimistes tranquilles du non, c'est justement d'oublier et le partenariat et l'Histoire. Quand il s'agit d'Europe, figurez-vous, nous ne sommes pas seuls... Imagine-t-on ainsi que nos partenaires ralliés au compromis de Maastricht seraient prêts à le renégocier pour nous complaire ? Que, par exemple, les Allemands, dont le mark florissant a beaucoup concédé pour la monnaie unique, renouvelleraient leurs concessions ? Allons donc ! Ils reprendraient leurs billes. Il est, de même, démagogique de faire croire que ce traité filandreux soit l'œuvre de scribouillards soucieux d'y cacher des chausse-trappes où s'engloutiraient nos intérêts nationaux. Tous les traités sont du même tabac : ils découragent la lecture profane parce qu'ils épousent les méandres du compromis et protègent, au contraire, avec le jargon idoine, les intérêts des contractants.

C'est, de même, abuser les esprits frustes que d'instruire contre la Commission de Bruxelles un procès en sorcellerie. On lui reproche ainsi, à bon droit, une technocratie proliférante. Mais voyez : pourquoi ne pas dire aussitôt que, justement, Maastricht s'emploie à corriger son déficit démocratique ? Etrange rhétorique que d'exhiber la défaillance pour refuser le remède !

On ne peut, de même, reprocher à l'Europe son impuissance extérieure en Yougoslavie, les déchets allemands dans nos décharges, et refuser avec Maastricht une concertation accélérée de nos politiques étrangères et d'environnement. Les mêmes qui protestent que l'Europe en fait trop protestent soudain qu'elle n'en fait pas assez... Là-dessus, Le Pen est plus cohérent que Séguin : notre druide nationaliste refuse l'Europe communautaire, ses pompes et ses œuvres. Au moins, c'est clair. Il ne nous endort pas avec le mythe d'une « autre Europe ». Europe introuvable, en vérité, et que la France ne pourrait négocier qu'avec son nombril.

*

C'est parce que le traité est aussi un maillon dans la longue chaîne de l'espérance européenne qu'il est vain de penser qu'un non à Maastricht ne serait pas reçu comme un non à l'Europe. Comment imaginer qu'un vote négatif de notre pays ne ferait pas onde de choc ? Et que d'autres peuples ne se mêleraient pas, en réaction, de faire entendre leur différence nationale, sinon nationaliste ? Déjà, par le simple effet délétère de la campagne, il se lève entre la France et l'Allemagne de mauvais brouillards. Croit-on que l'histoire des peuples soit à jamais délivrée de ces fermentations troubles qui commencent en méfiances et finissent en conflits ?

La Communauté est imparfaite, mais a-t-on songé à ce que serait notre continent si elle n'avait eu pour vertu première de faire asseoir à la même table des nations séculairement divisées ? Veut-on d'une Europe à nouveau parcellisée, maintenue sous tutelle stratégique et économique américaine et que dominera de sa masse le bloc germanophone ? Veut-on d'une France, déjà privée depuis la chute de l'Europe soviétique de ses atouts stratégiques, d'une France marginalisée, « portugalisée » (de Gaulle dixit), et qui affronterait seule les tempêtes à venir ?

Oui, le traité de Maastricht est imparfait ; oui, ce vote décisif s'organise dans les sentines d'un pouvoir moribond. Oui, tout concourt – la stagnation économique, Mitterrand, les passions – pour que la France perde ses nerfs et renie ce qui lui reste d'atouts. Tout, sauf un coup d'œil au passé pour se rappeler, et un coup d'œil au futur pour oser.

(5 septembre 1992)

Pour que l'Europe mûrisse

Devant le flot du non qui charrie tant de refus disparates – non à Mitterrand, non à la récession, non à l'Europe, non à Maastricht – faut-il, en partisan du oui, regretter la facilité qu'eût offerte l'acquiescement assuré du Parlement ? Non ! Il fallait bien qu'un jour les Français affrontent cette grande querelle. Certes, la sérénité du vote sera minée par la décomposition du pouvoir : seul Mitterrand eût dissipé ce handicap en annonçant avant le scrutin qu'un oui, en le comblant, abrégerait son mandat pour lui faire une retraite historique. Mais, désormais, les dés roulent. Quoi qu'il advienne, le monde retiendra que la France aura été la première grande nation où un peuple aura librement choisi – ou refusé – l'Europe. Chaque électeur devrait méditer la gravité de ce choix.

*

Le principal argument du oui se fonde sur une évaluation comparée des conséquences : le oui est prudent ; le non ne l'est pas. Le oui laisse ouvertes plusieurs voies pour la future Europe. Il n'engage pas sans retour, comme on l'entend dire, les nations dans une voie fédérale : demandez-vous simplement combien, parmi les Douze, l'eussent avalisée... L'avancée majeure, celle de la monnaie unique, se réglera elle-même au gré de sa pratique. Déjà, les conditions d'accès à l'écu distinguent, entre eux, les pays qui seront de ce « club » et les autres : rien, dans cette configuration, qui évoque une mécanique coercitive, et qui ferait marcher les Douze au même pas. Au contraire, on n'y voit qu'un Meccano évolutif. On peut dire oui en pensant « oui mais ». Car le « mais » reste réaliste.

Il le sera d'autant plus que nul ne pourra ignorer les réticences du non, telles qu'elles s'expriment déjà, en écho à la campagne française, et sur tout le continent. La Commission y aura largement perçu sa mauvaise image technocratique, et les Parlements nationaux, l'obligation de corriger ce déficit démocratique, comme justement le texte le prévoit. En somme, ce traité – qui n'est pas en ciment armé – peut fort bien digérer ce qu'il y a de sensé dans les réserves de ses adversaires.

Je ne vois pas que cette latitude puisse être accordée au « non ». Certes, en théorie, rien ne s'y oppose. Et l'on peut faire accroire que le refus français enclencherait, sous l'œil bénin de nos partenaires, une révision tranquille. Je n'en crois rien. Car les dirigeants et les peuples d'Europe ne jugeront pas le non français avec des besicles de juriste. Ils le verront comme le brutal décrochage de la France, première locomotive du train européen. L'édifice communautaire s'effondrera lentement, comme un soufflé passé au froid. Face aux démembrements de l'Est, à la tourmente économique, aux pressions américaine et asiatique, nos nations renoueront avec la mauvaise stratégie des solitaires, celle des Curiaces. Dans ce chacun-pour-soi, la France a, aujourd'hui, beaucoup à perdre.

*

L'Histoire nous a appris à redouter les grands mots. On n'abusera donc pas ici du clairon pour entonner l'exaltante épopée de l'Europe nouvelle. J'y vois bien la seule espérance disponible pour une jeunesse sans rêves. Mais en Europe la petite fille Espérance pousse encore son cerceau, et l'essentiel est que le cerceau ne tombe pas. C'est pourquoi le cheminement, d'abord économique, puis monétaire, de l'Europe me paraît toujours plus avisé que des emballements fervents qui feraient tout capoter. Or, justement, Maastricht les évite.

En revanche, je n'entends pas sans inquiétude résonner dans l'autre camp les clairons nationalistes. Je ne vois pas sans crainte accabler de « cosmopolites » et de « technocrates apatrides » tous ceux qui se font, dans le même amour de la France, une autre idée de son destin.

La vérité, c'est que l'idée de nation est, chez nous, en crise. Malade de l'incivisme, de la peste d'ignorance, mais plus sûrement encore de l'effondrement des structures rurales et bourgeoises, du « cosmopolitisme » accéléré du commerce, des médias et des techniques. La vieille idée de nation est bousculée par le monde moderne, qui jette à bas son ancien habitacle, ses symboles et ses repères. On ne les rétablira pas à coups de nostalgie. La nation est à repenser, mais non à restaurer dans ses anciens apanages. Or, on respire trop de « passé » dans le camp du non, trop de vieillot et de renfermé, trop de « petite soupe au coin du petit feu », comme disait de Gaulle, trop de lignes Maginot, trop de peurs lâchées en meutes sur trop de boucs émissaires, avec trop d'arguments en bandes molletières, et trop de Jeanne d'Arc et de Napoléon en carton dans les musettes.

Je tombe par hasard sur cet excellent jugement de Musil : « Notre époque se réfugie dans n'importe quel passé pour y retrouver la fleur bleue d'une sécurité perdue. Cette démarche sans courage ne s'impose pas. L'état actuel de l'esprit européen n'est pas la décadence, mais une transition encore en cours. Non pas un excès, mais une insuffisante maturité. » Le oui, c'est simplement pour que l'Europe mûrisse.

(12 septembre 1992)

La tentation nationaliste

La confiance dans la construction européenne et son socle franco-allemand reste bien le credo de la France. Mais on sent pour la première fois percer chez nous (Chevènement, Pasqua, etc.) la rêverie d'une politique alternative, d'une politique plus nationale, déliée, en somme, de sa détermination communautaire.

Ce qui nourrit cette tentation nationaliste, c'est le pessimisme historique. Voici ce qu'il murmure : devant l'incertitude de l'avenir soviétique et balkanique, devant la certitude de la renaissance d'une Grande Allemagne, le mieux, pour nous, Français, serait de ne pas miser de vains espoirs sur l'intégration politique d'une Communauté en péril ; ce serait de regagner le pré carré national, d'y conforter notre Maginot nucléaire et de constituer avec Londres et Moscou un trépied (entre nous, bien bancal !) qui ferait équilibre à une puissance germanique menaçante.

Ce diagnostic repose sur l'usage – abusif – de deux grands « théorèmes » historiques. Le premier est que la fin de l'empire communiste provoquera dans notre continent les mêmes ravages incontrôlables que, jadis, la fin de l'Empire ottoman ou la fin de l'Empire austro-hongrois. Le second est que le peuple allemand sera inéluctablement entraîné à l'excès par une sorte de fatalité de puissance qu'on ne sait quel Wotan aurait inscrite dans son destin.

Cette vision d'un avenir décliné au futur antérieur, parrainé par la conviction forte et obscure que l'Histoire est toujours tragique, je la crois périlleuse. D'abord, elle concourt à installer chez nous – et comme par prétérition – le germe d'un mal que nous redoutons chez autrui : celui de la crispation nationale. Et, surtout, elle n'offre pas l'alternative qu'elle prétend instaurer : une France moins

« européenne » ne contiendrait pas mieux – en vérité, moins bien ! – l'inéluctable émergence de la puissance allemande. Si nous laissions parler notre raison plus fort que des réflexes ataviques, nous constaterions que l'unité prochaine du peuple allemand est *naturelle*, qu'elle est, en RDA, le vœu de libertés reconquises par une révolution calme et démocratique, que la puissance économique de la RFA résulte de son travail et de son talent industriel, et que la jalousie de mauvais aloi que nous éprouvons pour le meilleur élève économique de la classe européenne reste, chez nous, une composante malsaine de la tentation nationaliste.

Notre politique extérieure n'en est pas, Dieu merci, encore gangrenée. Mais plusieurs coups de canif ont été donnés à l'euphorie franco-allemande. D'abord, nous avons manqué l'occasion de nous réjouir, en amis, fortement et simplement de la chute du Mur, l'événement le plus émouvant pour le peuple allemand depuis la guerre. Nous avons, au contraire, paru, dans le voyage de Mitterrand en RDA, vouloir « marquer Kohl » tout en donnant aux communistes provisoires de Berlin-Est la caution inutile d'une poignée de main. La rencontre, à Kiev, de Mitterrand et Gorbatchev a donné aux Allemands le sentiment que nous caressions vaguement le rêve nostalgique du barrage franco-russe pour contenir le flot de l'unité germanique.

Tout cela n'est pas encore bien grave. Kohl et Mitterrand s'en sont expliqués à Latche pour cautériser les malentendus. Tant mieux !

Naturellement, nous savons que l'arrogance allemande dans le champ économique et monétaire égale notre propre jactance d'Astérix à décréter à tous vents le beau et le bien démocratiques. Il faudra se faire à leur ton sans être impressionnés. Nous savons aussi que nous devrons tenir bon sur Oder-Neisse, et que la presse populaire allemande, volontiers sarcastique pour la France, ne nous aidera pas.

Mais il faut garder ses nerfs. Une Allemagne démocratique puissante, tant qu'elle reste démocratique et « conviviale », est un atout pour notre Europe, et non le contraire. Il ne nous est certes pas interdit, pour équilibrer le ballant allemand, de cultiver l'amitié latine et de partager les soucis britanniques, mais pourvu que ce soit au sein de l'Europe communautaire. Elle reste le seul levier puissant de pression diplomatique et économique devant Gorbatchev, les Etats-Unis ou le Japon.

Le jour où Moscou proposera le retrait de ses troupes en RDA en échange d'une neutralisation de la Grande Allemagne, ce n'est pas une France nationaliste et ronchonneuse qui fera le poids contre un éventuel vertige allemand. L'Europe des Douze a fait ses preuves ; l'amitié franco-allemande, aussi. L'une et l'autre peuvent et doivent surmonter les dépressions nerveuses qui accompagnent, disent les « psy », tous les grands déménagements.

(29 janvier 1990)

——— Le désir d'Europe

A considérer les programmes des trois premiers candidats à la présidentielle, et plus encore les comportements de l'électorat peints par sondages successifs, on peut d'ores et déjà observer une tendance lourde qui n'était pas, il y a seulement quelques mois, si évidente. Et c'est que la campagne électorale n'a pas jeté l'Europe aux orties. Entre les programmes des trois présidentiables crédibles – Chirac, Balladur, Jospin – on trouverait certes sur le chapitre européen des nuances – plus ou moins de flou, plus ou moins d'ardeur –, mais rien qui prétende enrayer la lourde, lente mais puissante gestation de l'Europe communautaire. Ainsi l'évaluation de délais différents pour l'accession à la monnaie unique n'a que peu d'importance : l'essentiel c'est qu'aucun des grands candidats ne songe à refuser le processus. Chirac qui, dans un premier temps, avait avancé là-dessus l'hypothèse incongrue d'un référendum y a renoncé. Et, surtout, aucun des trois grands candidats ne remet en question la priorité de l'axe franco-allemand.

Pour apprécier à sa juste portée cette constance européenne, il faut se rappeler les doutes que le « non » à Maastricht (48,95 %) avait semés chez nous, et plus encore chez nos partenaires, quant à notre résolution. Et l'on découvre que, dans ce scrutin référendaire, la réponse hors sujet d'un « non » à Mitterrand avait sans doute exagérément chargé la barque du refus européen. Toujours est-il qu'aucun des trois grands n'a, cette fois-ci, songé, dans cette campagne, à exploiter le filon de la rétraction nationaliste dont on aura surestimé la faveur publique. Pour jouer du clairon de l'anti-Maastricht, on trouve désormais Hue, Le Pen et Villiers. Mais Séguin, dans le camp de Chirac, et Pasqua, dans celui de Balladur, ont accepté de participer au concert symphonique européen.

Que Chirac et Balladur se montrent plus prudents que les fervents europhiles, n'indique pas un changement de cap. Mais seulement la juste conscience que la construction européenne, en passant de l'économique au politique, aborde un parcours trop délicat pour tolérer des excès de vitesse. Et l'on ne comptera pas pour rien l'influence qu'exercera, du haut de sa sage distance, le trio très européen des grands « absents » – VGE, Barre et Delors – si d'aventure le cap se perdait dans les tempêtes prévisibles des prochains mois.

Cette direction confirmée, réaliste et contrôlée de notre politique européenne – telle que l'exprime, par exemple, Juppé – est une bonne nouvelle qu'on aurait tort de tenir pour un simple ressort de politique étrangère. Elle commande, en fait, toute la politique. Accepter l'Europe, c'est accepter le monde tel qu'il est. C'est confirmer la défense du franc fort qui n'est pas, comme le suggère une raillerie expéditive, celle de « Francfort ». Mais tout bonnement celle d'une nation qui repousse l'éternel élixir nationaliste et protectionniste des temps de renoncement. Il est heureux que la France paraisse refuser, avec le décrochage inflationniste, ce que de Gaulle appelait le risque de son isolement.

*

Engagement lourd de conséquences. L'Europe communautaire ne crée pas seulement la solidarité nécessaire à une nation de notre dimension pour affronter les défis économiques de l'Asie, la dislocation périlleuse de l'Est européen ou les menaces du fondamentalisme islamique : elle crée des obligations de bonne conduite intérieure. Pour se maintenir dans le train européen, et a fortiori dans sa motrice franco-allemande, la France n'est pas au bout de ses peines. Elle dispose certes des atouts d'une machine industrielle puissante et rénovée, d'une forte capacité exportatrice, et d'un peuple inventif. Mais elle souffre aussi de maux exceptionnels : un taux de chômage ravageur, un dépérissement de la discipline civique, une crispation sur des privilèges de l'Etat-providence intenables dans le monde moderne, une fiscalité archaïque, une moralité publique défoncée par la chienlit des magouilles, sans compter l'antique propension gauloise à la dispute clanique ou catégorielle.

*

Aussi bien, à un mois de l'élection, on peut se réjouir sans mélange qu'elle paraisse écarter, dans un climat si défaisant, la tentation démagogique ou populiste. Mais le vrai moment de vérité viendra très vite après l'élection. Et selon que le nouvel élu, dans les six premiers mois de son état de grâce, aura pu ou non arracher la nation à des vertiges inquiétants.

(25 mars 1995)

L'Europe des « guides »

Pour nos vieilles démocraties embarquées dans un monde qui bouge plus vite qu'elles, le lancement – ou le naufrage – de l'Europe politique sera l'affaire décisive du changement de siècle. Que cet enjeu magistral demeure « hors de l'influence directe et journalière des peuples », on le déplore. Mais en vain ! Car la politique étrangère veut une vision, une durée et un secret encore inconcevables sur la place publique. Sans doute le forum populaire pèse-t-il sur elle plus que jadis, mais tant que la démocratie directe nous est épargnée, elle demeure dans le domaine réservé des princes élus. Ces temps-ci, une vogue démagogue voudrait que ce fût un mal. S'agissant de l'Europe, je crois que c'est un bien.

C'est dans les ruines de la dernière guerre, et contre le ressentiment naturel des peuples, que de Gaulle et Adenauer ont ancré la France et l'Allemagne dans une alliance sur laquelle une séquelle d'architectes maçonnèrent l'Europe communautaire. Un demi-siècle plus tard, le couple franco-allemand commande, de fait, tout l'avenir de l'édifice européen. Qu'il laisse distendre ses liens et l'Europe se retrouvera exposée à la division de nations diminuées devant les aléas éternels de la guerre et de la paix. D'ores et déjà, aucun des prochains rendez-vous annoncés de la machinerie européenne n'est assuré de succès, si se déglingue la relation franco-allemande.

Car la saine évidence se répand que si une Europe à quinze, à vingt, à trente peut – mais dans quel lointain ? – réduire les criantes disparités de ses nations, l'Europe politique sera morte et enterrée bien avant que la Grèce chante en chœur avec le Benelux. Personne, en vérité, n'en doute plus : pour éviter l'enlisement, la France et l'Allemagne doivent redonner le branle. D'ailleurs, l'épreuve-test où elles seront bientôt jugées, c'est la monnaie unique. Révolution qui proclamerait, à la face du monde, la naissance d'une nouvelle entité géante.

Hélas, à mesure que l'obstacle s'approche, les réticences s'accroissent : délais trop courts, dit-on, et critères trop contraignants. Derrière ces objections naturelles, qu'avive le marasme de l'emploi, c'est le poids identitaire des deux nations qui résiste, lourd héritage, pesant trésor culturel enfanté par l'Histoire et la Géographie, et qui donne, aux Gaulois et aux Germains, des yeux et des oreilles distinctes pour comprendre le monde et agir sur lui.

Vous voyez ainsi quelles pratiques différentes inspirent à nos deux peuples empêtrés dans les glus de l'Etat-providence, chez eux les recettes réformistes de la cogestion et chez nous les à-coups des blocages et des emplâtres étatiques. Mais il y a plus encore : les Allemands ont le sentiment que leur richesse acquise, depuis la guerre, par le travail et les sacrifices est tout entière contenue dans le mark. Ils se disent : « Davantage d'Europe, soit ! Mais noyer le mark dans l'euro, n'est-ce pas lâcher la proie pour l'ombre ? »

Contre ce défaitisme croissant, les ultimes atouts de la monnaie unique, ce sont d'abord et encore les hommes de pouvoir. En Allemagne, Kohl, visionnaire européen, sait qu'enterrer l'échéance, c'est enterrer le projet et, avec lui, la grande espérance européenne. En France, Chirac ne fut si gaullien dans l'achèvement des essais nucléaires que pour mieux proclamer un engagement européen, jadis chez lui réputé fragile, et faire enfin évoluer le dogme gaulliste sur l'Otan. Cette évolution rapproche, sur le point cardinal de la sécurité, les deux pays : l'Allemagne voit avec plaisir la France rejoindre son vœu d'un pilier européen de la défense bien arrimé aux Etats-Unis, et la France constate, dans le même temps, que l'Allemagne, pour un programme concerté d'observation spatiale, a su résister aux pressions américaines. Ainsi, vers une idée de l'Europe de défense aussi fermement inscrite dans l'espace atlantique que soucieuse d'y conquérir ses aises, les deux pays ont fait chacun du chemin. Ce n'est pas rien !

Ensuite, la montée du chômage outre-Rhin incite les Allemands à méditer sur les périls futurs d'un mark fort mais solitaire. Que l'espérance de la monnaie unique disparaisse et les marchés, en effet, feront monter le mark jusqu'à exténuer l'économie allemande face au dollar, avec le risque parallèle que la France rejoigne la Grande-Bretagne ou l'Italie dans le cycle des dévaluations dites compétitives.

Conclusion : la France et l'Allemagne ont besoin d'un geste éminemment politique, pour conjurer les atermoiements, puis la débandade. Ce peut être, comme il est suggéré, des deux côtés du Rhin, par l'établissement d'une parité fixe du mark et du franc, lequel vient de montrer, lors de notre décembre noir, qu'il pouvait résister à une grave crise sociale. Ce peut être aussi quelque autre geste d'une même portée pratique et symbolique. Mais il y en a peu. Et il est temps d'arracher les mauvais présages qui poussent comme le chiendent.

(10 février 1996)

La Suisse n'est plus ce qu'elle était

Le « non » de la Suisse à l'Europe laissera des traces. Pourquoi ? Parce que la Suisse occupe une place à part dans l'imaginaire européen, à cause de son niveau de vie – le plus élevé du continent ; à cause de sa tradition de neutralité et d'asile : à cause de la réputation de sagesse démocratique de son peuple. A cause, enfin, du trouble mystère de ses banques. En France, grâce aux fameux comptes en Suisse qui mêlaient, au temps du contrôle des changes, la vertu d'épargne et le péché d'illégalité, la Suisse constituait un des jardins secrets de l'idéal bourgeois. Est-ce qu'il faut parler de cette Suisse-là au passé ? Non, car rien ne change en un jour. Mais oui tout de même, car la Suisse n'est déjà plus ce qu'elle était.

Le « non » de la Suisse s'inscrit dans ce mouvement d'opinion qui, de Copenhague à Paris, désavoue ses élites et renâcle devant une Europe nouvelle. Rétraction de vieux peuples très enracinés dans leur histoire et que le grand dessein communautaire, la mondialisation des échanges, et d'ailleurs toutes sortes de modernités troublent et angoissent. Devant les grands courants d'air de l'histoire, leur réflexe est d'abord de se claquemurer. Il y a dans ce repli beaucoup d'inconscience sur l'état du monde. Le « non » de la Suisse est d'abord le « non » de la Suisse profonde, celui de Guillaume Tell, le « nein » de l'arbalète au siècle des missiles.

Pour les pouvoirs français et allemand, qui tentent vaille que vaille, en ce moment même, à Edimbourg de désembourber l'Europe communautaire, la rétraction suisse ne fera pas de grosses vagues. On se dit que les Helvètes, premiers punis par leur vote, changeront un jour d'avis sous l'empire de la nécessité. Mais il reste que ce « non », venant après bien d'autres, est un symptôme de plus d'une Europe en rechute.

Pour les Suisses, l'affaire sera plus dommageable. D'abord parce que leur économie, déjà patraque, en souffrira ; leurs grosses industries investiront de plus en plus hors de Suisse, et Zurich et Genève attireront moins les grands sièges internationaux. Mais il y a plus, car ce vote marque une fêlure effrayante entre les Suisses francophones, qui ont voté « oui » en moyenne à 72,4 %, et les deux autres communautés – germanophone et italophone – qui ont voté « non » à 61,6 %. On n'en déduira pas que la Suisse va éclater : les Suisses ne sont pas des Libanais, ils ont tous des fusils mais ils ne s'en servent que le dimanche matin dans les sociétés de tir.

Il reste que le ciment qui fait tenir ensemble trois communautés linguistiques qui se comprennent de moins en moins s'en trouve lézardé : ce ciment, c'est le patriotisme – mais il est en baisse dans la jeunesse –, c'est un civisme resserré par un service militaire contraignant – mais il est lui-même de plus en plus contesté. C'est enfin la recherche assidue d'un consensus national. C'est tout cela qui se trouve affecté par cette blessure qui rappelle désormais, par certains traits, la difficulté de cohabitation des Wallons et des Flamands en Belgique.

Moralité : par ce vote, la Suisse tourne le dos à ses voisins pour affirmer son identité nationale. Mais par ce même vote, c'est justement cette identité-là qui entre en crise.

(12 décembre 1992)

Europe : la dépression du homard

Pauvre Europe, patraque à l'Ouest, pantelante à l'Est ! Vieux continent en rechute qui donne le sentiment qu'un Histoire gâteuse bredouille vaguement d'anciens malheurs. Chez ses peuples de l'Ouest s'installe une dépression économique qui n'en finit pas ; un abaissement civique ; un découragement étourdi. Et, à l'Est de l'Europe, dans sa banlieue des pauvres, dans ses Balkans rongés de haines fatidiques s'installe la guerre serbo-bosniaque qui menace de s'étendre ! Une guerre qui proclame à la face du monde que sur notre continent, grand prêcheur universel des droits de l'homme, les pires barbaries peuvent encore se perpétrer. Voici revenu ce spectre maudit qui reproduit, à Sarajevo, la face hideuse de Guernica !

Notre Europe à nous, bien qu'endurcie par sa consommation quotidienne de souffrances télévisuelles, s'en émeut vaguement. Mais elle remâche son impuissance. Nos nations n'ont plus le bras long. Et l'Europe communautaire, si elle a déjà un ventre, n'a encore ni pinces ni défenses. Tel le homard, dans la métaphore de Françoise Dolto, qui, dans sa mue, entre la carapace qu'il vient de perdre et celle qu'il n'a pas encore trouvée, cache comme il peut ses chairs délicates, l'Europe des Douze rampe et dérive en attendant des jours meilleurs. Elle n'a que trop tergiversé pour contenir la gangrène balkanique. Et elle patauge pour parfaire son grand œuvre communautaire, qui, justement, lui eût donné la capacité d'agir. Sa course se « désunit », comme celle d'un athlète épuisé. En cette mauvaise passe, le médiocre sommet européen d'Edimbourg n'aura eu pour vertu que de préserver un édifice branlant. Mais à quel prix ! Ce replâtrage permet, dira-t-on, de gagner du temps ; de financer la poursuite de l'ouvrage. Mais, dans ce pâle bouilli à l'anglaise, l'union monétaire paraît s'évaporer. Et le Danemark fanfaronne sur un Maastricht décomposé.

*

La vérité, c'est que, sur l'Europe, les dirigeants restent plus lucides que leurs peuples. C'est qu'ils apprécient mieux les fragilités démographiques, économiques, stratégiques du destin européen dans le monde qui nous attend. Mais ils ont trop ignoré leurs peuples, qui, désormais, imposent leurs freins. Et l'Europe patine.

L'euroscepticisme, l'europessimisme font florès. Ils n'accouchent pas encore partout d'une négation danoise ou suisse. Mais, ici ou là, on jette déjà le manche après la cognée. Au RPR, par exemple, on dirait que la résolution européenne de Chirac cède peu à peu au repliement de Pasqua-Séguin. On rabâche, contre le bouc émissaire européen, le pronostic d'échec. Et nous connaissons cette musique : c'est celle de la « self fulfilling prophecy », une prophétie qui, à force de se répandre, accomplit ses propres prévisions. Antique manteau démocratique de la résignation au pire !

Elle vient aujourd'hui de loin. D'une lame de fond populaire, sinon populiste, qui balaie ses élites, sa classe politique décomposée, ses institutions délabrées. Cette même lame, sur sa lancée, ébranle l'Europe de ces mêmes élites et tout son saint-frusquin. « Amen, le peuple le veut ainsi », disent nos caciques, agenouillés devant les sondages. Quelle veulerie ! Comme si les peuples avaient toujours raison !

Doit-on ainsi se réjouir, chez nous, de l'étalement satisfait de tous les corporatismes (routiers, cheminots, etc.), qui balkanise la nation ; de la gesticulation démagogique, qui sacrifie les intérêts du plus grand nombre à ceux qui crient le plus fort ; de la piteuse résignation des pouvoirs publics à toutes les surenchères agricoles ? Doit-on acquiescer mollement à cette grève soudaine de la SNCF, bénie par son président (!), qui paralyse toute la France, pour protester contre une décision de justice ? Doit-on approuver que le pouvoir ait « lâché » le solide président de la RATP, qui concoctait bien plus sagement un nécessaire service minimum ? Par quelle pénible contagion cette fatigue privée et collective sous les stress de la vie moderne devrait-elle gagner les décisions d'Etat ?

*

Il faut se reprendre. Il faut, en Europe, que ceux qui veulent avancer avancent sans attendre que l'Angleterre obtienne enfin la dilution générale qu'elle escompte, et qui ne profiterait qu'à l'Amérique et à l'Asie. Nous pouvons, avec l'Allemagne, reprendre le collier. Comme chez nos sportifs, le mal de la France est surtout dans sa tête : trop atone et désabusée, trop soumise aujourd'hui à la désastreuse débilité d'une fin de règne. Il faut tourner la page. Aérer, faire le ménage dans la pyramide folle des dépenses sociales. Ressouder un creuset national, et le creuset d'une Europe courte et volontaire. Contre la sinistrose annoncée de 1993, c'est le seul vœu qui vaille pour notre nouvel an !

(19 décembre 1992)

L'Europe des arrière-pensées

Quarante ans tout juste après sa naissance, notre Europe communautaire est encore économique. Et nul ne doute qu'il était sage de commencer par elle. Son ossature, déjà solide, a résisté aux péripéties de toute une génération. Une quinzaine de nations, taillées et retaillées par deux millénaires de guerres et d'épreuves, y ont rapproché leurs intérêts, et ce n'est pas rien. Mais chacun voit toujours l'Europe à ses fenêtres, celles des Etats-nations. Car notre Europe trop notariale n'est encore ni l'Europe des peuples ni l'instrument politique d'une espérance commune. Si bien que l'épreuve historique – celle de la naissance ou de l'avortement de la « vraie » Europe, l'Europe politique – approche sans bruit, sans controverses ni ferveur. Ses peuples ne mesurent ni l'enjeu ni les risques de l'étape monétaire. Et pourtant, avec la monnaie unique se joue la mue essentielle : l'éclosion, hors la chrysalide économique, de l'Europe encore inconnue de demain. Au pied de ce mur-là, les arrière-pensées se glissent comme des serpents.

*

On voit pourquoi les caciques conservent encore l'Europe dans leur couveuse. Entre une Grande-Bretagne arrimée au grand large et cramponnée à son veto éventuel, une Suède qui veut attendre et voir, une Allemagne et une France où les peuples renâclent devant des réformes qu'ils imaginent imposées par la seule exigence communautaire, le continent fourmille d'eurosceptiques et d'europhobes. On craint qu'ils ne bronchent et mettent à bas l'édifice. Sur le terrain meuble des opinions, remué de surcroît par les grands vents capricieux des marchés, aucun homme d'Etat ne plante franchement et clairement balises et pavillons de crainte que le terrain ne cède.

Il reste que la machine tourne et que ses engrenages progressent. Déjà l'Europe économique a limé maintes prérogatives nationales. Avec la monnaie unique c'est un épicentre exécutif qui se trouve atteint par une délégation capitale de souveraineté. Que la Grande-Bretagne s'en scandalise cela va de soi ! Mais ailleurs les arrière-pensées vont bon train et troublent la lune de miel franco-allemande. Faut-il, pour gérer la monnaie unique, une banque centrale européenne totalement indépendante des Etats, comme le veut l'Allemagne, ou dotée d'un contrepoids politique comme le veut la France ? Ce choix n'a rien de technique. L'Allemagne veut voir dans la banque centrale le gardien rigide d'une orthodoxie libérale capable d'affronter sans prothèse étatique la compétition planétaire ; la France veut un gouvernement économique européen apte à maintenir, par une relative régulation des marchés, une certaine aménité sociale sur notre Vieux Continent. La première conception est proche du credo américain ; la seconde d'un certain capitalisme à l'européenne qui refuse de jeter à la rivière tout l'héritage des Etats-providence.

Sur tout ce débat irrésolu pèse une lourde arrière-pensée. C'est qu'en Europe le Nord se méfie du Sud. Il y voit – des Allemands le disent sans délicatesse – un vaste « Club Med » où fleurit l'oranger, mais aussi la sébile, la douceur de vivre mais aussi la combinazione. Bref, des terres de soleil accueillantes aux marks du loisir mais peu fiables pour coproduire un euro digne du mark. Autant de jugements rustiques à l'excès et dont la Communauté, justement, s'emploie à réduire les causes. Mais enfin, les statistiques sont indifférentes au « politiquement correct », et le Nord et le Sud ne produisent pas encore les mêmes. Songeons qu'en France, le taux de chômage est de 7 % en Alsace... et de 16 % en Languedoc-Roussillon ! Ces sortes de constats nourrissent des arrière-pensées légitimes. Elles affleurent lorsqu'on en vient à définir l'extension et les règles de l'inévitable « noyau dur » de l'Europe future : celui des premiers élus de la monnaie unique.

Mêmes inquiétudes sourdes quand il s'agit de l'élargissement de la Communauté vers l'Est. Sa nécessité politique convainc plus les gouvernements que les peuples. Comme il soulève chez les aspirants le souci primordial de leur défense, et donc celui de la réforme de l'Otan où se déploie l'Amérique, voici du même coup agitée la délicate question de l'articulation de l'Europe future – face à la Russie ou avec la Russie ? – dans le système occidental. Traduisez : quelle place future pour l'entreprenante Amérique ? Question à 100 000 dollars !

Alors, direz-vous, comment éviter que les peuples ne perdent en ces chemins escarpés le dessein prodigieux de l'Europe : celui d'un espace bien adapté aux temps futurs entre d'un côté l'aspiration sauvage de la mondialisation et de l'autre les replis identitaires de nationalismes exacerbés ? Il n'est guère d'autre solution que de leur parler plus et mieux. Le temps vient, en tout cas « de se mettre enfin d'accord avec ses arrière-pensées ».

(25 janvier 1997)

17. PASSION ARABE

Contre les fatalités

Saluons, d'abord, la victoire improbable du courage politique dans cet accord de porcelaine entre David et Goliath, entre Israël et le monde arabe ! Les trompettes médiatiques de Jéricho, qui en sonnent l'annonce, ne feront pas, pour autant, tomber les murailles de la haine. Mais une colombe s'envole dans ce coin de planète où tant d'enragés se disputent, depuis des siècles, et d'une guerre sainte à l'autre, les collines inspirées où apparut le Dieu Unique.

L'action politique ne semble jamais si honorable que lorsqu'elle oppose ainsi le courage de la modération et du compromis au déferlement des fanatismes. Lorsque des hommes d'Etat saisissent la chance à hauts risques de contrarier la résignation populaire aux fatalités pour servir l'intérêt à long terme de leurs peuples. Cette vertu d'hommes d'Etat, si édifiante dans le terrible brasier moyen-oriental, elle vaut aussi pour notre Europe, en comparaison si paisible, mais où de mauvais feux couvent à nouveau sous la cendre.

*

La soumission à la fatalité, c'était pour les Palestiniens de faire confiance à la prolifération arabe pour submerger, au fil des ans, le peuple d'Israël. De miser sur le fanatisme islamique, qui prône, sans nulle cesse, l'anéantissement pur et simple de l'Etat juif. C'était de constater que ce fanatisme a désormais ses entrées officielles au Soudan, que son terrorisme ravage l'Egypte de Moubarak, qu'il s'étend en Algérie par l'assassinat et la terreur, qu'il nourrit des réseaux clandestins en Tunisie et jusqu'en France, et qu'enfin le pouvoir perse et chiite de Téhéran – ennemi pourtant séculaire des peuples arabes – soutient aujourd'hui leurs fantasmes messianiques, assiste les hezbollahi du Liban et excite urbi et orbi à la haine proclamée de l'Occident. Que cet Islam noir appelle à la guerre sainte contre le « Satan israélien », seule oasis démocratique dans cette chaîne de volcans despotiques en perpétuelle éruption.

Pour Israël, la soumission à la fatalité, c'était de s'édifier en forteresse, de compter sur sa détermination guerrière, sur la technologie de ses armements, sur la solidarité de son influente diaspora et, en dernier recours, sur sa détention de l'arme atomique, sur sa capacité, en somme, de renouveler, par le sanctuaire nucléaire, le complexe de Massada.

Face à ces crispations tragiques, l'Occident, et d'abord les Etats-Unis, n'a cessé d'accroître sa pression vers le compromis. C'est que Bush et, aujourd'hui, Clinton ont senti monter, dans ce pandémonium, le risque nucléaire et la déstabilisation des nations pétrolières encore vitales pour l'Occident. La diplomatie américaine a donc exploité la disparition, ici comme ailleurs, de la puissance soviétique, les effets de la victoire éclair des alliés dans le Golfe, les erreurs d'Arafat dans son soutien à l'Irak de Saddam Hussein, et l'affaiblissement qui s'ensuivit. L'Amérique a, en même temps, exploité l'incapacité d'Israël à surmonter la résistance populaire de l'Intifada dans les territoires occupés, réduit l'hostilité syrienne et, pour finir, conduit d'une main ferme les belligérants autour des tapis verts de Washington.

Cette confluence de facteurs favorables avait donc ouvert la voie du « possible ». Encore fallait-il s'y engager. Encore fallait-il que Rabin et Peres d'un côté, Arafat de l'autre, aient le courage de franchir d'eux-mêmes le Rubicon de la paix. C'est fait ! L'accord « transitoire et intérimaire » ne mène pas loin. Il va, sans nul doute, servir de cible aux excités, qui sont légion. Mais, dans ce ghetto de guerre du Moyen-Orient, un étroit labyrinthe, encore obscur, vient d'être enfin percé vers la paix.

*

De cette éclaircie, nos hommes d'Etat européens n'ont qu'une leçon à retenir : celle du courage. Les fatalités qui pèsent sur notre continent ne sont, Dieu merci, ni si imminentes ni si cruelles. Mais, à l'évidence, toute la construction européenne, qui assura chez nous, depuis quarante ans, la prospérité économique et la paix, se trouve aujourd'hui ébranlée. La dépression économique ouvre, sous nos pieds, les toboggans nationalistes. Le funeste fatalisme, c'est de s'y laisser glisser. C'est de croire, par défaillance de volonté, l'Europe condamnée, et de concourir à sa perte pour justifier le pronostic. Comme si l'on ne pouvait corriger le cap sans couler le bateau !

La même abdication conduit à préserver, dans nos nations, certains conforts excessifs de l'Etat-providence que le train du monde rend désormais insupportables.

Si bien qu'ici aussi, l'honneur des gouvernants de pays libres, dans des traverses difficiles, c'est de résister aux vices habituels des démocraties : l'abandon démagogique aux expédients du court terme, et le refus des vérités nouvelles lorsqu'elles dérangent les acquis du temps jadis.

(4 septembre 1993)

——— Liban : on enterre

L'Etat français aura longtemps affiché une indétermination glauque devant l'étranglement du Liban chrétien. Et pourtant, entre les rodomontades des matamores et l'évitement piteux que nous avons exhibé, entre la politique du « beauf » et la politique du « bof ! », une voie existait qui, sans nous surestimer, eût préservé notre propre estime. Nous ne l'avons pas trouvée. Il aura fallu qu'un quarteron de médiatiques laisse éclater son écœurement pour que la classe politique, l'œil rivé sur le cocotier où s'empoignent ses jeunes et vieux caciques, baisse enfin les yeux sur la liquidation d'un peuple fraternel. Et pour que le Président fasse porter le chapeau de notre apathie à une « conscience universelle » qu'il n'avait pas publiquement tenté de mobiliser.

Le Liban, nous le savons, est un gouffre aux parois lisses, où s'engloutissent ceux qui s'y aventurent par calcul ou compassion. Tout au fond, c'est une mêlée d'enragés. Carnages entre musulmans et chrétiens ; carnages des musulmans entre eux, et des chrétiens entre eux.

Mais aujourd'hui la situation, en empirant, s'est clarifiée. La Syrie veut avaler le Liban, elle écrase les chrétiens, armés ou civils, sous ses obus. Les chrétiens, privés d'eau et d'électricité, vivent comme des rats et s'enterrent. Faut-il, de surcroît, que nous les « enterrions » sous nos silences ?

L'égout d'horreurs libanaises qui déferle dans notre potage télévisé du soir ne trouble plus grand monde. Nous tournons la tête. Nous préférons l'indignation rétrospective : les cimetières du passé (nazisme, stalinisme, Cambodge, etc.) nous émeuvent plus que les cimetières qu'on emplit devant nous. Et puis, au marché de la bonne conscience universelle, les chrétiens n'ont pas la cote : ils ne meurent pas dans le « sens de l'Histoire ».

Quant à notre diplomatie, de Chirac à Mitterrand, elle s'enlise dans les vasières du Proche-Orient, dans la peur du terrorisme, des otages et de tout ce qui menace et violente. Elle s'embourbe dans les ventes d'armes et les promesses de marchés mirifiques que solde, le plus souvent, le contribuable français. Des diplomates courageux s'échinent en petites mains à rapetasser ce qui ne peut pas l'être. Mais, faute d'une réflexion d'altitude, on ne distingue plus nos amis de nos ennemis. Voici, pour comble, que les Syriens font semblant de croire que Mitterrand – qui visita jadis Assad (et Kadhafi) – va monter d'un cran, et convier à Paris le boucher de Beyrouth. Ils l'annoncent, et nous ne les démentons pas ! Notre « hôte », pour finir, fait bombarder l'ambassade de France. Cadeau protocolaire, sans doute...

Qu'attendons-nous pour condamner, sans biaiser, le pilonnage syrien ? Les chrétiens du Liban sont-ils déjà, à nos yeux, des boat-people ? Alors, qu'on le dise ! Qu'attendons-nous pour intensifier en leur faveur l'aide humanitaire enfin décidée... après vingt-deux jours d'enfer à Beyrouth ? Pour remuer Washington ; la CEE, qui a repris son aide céréalière à la Syrie ; Moscou qui arme Riyad, qui finance Damas ?

Et si nos efforts échouent parce que l'Occident et Israël se lavent les mains de ce crime qui en annonce d'autres, tenons, et c'est le moins, un quant-à-soi honorable.

Il est temps de dire – et d'abord *pour nous-mêmes* – que les « Droits de l'homme » ne sont pas à nos yeux simples guignols d'anniversaire. Que nous n'allons pas fêter le Bicentenaire à l'envers, contre la liberté, en nous agenouillant devant la Sublime Porte. Que si des tueurs cherchent Rushdie, nous sommes avec Rushdie. Il s'agit que Le Caire, Amman, Bagdad, nos amis du Maghreb et chez nous les musulmans français n'aient là-dessus aucun doute.

Or, des doutes, ils commencent d'en avoir. La pente de notre politique actuelle est de se complaire dans un cynisme à géométrie variable et d'accepter, au nom du réalisme d'Etat, de violenter sans résultats la morale ordinaire. De se salir les mains pour des châteaux de sable. Or le réalisme le plus froid, c'est aussi de considérer, comme l'Histoire l'enseigne, que si la morale est inutile aux dictatures, une certaine dose en est nécessaire aux démocraties. Elles doivent respecter ce qu'elles croient pour demeurer ce qu'elles sont.

(10 avril 1989)

——— Sur la guerre

Reprendre le Koweït, et seulement le Koweït ? Allons donc ! Qui voudrait encore respecter, sinon par feinte, la « lettre » des résolutions de l'Onu ! La coalition pilonne l'Irak, comme d'ailleurs le simple bon sens le commande. Arrache-t-on une poule à un renard en ménageant le renard ? Croit-on les généraux américains assez fous pour sacrifier leurs hommes à seule fin de récupérer le Koweït selon le pointillé méticuleux des diplomates, c'est-à-dire en épargnant délicatement Bagdad ?

Quoi qu'ils racontent pour la frime diplomatique, les alliés veulent briser pour vingt ans non le peuple irakien, mais les capacités de nuisance d'une dictature incendiaire. Si tel n'était pas leur but, pourquoi diable faire la guerre ? Pour l'émir du Koweït ? Quelle blague ! Nul esprit sensé n'y consentirait. Chacun voit en réalité que notre véritable but de guerre, c'est de prévenir aujourd'hui un désastre futur qui nous viendrait à coup sûr d'un pays terroriste aussi vorace que surarmé. Il s'agit ensuite de défendre les intérêts pétroliers, économiques et vitaux. Et de surcroît, en effet, en libérant le Koweït, d'installer un début d'ordre international dans le pandémonium moyen-oriental.

De ces évidences aveuglantes Jean-Pierre Chevènement a décidé de s'apercevoir : il s'en est donc allé, pulvérisé par la logique d'une guerre dont il ne voulait pas. On l'en remerciera si son départ fait oublier la « contorsion française » et cette allure oblique qui nous donne un air de biais, alors qu'enfin nous marchons droit. Le calcul – par simagrées ultimes d'avant le conflit, celles de la mission Vauzelle et d'un désastreux plan de paix – c'était que nos alliés les oublieraient au premier choc des armes, tandis que quelques capitales arabes auraient, elles, la bonté de s'en souvenir. L'ennui, c'est que, pour le moment du moins, tout se présente à l'inverse : nos alliés (sans parler d'Israël) se souviennent encore de nos circonvolutions, tandis que les excités de la rue arabe ont déjà oublié nos risettes et ne voient plus que nos Jaguar. Si bien que nous sommes réduits à expédier tous azimuts des émissaires à lettres patentes pour livrer enfin, entre quatre z'yeux, l'âge du capitaine et la clé du champ de tir.

De tels entrechats n'étaient, il y a quinze jours, que malvenus. La guerre, aujourd'hui, les rendrait indécents. Et Saddam Hussein, seigneur de la guerre, n'incite pas à faire la guerre à moitié. S'il a négligé toutes les perches de paix, dont certaines (les nôtres) lui étaient si follement favorables, c'est qu'il s'est depuis longtemps installé dans une croisade. C'est qu'il croit aux seules vertus d'une relance effrénée : boucliers humains, marées noires, missiles sur Israël, menaces chimiques ou biologiques, tout est bon – sera bon – pour internationaliser, embourber, vietnamiser un conflit dont il suppute que des pays libres, aux opinions fragiles, ne supporteront pas le cours. « Aucune nation d'Occident, répète-t-il à l'envi, n'est prête à risquer dix mille hommes dans une guerre. » Son atout, c'est la surenchère du sang. Un tyran qui a fait mourir des centaines de milliers de sujets n'observe pas sans espérance le choc national que provoque, en Amérique, la mort de dix « marines ».

Il se pourrait pourtant que Saddam Hussein, une fois de plus, se trompe. Il a raison de penser que dans les démocraties d'Occident aucune mobilisation populaire ne s'enflamme pour une guerre qui n'est pas vécue comme strictement « nationale ». Mais il a tort de sous-estimer la capacité patriotique interventionniste des Etats-Unis. Les Américains qui débarquaient, pour notre salut, sur les plages normandes ne défendaient pas leur sol.

En France, on observera que, une fois la guerre déclarée, l'opinion lui apporte un soutien croissant. Et que notre monarchie élective en facilite la conduite. Phénomène plus nouveau, la France commence, à l'américaine, d'approuver, sans fièvres patriotes, l'envoi raisonné d'un corps expéditionnaire. La nation appuie, sans haine, l'engagement d'une armée de métier lors même qu'aucune menace directe du territoire national ne suggère « l'union sacrée » ou la levée en masse.

Ce qui s'impose, de même, sous nos yeux à l'échelle mondiale, c'est une nouvelle façon de confier à un mercenariat militaire – et sous blanc-seing de l'Onu – une sorte de gendarmerie internationale. C'est ce que font les Japonais et les Allemands lorsqu'ils financent l'expédition de la seule force occidentale crédible : l'américaine.

Conduire aujourd'hui une guerre de professionnels pour éviter demain une guerre de réservistes, c'est la seule bonne réponse à la frénésie irakienne. Mais à condition de la gagner vite. Au Proche-Orient, les guerres claires et justes ne le restent pas longtemps.

(4 février 1991)

La guerre du Golfe : la passion arabe

L'éruption de l'Irak est une convulsion de plus d'un coin de planète fiévreux d'où ne nous vient, depuis un demi-siècle, que du tintouin. Autant savoir que nous devrons, longtemps encore, « vivre avec ». On trouvera, peut-être, entre les canons et le tapis vert, des arrangements de plus en plus précaires et risqués pour contenir le coup d'un Hussein, d'un Kadhafi. Mais aucune solution miracle n'apaisera pour longtemps cet univers de géhenne, taraudé par la fièvre arabe et islamique, le guêpier d'Israël, la colère de l'exil palestinien, la tragédie libanaise, la révolution des corbeaux d'Iran et, pour ponctuer le tout, les terrorismes syrien, iranien, irakien, palestinien et libyen. Autant de secousses d'un monde en gésine, où rien n'est jamais réglé par le droit ou la force, où rien de stable n'est garanti entre Etats –, ni au sein même des Etats – où l'on s'embrasse avant de s'étriper dans un tournis d'alliances volatiles et de conflits enragés. Autant d'éruptions disparates qui, toutes, bravent l'Occident dans ce creuset où naquirent tout à la fois sa civilisation et les religions de son dieu unique.

*

La menace, croissante pour nous, de cette fermentation arabo-persique, elle crève les yeux. D'abord, cette région englobe, à elle seule, les deux tiers des réserves pétrolières du monde. Celles du moins d'un pétrole bon marché qui est comme le sang de l'économie mondiale : tant que notre prospérité en dépendra, les riches que nous sommes auront ce lacet au col. Et, longtemps encore, les foules arabes aduleront tous ceux qui prétendent ravir le pétrole aux monarchies arabes complaisantes pour le livrer au « peuple ». Démagogie fruste mais incendiaire !

Ensuite, ces trois cents millions d'hommes qui peuplent, d'Agadir à Téhéran, et du Maghreb au Moyen-Orient, l'empire d'Allah auront plus que doublé en 2025. Le taux d'accroissement, qui va de 1,6 à 1,9 dans le Maghreb, atteint 2,64 en Irak et dépasse 3 en Arabie saoudite et en Jordanie. Ainsi, au fil des ans, l'Europe apparaîtra-t-elle, vue du Bassin méditerranéen, comme un conglomérat de nations de plus en plus riches et de moins en moins peuplées, sous l'œil allumé d'une masse grouillante d'hommes de plus en plus nombreux et, relativement à nous, de plus en plus pauvres. Dans cette proximité périlleuse qu'accuse, en France, la poussée migratoire du Maghreb, ce n'est certes pas la fameuse « fin de l'Histoire » qui se profile, mais le début d'une autre : la confrontation du Nord et du Sud se lève, tandis que l'agonie communiste éteint le long conflit de l'Est et de l'Ouest.

Ajoutez enfin au pétrole, à la démographie, ce composant essentiel du cocktail explosif qu'est la « passion arabe », rêve brumeux et inflammable d'une impossible Oumma, d'une nation arabe réunifiée, qui mettrait un terme à l'abaissement de ses peuples. Cette passion des humiliés de l'Histoire dispose avec l'Islam d'un aliment vivace et commun pour condamner le « satanisme » occidental, dénoncé comme responsable commode de tous leurs maux. Les foules de Bagdad et du Caire vivent dans un état de transe historique entre deux eldorados. Pour entretenir l'eldorado du passé, la mémoire des Syriens enlumine les Omeyyades, celle des Irakiens, la dynastie abbaside, comme leurs frères ennemis les Perses croient tenir encore l'épée de Darius. C'est partout la même exaltation poétique, légendaire plutôt qu'historique, où l'on se ressouvient d'un âge d'or arabo-persique durant lequel la mathématique, les lettres, les jardins et les arts d'un Algazel ou d'un Omar Khayyam éblouissaient jusqu'à l'Occident. Chaque musulman visite en songe une Cordoue imaginaire où le génie arabe rayonnait. Et partout s'exalte l'attente du mahdi, du chef visionnaire qui reconquerra à la pointe de son cimeterre ces grandeurs englouties : ce sera Nasser, Kadhafi, Saddam Hussein.

*

Ainsi, l'adversité arabe se présente-t-elle à nous comme l'éboulis passionnel d'un autre siècle. On n'y trouve aucune démocratie épousant notre idée des Droits de l'homme, on y gouverne encore par le crime, la liquidation et les déportations massives ; plusieurs Etats y usent, à la barbaresque, de la prise d'otages et du terrorisme comme instruments ordinaires de leur diplomatie. C'est ainsi.

Pour y résister, nous n'avons pas d'autre recette que de faire respecter – par la force si nécessaire – les valeurs des démocraties modernes et libres d'Occident jusqu'à ce que l'irrationnel et la mythologie du messianisme arabe s'éteignent dans l'échec. Et qu'une arabité moderne et laïque – elle existe – l'emporte. Ce ne sera pas pour demain. En attendant, nous devrons faire face. Par bonheur, on dirait que, cette fois-ci – enfin ! –, la France a pris le bon parti : celui de soutenir, à sa manière propre, l'engagement occidental. C'est plus nouveau qu'il ne semble.

(20 août 1990)

——— Le fantasme arabe

Une religion commune, une langue commune et un passé historique commun donnent à penser aux Arabes que, sous la mosaïque post-coloniale, il existe entre leurs nations un fonds commun, celui d'une civilisation et, qui sait, d'un destin communs. Hélas, cette idée vague et puissante qui nourrit, de Kadhafi à Saddam Hussein, le mythe de l'Oumma, celui de la « nation arabe » réunifiée, ne fait que précipiter le « malheur arabe ». Elle grise les Arabes d'une fantasmagorie dangereuse : celle d'une reconquête historique assaisonnée de « guerre sainte ». Elle les détourne de cette cruelle réalité : si les Arabes partagent bien une religion et une langue communes, ils partagent aussi un échec commun. Echec politique : aucune nation arabe ne possède de régime vraiment démocratique. Echec économique : aucune nation arabe n'a encore construit de système de production performant. Une telle pénurie des libertés et des biens a englouti, comme on sait, l'immense espérance léniniste. Elle engloutira de même le fantasme arabe.

Il y a, dans le monde arabe, des monarchies féodales (les émirats), des dictatures (Syrie, Irak), des républiques à parti unique et d'autres plus ou moins saupoudrées de ferments démocratiques, mais il n'y a pas de démocratie. De même, on y trouve quelques nations riches et beaucoup de pauvres. Mais les riches ne le sont que parce qu'Allah a bien voulu disposer sur leur sol le providentiel pétrole nécessaire à toute la planète. Cette richesse pétrolière fabrique en Irak des bombes et des instruments de conquête ; elle fabrique en Arabie saoudite des plaques de casino et du paternalisme féodal. Mais, dans les deux cas, elle profite peu aux peuples qui l'abritent. Et elle profite encore moins aux autres peuples arabes. On peut l'utiliser, comme l'Irak, pour constituer un empire conquérant, ou bien, comme l'Arabie saoudite, pour convertir les infidèles en finançant de par le monde des mosquées, mais en aucun cas cette manne pétrolière ne sert au véritable développement politique et économique des nations qui en sont gratifiées. On serait même tenté de dire qu'elle y est néfaste, si l'on tient que le succès des pays très développés est aujourd'hui plus redevable à l'intelligence technicienne des hommes qu'aux générosités de la nature.

Ainsi, depuis leur décolonisation, les peuples arabes demeurent-ils encore victimes des obsessions de la condition coloniale. Chez les Satans d'Occident, l'échec arabe cherche encore un bouc émissaire, un « colonisateur » à détester. Quant aux bruits de gloire d'un Saddam ou d'un Kadhafi, leur fracas détourne les foules arabes de se demander froidement pourquoi elles croupissent dans l'impasse.

Et de s'interroger, par exemple, sur le rôle de l'Islam comme carcan de l'archaïsme arabe. Si l'Islam présente l'avantage de distribuer un fatalisme consolateur aux misères d'ici-bas, il présente aussi – à la différence des religions d'Asie, mais à la semblance du christianisme des croisades – une dangereuse propension missionnaire et messianique. L'interprétation littérale de la loi coranique n'incline pas à l'affirmation des Droits de l'homme (et de la femme). « Accepter l'Islam, c'est accepter un certain ordre social », lequel n'est guère inspiré par l'émancipation individuelle. Je ne doute pas qu'il existe (il a toujours existé) un Islam tolérant et modéré, mais ce n'est pas aujourd'hui celui qu'on entend le plus. Le militantisme religieux (« Gott mit uns ») reste le plus commode pour enflammer les foules, et c'est bien pourquoi le laïc Saddam Hussein mobilise, sans vergogne, Mahomet contre l'embargo.

Mais, surtout, l'Islam contrarie le contrôle des naissances et la qualité du système éducatif. Or la démographie galopante et la rusticité de l'enseignement constituent les deux handicaps majeurs de l'univers arabe. Si bien qu'au fond ce qui manque le plus à ce monde humilié, ce sont des « Lumières », des modernistes, des Voltaire pour « écraser l'infâme » de l'intégrisme et le noir obscurantisme des imams. Ce sont des intellectuels et des politiques convaincus que, pour accéder à la démocratie et au « décollage » économique, la société arabe doit d'abord se laïciser comme nous l'avons fait nous-mêmes.

Ces hommes-là existent dans le monde arabe, et plus qu'on ne croit. Le malheur veut que l'Occident n'ait rien fait pour les aider. Ainsi, en France, le racisme ordinaire rejette-t-il indifféremment tous les Arabes dans la nuit d'une étrangeté irrémissible. Et notre prétentieuse « politique arabe » ne fait guère mieux, dès lors qu'au nom du « réalisme politique » elle gave des potentats d'armements épouvantables. Par bonheur, beaucoup d'Arabes qui veulent sortir de leur Moyen Age valent mieux que le mépris prétendument « réaliste » où on les tient. C'est eux qu'il faut entendre et écouter derrière la sombre rumeur du fantasme arabe.

(17 septembre 1990)

——— A quoi a servi la guerre du Golfe ?

C'est une idée qui fait son chemin, et que vous voyez désormais s'étaler à son aise. La voici : la guerre du Golfe aurait à peine eu lieu, aurait été complètement inutile, et son bilan dérisoire devrait faire honte à tous ceux de la coalition qui la voulurent et la conduisirent. Cette idée, très rive gauche, est une idée fausse.

Les sophistes qui la propagent empruntent deux démarches : la première constate que n'ont pas été atteints un certain nombre d'« objectifs » mirifiques, qu'en vérité seuls des naïfs pouvaient croire atteignables. La seconde démarche oublie quels furent les véritables buts de guerre et comment ceux-ci furent, quant à eux, tout à fait accomplis. Dans les deux cas, le sophiste tire son crédit de l'extraordinaire amnésie publique, quand ce n'est pas sa propre mémoire qui flanche et l'induit à divaguer.

*

Alors, puisqu'il le faut, rappelons-nous que la guerre à Saddam Hussein fut faite parce qu'il avait envahi le Koweït. Mais que le véritable but de guerre allait bien au-delà. La coalition s'est lancée dans le Golfe « un peu pour défendre le statu quo du droit international ; beaucoup pour défendre le pétrole, oxygène des économies occidentales. Enfin, et surtout, pour cogner le gangstérisme international ». Il s'agissait – c'était clair dès le début – d'écraser dans l'œuf une aventure mégalomane susceptible d'embraser la région, et surtout d'introduire le risque nucléaire dans un conflit régional. Or l'aventure irakienne a été brisée par la performance américaine d'une guerre éclair technologiquement impeccable et, encore aujourd'hui, fort sous-estimée ; le pétrole saoudien n'est pas tombé aux mains d'un maître chanteur. Quant à la capacité de l'Irak au nucléaire militaire, on s'occupe de réduire à néant ce qu'il en reste.

Ce n'est pas le moins du monde un bilan dérisoire. Naturellement, si quelques béjaunes attendaient de cette victoire qu'elle inspirât à l'émir du Koweït l'abolition des privilèges de l'émirat et l'avènement d'une délicieuse démocratie, il est normal qu'ils soient déçus. Si quelques simplets attendaient que l'Arabie saoudite proclamât en un tour de main la laïcité, libérât les alcools et mît dans les rues de Riyad des Saoudiennes en minijupe, ils peuvent, c'est certain, pleurnicher qu'il y a loin de la coupe aux lèvres. Si quelques naïfs pensaient que cette victoire allait tout soudainement apaiser entre Israël et le monde arabe un conflit enkysté, alors il est sûr qu'ils peuvent être dépités. Mais, enfin, pourquoi diable faudrait-il juger du bilan d'une victoire sur la déception de quelques enfants de chœur ?

On dira que Saddam est toujours au pouvoir, et que la sanction d'une dictature expansionniste aura plutôt puni le peuple victime que le dictateur-bourreau. Eh bien ! oui, la victoire de la coalition eût été évidemment plus juste et politiquement plus efficace si Saddam avait d'ores et déjà été chassé.

Mais souvenons-nous que la solidité de notre fragile coalition reposait sur un mandat des Nations unies, lequel n'avait assigné que la simple libération du Koweït. Les mêmes qui regrettent aujourd'hui que la coalition n'ait pas poussé jusqu'à Bagdad ses avantages eussent fait entendre des cris d'orfraie si la coalition, au risque d'éclater, s'y était aventurée.

Mais souvenons-nous surtout que le sort de la tyrannie de Bagdad n'est peut-être pas encore joué. Les Etats-Unis, la Grande-Bretagne et la France maintiennent sur Bagdad une pression multiforme : celle, secrète, de leurs agents dans le sérail de Bagdad ; celle, publique, par l'ingérence d'un système de protection armée accordée aux Kurdes d'Irak ; celle, internationale, enfin, par l'incessante investigation sur le potentiel nucléaire irakien.

*

Les révélations tardives mais édifiantes de ce potentiel nucléaire, parlons-en, justement ! Elles devraient nous convaincre que la guerre fut menée quand il en était encore temps. Si l'on avait cédé aux temporisateurs, voire à ceux qui préconisaient de laisser l'embargo traîner en longueur jusqu'à produire un improbable résultat, qui peut assurer aujourd'hui que l'Irak eût été incapable d'utiliser contre Israël la bombe rustique qu'il s'employait à fabriquer ? Je n'écouterai pas là-dessus la réponse de nos pitoyables services spéciaux, ni celles de tant de nos hommes politiques bernés dans leurs certitudes tranquilles et dont les découvertes actuelles démontrent l'inanité. C'est pitié de voir comme ils furent roulés dans la farine !

Mais si l'on veut, pour finir, tirer de cette affaire un bilan politique un peu serein, observons que la victoire des coalisés aura fait voler en éclats le mythe de la nation arabe unifiée.

Mieux encore : les dirigeants arabes – ceux du Maghreb les premiers – méditent depuis sur les aberrations de la « rue arabe » et sur les dangers de l'aventurisme messianique. Bref, progresse dans les esprits arabes, d'Amman à Rabat, la nécessité d'aborder enfin, hors l'alibi des fantasmes, la révolution culturelle, politique et économique qui commande leur avenir.

(20 juillet 1991)

« L'humiliation arabe »

« *L'encre de l'élève est plus sacrée que le sang du martyr.* » *Mahomet.*

Saddam perdra la guerre du Koweït, et celle aussi de l'Irak. Mais le monde entier s'angoisse qu'il puisse, d'Amman à Casablanca, embraser des peuples que taraude « l'humiliation arabe ». Nous examinons ce risque, d'une capitale l'autre, l'état très variable des fièvres et la réelle portée, chez ces peuples cruellement divisés, du mythe de la « nation arabe ». Celle que nourrissent le songe du Paradis perdu et celui de la Terre promise.

« L'humiliation arabe » exprime un sentiment – un ressentiment – que seuls les Arabes peuvent soigner. Pourquoi ? Tout simplement parce qu'ils constatent et remâchent (comme, à leur manière, les Soviétiques) l'échec à satisfaire l'aspiration croissante de tous les hommes de l'univers vers plus de libertés et vers plus de biens : aucun pays arabe n'a développé une véritable démocratie ; aucun n'a pu se doter de productions autonomes qui lui mettent la tête hors de l'eau. Lorsqu'un pays arabe resplendit, c'est par la grâce d'Allah, qui l'aura pourvu de pétrole. Mais cette bénédiction sélective nourrit aussi la malédiction. Car le pétrole édifie chez les peuples arabes un mur d'argent entre les riches et les pauvres ; il attire sur la zone un essaim d'intérêts internationaux. Sa possession, enfin, qui doit tout au hasard, détourne de cette vérité moderne : la prospérité durable se conquiert de plus en plus par la qualité inventive et productive des hommes. L'actuel malheur arabe, c'est encore son inaptitude à cette modernité-là.

Pourquoi ce long échec – mais toute grande civilisation en a connu ! – est-il vécu comme un affront ? Parce que la communauté arabe, si divisée soit-elle, est unie un peu par la langue, beaucoup par la religion, et que la culture arabe y a couronné une des plus belles aventures spirituelles de l'humanité. Parce que la civilisation arabe s'épanouissait au tournant de l'an 1000, quand l'Occident (humilié) sommeillait, et parce que chaque Arabe porte en écharpe cet âge d'or où s'inventaient la numération universelle, la médecine moderne, mais aussi un art de vivre, une tolérance alors inconnus. Parce que l'Islam est resté vivace, et donc prosélyte ; parce que sa morale réprouve les licences de l'Occident matérialiste et qu'elle souffre de voir des peuples sans dieu tenir le haut du pavé. Parce que ses valeurs viriles excitent l'orgueil, ressassent l'abaissement, parce que tout Arabe est enragé d'honneur. Et que, justement, la médiatisation du globe leur met désormais sous les yeux le spectacle, ailleurs, de l'opulence et, chez eux, de la misère. Parce que la démographie galopante qu'encourage le statut de la femme consomme sans cesse, dans les pays sans pétrole, les maigres progrès de la production. Parce que la domination ottomane, puis l'occupation coloniale ont figé dans la dépendance politique et le métissage culturel cette longue décadence. Et qu'enfin l'extinction de l'ère coloniale n'a pas réduit mais accusé les convulsions douloureuses d'un monde en gésine.

Aujourd'hui, « l'humiliation arabe », dans certains pays – pas tous – et dans les rues arabes – pas toutes –, vire à la névrose. Le fantasme collectif de l'utopie panarabe exalte la fuite devant la réalité. Rien n'y manque : un dictateur charismatique, Saddam ; un bouc émissaire régional (les juifs), mondial (les Etats-Unis), et, enfin, le détonateur de la guerre. Quel crève-cœur de voir l'Irak, nation riche et douée, briser, par l'aventure militariste, son ascension méritoire vers cette fuyante modernité ! Pour enflammer les passions des plus misérables, le très laïc Saddam en est réduit à convoquer les noirs sortilèges de la guerre sainte. Et ses missiles électroniques font, sur Israël, souffler des vents du Moyen Age. A ce spectacle, en France, les racistes triomphent. Les vrais amis des Arabes sont consternés.

Il nous reste, quant à nous, à garder la tête froide, à conduire une guerre sans haine ; à ne pas alimenter par nos peurs, et malgré nos vulnérabilités maghrébines, le fantasme des réprouvés. Il nous reste à répéter que nous ne faisons pas la guerre aux Arabes, mais à une dictature incendiaire. La victoire venue, nous devrons entendre les plaintes du peuple errant – la Palestine – qui, tout autant que le peuple juif, mérite de trouver ses pénates. Dans tout le monde arabe, nous devrons aider ceux, minoritaires encore, qui construisent la *nahdha* – la vraie renaissance arabe – celle qui veut épouser son temps. Avec plus d'ingénieurs que d'imams, et plus de professeurs que de guerriers.

(28 janvier 1991)

——— Quelle « politique arabe » ?

A croire ses hérauts, la « politique arabe de la France » serait un joyau de l'art diplomatique, une relique de la vraie croix de Lorraine. Hélas, à y regarder de près, on y trouve beaucoup d'illusion cocardière et de mythologie. Sous la bannière d'une diplomatie glorieuse se sont développées plusieurs initiatives profitables, en effet, à l'intérêt national, mais aussi de l'affairisme et du tripotage politicien. Plus grave : cette politique a accouché d'énormes bévues historiques (Kadhafi, Saddam Hussein). Bref, le bilan est moins flatteur que la légende.

La France n'a cessé et ne cessera d'entretenir des relations – bonnes ou mauvaises – avec des peuples qui disposent sur les bords de notre Méditerranée « du temps, de l'espace et du nombre ». Cette lapalissade géographique ne fait pas une politique, mais plusieurs, selon les époques et la diversité de l'espace arabe, lequel ne fut jamais uni que dans le fantasme arabe. Et dans le nôtre.

Une seconde évidence, historique celle-là, c'est que la France, jadis très chrétienne, se trouva impliquée dans un millénaire tourbillon de passions : celui, en terre arabe, des Lieux saints, où le chrétien, le juif, le musulman ne cessent, depuis les croisades chrétiennes jusqu'à la croisade musulmane contre l'Etat juif, d'anathémiser « l'infidèle », c'est-à-dire l'Autre. Il nous en resta longtemps la « protection » de la chrétienté d'Orient et une estimable influence francophone et commerçante. Mais ni nos guerres contre les Arabes – du preux Roland à Charles Martel – ni plus tard les relations de nos rois avec les califes, ni l'expédition bonapartiste d'Egypte, ni plusieurs siècles de frottements barbaresques n'ont inspiré à la France une grande vision continue de « politique arabe ».

Notre véritable implication arabe survient au XIXᵉ siècle, avec la conquête de l'Algérie, et, par extension, du Maghreb tout entier. Elle s'accuse, en 1918, avec le dépeçage de l'Empire ottoman. Nous assurons alors notre pied en Syrie et au Liban. Mais nous restons éloignés de Riyad et de Bagdad. Lorsqu'en sonnera l'heure, nous serons évincés du pactole pétrolier, sauf en Irak, justement, d'où naît chez nous l'espoir de faire pièce aux réussites anglaises. Depuis longtemps, les échelles du Levant excitaient nos égyptologues, nos diplomates du concours d'Orient et officiers des « affaires indigènes », qui réécrivaient le colonel Lawrence d'Arabie avec la plume sergent-major des « Trois de Saint-Cyr ». Mais notre pénible défaite de 1940 allait diminuer sur tous les bords arabes notre influence du temps que la France rayonnait. Vingt ans plus tard, 1 600 000 pieds-noirs feraient inéluctablement leurs valises.

*

Ici commence, en fait, la fameuse « politique arabe ». Son souci légitime de faire oublier le drame algérien. Son idée qu'en nation

« amie des Arabes » nous tiendrions en lisière l'Américain et le Soviétique. Sa volonté d'établir avec Rabat, Tunis et Alger des liens d'autant plus nécessaires qu'une immigration incontrôlée allait arabiser nos banlieues. Son calcul de récupérer par nos ventes d'armes une partie de ce que nous payions pour le pétrole arabe. Rien, là-dedans, que de très conforme à nos intérêts.

Mais, bientôt, la dérive est impressionnante qui nous éloigne vivement d'Israël et nous jette dans les bras de l'OLP. Pensez à la frénésie d'utopies qui entoura, entre 1970 et 1980, la vente de plus de 100 Mirage à la Libye de Kadhafi, dont nous étions énamourés. Aux rêveries ahurissantes du « trilogue », où les riches Arabes financeraient sous notre houlette les pauvres de la planète. Pensez – quelles que fussent nos justifications à contrer l'Iran de Khomeyni – à nos étreintes de Saddam Hussein, mirobolant client d'un armement pour finir impayé. A la technologie nucléaire livrée à un pays pétrolier sans besoin prioritaire d'une telle énergie. A l'emprise inouïe du lobby des vendeurs d'armes sur notre diplomatie. Au paternalisme post-colonial dons nous entourions monarchies et dictatures.

L'erreur centrale, ce fut d'oublier, par « Realpolitik » à vue courte, le « modèle français » : celui qui plaide pour une vraie « dignité arabe », non celle du lucre pétrolier ou de la conquête militaire, mais celle des Droits de l'homme et de la modernisation. Ce fut de sacrifier nos amis à nos ennemis, et au présent, l'avenir. Ce fut de s'engager, sans esprit de retenue, dans une politique, en fait, réactionnaire. Ce fut, en caressant, à la coloniale, les mauvais démons arabes, de trahir, chez les Arabes même, l'esprit de progrès.

(11 février 1991)

Le « pathétique arabe »

La défaite de Saddam Hussein va exaspérer, dans l'univers arabe, le ressentiment contre l'Occident. Nous protesterons que la guerre ne punissait pas le peuple d'Irak, et encore moins le monde arabe. Mais cette raison-là sera lettre morte. Les ultimes jactances de Saddam Hussein seront reçues par les foules du Maghreb, en fureur ou prostration, comme autant de sursauts de « l'honneur arabe » contre la fatalité de l'« humiliation ». Déjà, que vous lisiez la presse d'Alger ou celle de Rabat – une presse incendiaire à n'en pas croire ses yeux –, que vous écoutiez l'étudiant de Tunis ou l'ingénieur d'Amman, c'est le même torrent.

Un discours en vérité pathétique, qui lance à l'Occident le cri d'un autre âge, la colère d'une autre culture. Devant ces éclats qui perdront, avec le temps et les nécessités du voisinage, de leur actuel délire, nous n'avons ni à faiblir ni à regretter. Encore moins à verser, dans notre registre habituel, quelques larmes post-coloniales. Mais nous ne pourrons pas pour autant nous boucher les oreilles, et refuser d'entendre et voir la grande pitié du monde arabe.

Son pathétique tient à ce que ce monde refuse mais envie l'Occident. Dans l'orgueil de sa prestigieuse histoire, la fermeté populaire de sa croyance islamique et la sévérité de sa morale, dans sa vision spiritualiste de la vie et de la mort, il ne sent aucune admiration pour l'Occident. Il n'y aperçoit que l'esprit de conquête matérielle ; l'avilissement de l'homme par l'objet ; la perte d'une certaine idée d'un honneur fondé en Dieu ; la confiscation du monde par le savoir-faire occidental ; la libération des femmes où sa tradition lit le relâchement des mœurs et des valeurs familiales. Quant à l'émancipation des esprits elle-même, les masses arabes la tiennent souvent pour un défi à cette fatale hiérarchie terrestre, des califes aux dictateurs, que le Prophète aurait inspirée.

Seulement voilà : dans le même temps, les pays arabes voient que l'Occident dispense partout avec succès son modèle politique et son modèle économique, et qu'ils échouent, quant à eux, dans l'un comme dans l'autre. En leur for intérieur, ils ressassent et remâchent cette double impuissance à la modernité. Ils constatent que la « malédiction » du pactole pétrolier, sans profiter aux plus pauvres, a plutôt corrompu ses détenteurs et concentré sur la région toutes les voracités de la planète. Bref, à tous ces ratages les foules arabes inventent, sans surprise, des boucs émissaires (l'Occident, l'Amérique, Israël, etc.). Pour refuser une réalité si ingrate, ces foules produisent des fantasmes : ainsi ce romantisme historique de l'impossible unité arabe ou celui d'un impossible retour à l'intégrisme médiéval. Mais la vérité, enfouie et lancinante, s'inscrit bien dans cette fracture intime entre le refus et l'envie de l'Occident. Avec en surcroît ceci : la « globalisation » accélérée de la planète fait que la culture arabe peut de moins en moins se protéger en s'isolant de nous.

Je ne connais personne de sensé, Arabe ou non, qui ne voie dans l'Islam le ciment de cette identité culturelle, et en même temps celui de ses échecs. A la différence du système judéo-chrétien, où la religion admet dès l'origine que le pouvoir lui échappe (« ce qui est à César »), l'Islam régente à la fois le privé et le collectif (« Dîn wa Dawla »). Il ne reconnaît vraiment ni la sécularisation du pouvoir ni même celle du savoir. Fondé par Mahomet, qui fut autant unificateur politique que prophète, il impose un ordre social qui lui est, dirait-on, consubstantiel et qui a jusqu'à présent contrarié l'émancipation de ses peuples. Voyez que les trois conquérants de la modernité depuis Atatürk que furent le chah d'Iran, Sadate et Saddam Hussein ont tous cherché leur inspiration tutélaire avant Mahomet : le chah chez Darius, Sadate chez les pharaons, Saddam Hussein dans la Nakhwa bédouine préislamique. Ils ont tous échoué, mais ils ont mesuré tous trois les carcans de l'islamisme.

Si l'on admet que l'essor de l'Occident moderne est venu, via la Réforme et la Renaissance, d'un retour au savoir antique, d'une libération de la connaissance scientifique en dehors du dogme (Galilée), qu'il est issu des conquêtes rationalistes accouchant de l'empirisme scientifique et de la technologie, alors on voit que la seule révolution désirable, nécessaire dans l'univers arabe sera d'abord sa révolution culturelle. N'en déplaise aux tenants, chez nous, d'une laïcité agnostique, rien ne s'y fera sur le modèle occidental. C'est l'Islam qui devra chercher sa voie d'une laïcisation relative, une fois la paix revenue, loin des bruits et des fureurs de la guerre. L'Islam, en fait, attend sa Réforme et ses Luther. Le monde arabe en a plus besoin que de Saddam Hussein.

(25 février 1991)

Le Maroc et nous

Faut-il qu'au Maroc la France ménage Hassan II, qui conduit son pays d'une rêne impérieuse ? Ou bien faut-il y prêcher le changement de régime ? Autour de cette question non posée, on voit poindre salamalecs et grimaces. C'est qu'entre ces deux pays les cadavres d'une Histoire proche remuent encore dans les placards. Et 600 000 Marocains résident en France dans la catégorie controversée et fantasmatique de « l'immigré ». Alors...

Chez nous, chacun peut exprimer, si bon lui semble, son militantisme en faveur des Droits de l'homme partout où il les estime violentés. N'importe qui peut écrire sur le roi du Maroc, tantôt des hagiographies (excessives) à sa gloire, tantôt des pamphlets (excessifs) contre son despotisme.

Cela dit, l'attitude de l'Etat français, monstre froid comme tous les Etats, doit évidemment tenir compte, au Maroc comme ailleurs, des réalités qu'il rencontre et de nos propres intérêts présents et futurs. Or ceux-ci commandent que notre prosélytisme officiel se limite à exhiber les vertus, si possible démocratiques, de notre République au respect du droit d'asile, à l'influence culturelle, à l'engagement humanitaire. Et qu'il évite cette sorte de magistère politique, conseilleur et tutélaire, que nous prétendrions exercer sur un royaume indépendant.

*

Les faiseurs d'opinion ne sont pas tenus à cette réserve d'Etat. Ils disent ce qu'ils veulent et c'est bien ainsi. Voyons tout de même que, chez nous, les donneurs de leçons sont plus prompts à concentrer leurs flèches sur des despotes, fussent-ils éclairés, que sur des Républiques, fussent-elles totalitaires. C'est ainsi que nos redresseurs de torts patentés ne trouvèrent guère, en quarante ans, le temps de peindre les exactions du Goulag, de Cuba à Vladivostok. Au Maghreb, une République algérienne policière et répressive trouve à leurs yeux toujours plus de grâce qu'un Maroc bien plus modéré. N'oublions pas que plusieurs de nos clercs se sont précipités à Téhéran pour y applaudir... la révolution de Khomeyni. Grisés par le vent de l'Histoire, qui, pour eux, n'a jamais soufflé que de droite à gauche, ils croyaient qu'une gentille démocratie succéderait au despotisme éclairé du vilain chah. Les mollahs omniprésents, ils ne les voyaient pas. Passons ! Contre Créon, l'intellectuel français urbi et orbi soutient Antigone. Mais quid si Antigone devient pire que Créon ?

Bien que moins écervelé, le pouvoir socialiste français n'a pas, avec le Maroc, complètement échappé à ce travers. Il a commis plusieurs imprudences. L'anecdote retiendra que Mme Mitterrand a, par bigoterie tiers-mondiste, laissé égarer les devoirs de son nom dans les sables sahraouis. Mais, plus grave, notre diplomatie a sous-estimé un souverain qui s'efforce – la leçon du chah a porté – de conduire son peuple vers les temps modernes avec une évaluation prudente de sa maturité publique. Hassan garde un sens de l'altitude qu'on ne voit guère répandu dans ces contrées. Il a joué dans l'univers arabe un rôle modérateur en faveur d'Israël et exercé au mieux ses privilèges de « commandeur des croyants » pour contenir les ferments intégristes. Il a, en sous-main, contribué à apaiser dans nos banlieues quelques excitations de ses sujets. Au total, il n'a jamais ménagé son soutien à l'Occident, et jusque dans l'affaire du Golfe, où il put louvoyer sans drame contre les coups de passion saddamistes de la rue.

Voilà un souverain qui règne depuis trente ans, qui a appris son métier sur le trône. Il a, c'est indubitable, commis de nombreuses erreurs. Scories d'un absolutisme dynastique qu'auréolait la conquête de l'indépendance, où son père guida son peuple avec talent et dignité. Chacun, chez nous, jusque dans l'élite marocaine loyale au roi, renâcle contre cette confusion – traditionnelle en Orient et en Afrique noire – que Hassan II entretient entre la fortune royale et les caisses publiques, et qui nous paraît aussi déplorable qu'inattendue d'un souverain de cette trempe. Il demeure que, depuis 1985, le Maroc change et bouge. Hassan y a restauré une économie agricole défaillante chez ses voisins. La parole y est beaucoup plus libre qu'en aucun autre pays coranique. Les femmes y conquièrent, peu à peu, leur place dans l'élite administrative et universitaire.

Aucun pays musulman de la planète n'est encore démocratique au sens où nous l'entendons. Mais pourquoi les mettre dans le même sac ? Pourquoi ignorer ces différences de degré dans la pratique des libertés, dans le développement culturel et économique des biens ? L'Europe de demain voit monter sur sa façade sud un horizon plutôt chargé : il faudra parler, échanger, commercer. Le Maroc de Hassan II – prenons-le comme il est – reste un de nos meilleurs partenaires. Plutôt que de désespérer d'en faire un ami, pensons d'abord à en faire un allié.

(27 juillet 1991)

——— Israël

On vous le dit et redit depuis deux jours, la reconnaissance mutuelle d'Israël et de l'OLP met à bas un double tabou historique : pour les Arabes, Israël désormais existe, peut exister et il faudra vivre avec ; pour les Juifs, Arafat n'est plus le chef d'une bande d'assassins mais le premier gérant d'un Etat palestinien. Nous sommes loin d'être au bout du tunnel, mais c'est en effet un ébranlement politique considérable pour le Moyen-Orient et pour le monde, d'abord parce que c'est un ébranlement psychologique pour des millions d'hommes. L'idée moderne remporte sa première victoire contre l'obscurantisme et le fanatisme, dans une région qui dresse un passé de croisades, de violences messianiques et d'anathèmes d'un autre âge.

Et c'est là, évidemment, l'essentiel. Un coin de XXe siècle vient d'être enfoncé dans une histoire crispée, tétanisée par le refus d'une certaine idée de l'homme contemporain, une certaine idée de ses droits, une certaine idée de la nécessaire laïcisation de la vie publique. C'est si vrai que, dans les deux camps, l'adversité viendra d'une opposition dogmatique, religieuse et culturelle.

En Israël, les partis religieux brandissent contre l'accord le mythe du patrimoine biblique, celui d'une terre trop promise, et le rêve théocratique d'un Israël hébraïque. Rabin, qui est dans l'histoire de l'Etat juif le premier Premier ministre à être né en Israël, inscrit son peuple dans un nouveau destin, je veux dire qu'il le sort du traumatisme de l'Holocauste. C'est ce traumatisme qui a cimenté les fondations de l'Etat juif, qui l'a installé comme un roc de résistance au milieu d'une marée arabe hostile, qui a inspiré cette conviction qu'Israël ne pouvait compter que sur ses armes, et jusqu'à renouveler un jour, si nécessaire, par le défi nucléaire, le sanctuaire historique de Masada. C'est, naturellement, une nouvelle génération d'Israéliens qui donne ses chances à l'accord. Israël ne serait pas ce qu'il est si n'avait existé la fermeté méfiante de ses Burgraves. Mais il tourne aujourd'hui cette page. C'est que tout change dans les têtes. Nouvelles frontières ? Pas encore ! Mais déjà nouvel horizon.

Pour les Arabes, l'ébranlement mental est plus grand encore. Pour défendre le mythe du « Satan juif », l'opposition va déchaîner les forces de l'Islam intégriste. Sa mèche incendiaire, c'était Israël. Son bouc émissaire, c'était Israël. Sa justification diplomatique – celle-ci plus légitime – c'était la fin de l'exil palestinien. Tout cela est remis en question. C'est tout le monde arabe qui perd *l'alibi* de ses passions les plus incandescentes.

Dans le Moyen-Orient compliqué, une idée simple va diviser les partisans et les adversaires de l'accord : et ce sera le passé contre l'avenir.

Comme pour le mur de Berlin, la nouvelle, grande et bonne pour l'Occident, sera suivie de convulsions. Mais le carcan des fantasmes pessimistes arabes est déverrouillé. Les Etats arabes modérés – décomplexés – vont peser d'un poids plus lourd. La sécurité pétrolière de l'Occident en sera accrue, et le risque nucléaire dans la zone la plus explosive de la planète, diminué. Franchement, c'est, cette fois, l'occasion de le dire, une lumière après la nuit.

(11 septembre 1993)

18. AFRIQUES

——— Afrique : sauvetage précaire

L'Afrique – passées les époques coloniales, puis post-coloniales –, ouvre une nouvelle ère avec de vieux démons : ses passions ethniques. Les Occidentaux, pour en contenir les ravages, s'accrochent au dogme de l'intangibilité des frontières. Des frontières tirées au cordeau en 1885, au Congrès de Berlin, et qui ignorent fabuleusement l'histoire, la géographie, les peuples, bref la vérité de l'Afrique. Elles mettent, dans les mêmes « pays », islamisés et christianisés, fils d'esclaves et fils des gardes-chiourmes de la Traite. Le plus souvent, de jeunes Etats ont pu maîtriser ce disparate, assimiler le patchwork dans une langue d'Europe. Ils ont « digéré » leurs frontières et les tiennent pour intangibles. Tant mieux !

Mais il est d'autres régions où le passé ne veut pas passer, où l'hostilité ethnique, à force de s'enrager, s'est inscrite dans le sang. Ainsi de l'Afrique des Grands Lacs.

*

Dans cette région, le désastre, dit-on parfois, serait de responsabilité coloniale. Quelle blague ! Il remonte plutôt au « déluge », au plissement géologique qui comprima, à l'ère tertiaire, l'est du continent, y éleva montagnes et volcans, creusa grandes failles et lacs, le tout en plein équateur. A cette latitude-là, la mouche tsé-tsé oppose une barrière mortelle pour le bétail domestique. Sauf, justement, sur ces hautes et fraîches terres de l'Est que la tsé-tsé déserte. Alors, au fil des siècles, dans cette coulée propice, des troupeaux de majestueux bovins aux cornes de lyre sont descendus de leurs savanes soudanaises. Et, avec eux, tout un peuple de pasteurs.

L'inégalité raciale a fait que ces Nilotiques longilignes, venus du nord, s'établirent en seigneurs chez les Bahutus équatoriens et trapus dont ils feront leurs serfs. Comme les féodaux batutsis ont une organisation sociale raffinée et un droit plutôt policé, la colonisation allemande puis le mandat belge trouveront commode de maintenir dans quelques apanages cette suzeraineté historique. Elle ne sera que diminuée – et nullement éteinte – par l'éducation laïque ou missionnaire et les mariages interraciaux. Mais l'indépendance venue, sous l'accélération désastreuse de Français exaltés à l'idée mitterrandienne de faire jouer sans frein la règle majoritaire de la démocratie, les Bahutus (80 %), réglant de vieux comptes séculaires, massacrent les féodaux batutsis. Résultat : au moins 500 000 morts ! Un des plus terribles génocides de ce siècle !

C'était il y a deux ans. Aujourd'hui, les Batutsis, appuyés par leurs cousins de l'Ouganda et leurs frères du Kivu dans le Zaïre voisin, prennent une revanche parfaitement prévisible et d'ailleurs décrite, en vain, par l'ONU. Ils massacrent donc leurs génocideurs impunis. Disciplinés par leur tradition élitaire, armés par l'Ouganda et l'Afrique du Sud, les Batutsis vont, pour poursuivre les Bahutus, jusqu'à enfoncer les soudards impayés de l'armée zaïroise. Pauvre Zaïre, géant décomposé, retombé, en maintes régions, sous la férule vaseuse de Mobutu, dans l'état où mon excellent confrère Stanley le trouva en 1877 !

*

La mission occidentale de sauvetage est honorable, nécessaire. Elle serait moins précaire si elle se donnait des objectifs durables. Quand tout brûle, l'humanitaire ne survit pas sans le militaire. Mais le militaire lui-même ne peut rien de durable sans l'administrateur, le médecin et l'instituteur, bref sans une triplice de relents coloniaux... Chut ! L'évoquer c'est mettre les trois quarts de la planète en transes !

La solution, s'il y en a une, passe donc par un chas d'aiguille. Elle consiste à donner à l'ingérence une perspective politique : celle des regroupements ethniques. Les Batutsis s'acheminent vers une fédération tutsie des Grands Lacs. Pourquoi pas ? Quid alors des Bahutus ? Epargnons-leur l'illusion tragique d'un retour au Rwanda préconisé par les idéalistes frénétiques d'un multiculturalisme qui a fait faillite en Bosnie. Reste la création d'un Etat hutu par remodelage des frontières existantes du Rwanda, du Burundi et du Kivu zaïrois que garantirait, comme à Chypre, une gendarmerie onusiaque. Mais, dira-t-on, c'est violer le fameux dogme de l'intangibilité des frontières ? Et alors ? Le sort d'un million de morts-vivants vaudrait bien qu'on décide, ici et maintenant, de s'asseoir sur ce dogme-là.

——— Afrique : le trou noir

C'est un des pires constats de ce demi-siècle : presque partout, l'Afrique entre en catalepsie.

N'importe qui, chez nous, a les yeux pleins de Somaliens décharnés. Mais nous ne savons presque rien, ou nous ne voulons rien savoir, des massacres sempiternels du Soudan ou du Mozambique, des ravages de la guerre de trente ans angolaise, des multiples anarchies. Nous ignorons la dégringolade abyssale des niveaux de vie, cette tumeur de vie qu'est le fourmillement démographique, et cette tumeur de mort qu'est la saignée terrible du sida.

Me visite, ces jours-ci, un ami ivoirien : « Dans la même semaine, me dit-il, mon fils m'annonce qu'il se francise et renonce à sa nationalité ivoirienne. Et mon vieux père me demande : “ Quand est-ce que c'est fini, l'indépendance... ? ” » Il y a trente ans, on voyait « l'Afrique mal partie ». Elle arrive, mais dans un « trou noir ».

*

Contre elle, bien sûr, ses ciels de fer-blanc, ses sables et ses jungles. Trop de soleil ou trop d'eau : on n'allait pas réduire, en cinquante ans, ce « trop » de fatalités tropicales. Mais l'Occident aura surtout sous-estimé la résistance de ses peuples et peuplades à la pénétration politique et économique d'une modernité importée.

Le carcan colonial avait pu faire tenir ensemble – dans des territoires dessinés à la règle et à la plume par les messieurs en redingote du Congrès de Berlin – des tours de Babel de langues ou de religions. On les appela « nations ». Mais la nation ne se décrète pas. La combinaison héréditaire de sentiments, de coutumes, de traditions et d'aspirations communes n'y a que rarement enfanté ce principe de « nation » qui donne aux peuples leur stabilité. D'où cette séquelle de conflits, ouverts ou latents, d'origine clanique qui fabriquent des Etats en châteaux de sable.

Après l'avatar colonial, l'Europe n'aura cessé d'exporter en Afrique d'autres utopies de son cru, bien plus inaptes encore à épouser l'Afrique des hommes et des cultures. La première fut l'utopie communiste. Le dogme du parti unique devint l'habillage dérisoire de dictatures folkloriques. Mais, pis, l'autre dogme marxiste, celui de l'industrialisation, allait susciter des sous-Cuba, ruiner les pays qui adoptèrent comme des fétiches ses préceptes délirants. Au lieu de ramener une paysannerie déjà accablée par les monocultures coloniales vers des cultures vivrières qui l'eussent au moins nourrie, et maintenue dans ses pénates, on a déplacé des populations hébétées vers des baudruches industrielles qui allaient crever l'une après l'autre. Ainsi l'Algérie – la plus favorisée du continent par son climat, son gaz, son pétrole et les talents de son peuple – aura-t-elle saccagé son jeune destin sous le mirage d'une planification de zombies.

La seconde utopie occidentale – où la France s'illustra – fut de tenir impavidement les divers pouvoirs d'Afrique pour responsables et représentatifs. Je vois bien qu'il fallait, indépendance oblige, respecter cette comédie. Mais elle n'impliquait nullement qu'on dût déverser notre aide à des confréries de satrapes qui allaient la détourner à leur profit. Moins de 10 % des 27 milliards que la France dépense par an pour l'Afrique sont concrètement et utilement employés à améliorer le sort des Africains. Où va le reste ? Dans des comptes suisses, des palais du Père Ubu et des pavanes de Mercedes noires à rideaux blancs.

*

Dans sa vision idéologique, la France socialiste a préféré le « modèle » algérien au marocain. Elle avait tort. Toute l'Afrique confirme Vaclav Havel : on ne fait pas pousser la plante démocratique, comme un enfant, en la tirant de force vers soi, car alors on l'arrache. La plante a besoin de temps, de soins et de racines. Il y a peu de bons jardiniers.

(6 février 1993)

Rengager dans la coloniale ?

L'intervention en Somalie au nom du principe, inédit dans notre histoire, de « l'ingérence humanitaire » soulève, mine de rien, plusieurs questions qui portent loin. Tout part d'un premier constat : dans l'esprit des Occidentaux, il est insupportable de laisser sciemment mourir de faim des populations entières. On envoie donc des médecins et des vivres. Deuxième constat : l'anarchie, le déchaînement de bandes armées saccagent l'assistance médicale et alimentaire. On va donc protéger militairement l'entreprise humanitaire. C'est l'engrenage d'une telle logique qui fonde « l'ingérence humanitaire ». Très bien ! Mais après ? Quand doit cesser le militaire ? Et, s'il cesse, qui nous assure qu'un pouvoir local durable évitera l'actuelle sauvagerie ? Faut-il mettre la Somalie sous tutelle des Nations unies ? « Sous mandat », comme on disait jadis au temps de feu la Société des nations ?

Deuxième ordre de questions : celui du choix des zones où l'intervention s'impose. L'« évidence », à nos yeux, de la Somalie ne tient qu'au fait que les caméras ont pu filmer l'atrocité de sa détresse. Or, vous trouveriez dans le monde, en Afrique, en Asie, maintes régions où le sort des populations est tout aussi accablant : ainsi, le Sud-Soudan, le Liberia, le Mozambique. Et plusieurs contrées du Sud-Est asiatique – la Birmanie, par exemple – où les caméras n'entrent pas. En Europe, nous déplorons – seconde « évidence » pour nous, car les caméras y pénètrent – le pandémonium de l'ex-Yougoslavie et le martyre tous les jours exhibé de Sarajevo. Si l'on protège les enfants somaliens, quid des enfants bosniaques ?

La réponse, vous la connaissez : elle n'est pas reluisante, mais elle n'est pas pour autant déraisonnable, à condition de ne pas ignorer ses limites et ses périls. Elle consiste à ne pas refuser, au nom de principes absolus, de faire ce qui paraît possible pour soulager l'immédiate misère (la Somalie), tout en renonçant à ce qui paraît trop risqué et pratiquement inatteignable (les Balkans), compte tenu, dans ce cas, de la réserve américaine, de l'absence d'une force européenne, et, surtout, d'un terrain propice à une résistance serbe que l'on sait redoutable. On ira donc en Somalie, puisque les caméras, l'émotion de l'opinion et le président Bush le veulent. Et on n'ira pas ailleurs, soit que l'opinion occidentale ne s'en émeuve pas faute d'être alertée sur ces « ailleurs », soit qu'elle n'ait pas, comme en Bosnie, les moyens politiques et militaires de passer de la compassion à l'action.

Ce qu'il faut bien voir, c'est que le noble principe de « l'ingérence humanitaire » reproduit en toute simplicité une partie de la démarche coloniale. Une partie seulement, puisqu'en est absent l'appétit de conquêtes. Mais une partie tout de même, puisque l'ordre colonial n'était pas seulement conquérant et exploiteur : il était l'un des produits de l'idéologie occidentale, celle d'un modèle de civilisation dont l'orgueil déclaré était d'apporter aux colonisés une progressive libération politique et économique. Ce modèle colonial reposait ainsi sur plusieurs piliers : le marchand, sans doute, mais aussi le médecin, le gendarme, l'administrateur, le missionnaire et l'instituteur.

Que voyons-nous aujourd'hui dans la logique de « l'ingérence humanitaire » ? Nous voyons que le médecin, parti en pionnier, appelle à l'aide le gendarme. Mais que feront-ils bientôt sans l'instituteur et l'administrateur, bref, sans un Etat digne de son nom ? Dans les pays de l'Est, abrutis par le communisme, mais où le système éducatif n'est pas si médiocre, la démocratie bafouille et le nationalisme se ressource dans le tribalisme. Et nous voudrions, pour parler seulement de l'Afrique, où l'éducation reste débile et l'Etat précaire, que les Droits de l'homme y fleurissent d'eux-mêmes ? Absurde !

La vérité est toute contraire. Des zones entières d'Afrique noire retournent à leur passé précolonial, aggravé aujourd'hui par le déracinement des peuples et les jungles urbaines. Dans plusieurs régions, l'exploitation occidentale des richesses naturelles (pétrole, mines, palmistes) se maintient dans un régime peu éloigné de celui des grandes compagnies que peignait Gide en 1925. Le sort politique et économique des hommes y est, presque partout, pire qu'aux temps de la tutelle coloniale.

*

Notre message, quoi que nous fassions, demeure à vocation universaliste. L'Occident a totalement renoncé à la domination coloniale. Mais il n'a pas renoncé – Dieu merci ! – à la diffusion universaliste des Droits de l'homme. C'est ce message qui assure la grandeur de l'aventure occidentale. Mais sa contrepartie implique une servitude égale. Celle que Kipling appelait déjà « The white Man's Burden » : le fardeau de l'homme blanc.

(12 décembre 1992)

——— Humanitaire

La Somalie, ça vous dit encore quelque chose ? Elle est aux oubliettes mais ce qui s'y passe est pourtant fascinant : une opération commencée dans l'exaltation humanitaire tourne au massacre désastreux de Somaliens. Comment passe-t-on, en neuf mois, de l'humanitaire à l'antihumanitaire, c'est ce qui devrait faire réfléchir tous nos Gribouille.

Le drame vient évidemment d'une confusion des genres. L'humanitaire est une chose, la politique en est une autre. D'ailleurs, dès l'origine, les vrais humanitaires – je veux parler des médecins sur le terrain – ne doutaient pas de ce qui allait arriver. Quel fut alors l'artisan de l'aberration ? Eh bien, naturellement, la politique-spectacle, la soumission des Etats aux mouvements d'opinions soudain bouleversées par le spectacle des misères et des famines, et qui précipitent leurs dirigeants, avides de bons sondages, dans une aventure irréfléchie pourvu qu'avant le feuilleton du soir quelques millions d'Occidentaux qui mangent à leur faim puissent déguster la sucrerie exquise d'une bonne action.

Car de quoi s'agit-il ? Pour protéger l'acheminement de vivres – ah, ces sacs de blé filmés et refilmés ! – on décide, sous couverture de l'Onu, une expédition militaire. Elle ne fera qu'une bouchée, pense-t-on, des brigands armés qui détournent les convois. On place donc le débarquement des soldats onusiaques sous projecteurs et caméras pour le ravissement des journaux télévisés d'Occident. Effusions dans les chaumières : « Nous sommes épatants, nous sommes généreux, nous sommes forts. Bravo ! » Malheureusement les Somaliens, dont le tort principal est de ne pas être abonnés à *Télé Sept Jours*, ne voient pas les choses ainsi. Le plus décidé de leurs brigands, le général Aïdid, fait des siennes. L'occupation humanitaire va se charger d'en faire, peu à peu, un héros national.

N'importe qui ayant mis un pied en Afrique vous eût dit que les Casques bleus de l'Onu perdraient toute efficacité s'ils ne s'appuyaient sur une administration importée, sur un greffon d'Etat, bref, sur un système para-colonial. On pouvait, dans l'absolu, imaginer une tutelle provisoire de cet acabit, mais vous imaginez bien qu'elle eût été mise en pièces à l'Onu, où le colonialisme a toujours mauvais genre.

Si bien que ce que nous voyons aujourd'hui, ce sont des Casques bleus affolés par les jets de pierres d'une intifada somalienne, un chef de bande qui se joue, comme Mandrin, des barbouzes de la CIA égarés dans les cactus. Et, pour corser le tout, des femmes et des enfants massacrés par les vigiles humanitaires. De la belle ouvrage !

La leçon, c'est qu'une affaire de ce genre ne se gère pas comme le Téléthon. L'humanitaire télévisuel, en focalisant sur une souffrance, sur une misère, provoque un *légitime* élan de compassion. Mais il ne nous dit rien sur la complexité à affronter : il fabrique de l'abstraction émotive. Lorsque nos Etats cèdent, dans la fièvre, à cet ouragan de bonnes intentions, ils vont droit dans le mur. L'audimat les caresse, habilement penchés au chevet du malade. Après, le malade crève. Mais alors qui s'en soucie ? Entre-temps, silence, on a zappé !

(18 septembre 1993)

——— Requiem pour un « baobab »

Le deuil sied à l'Histoire. C'est ainsi le deuil d'un siècle d'histoire d'Afrique qu'une pavane de dignitaires français, tombés des cintres de plusieurs Républiques, célébra à Yamassoukro pour les obsèques d'Houphouët-Boigny, vieux sage et, disait-on à Abidjan, « grand baobab » du continent noir. Un siècle d'Afrique coloniale et post-coloniale, un siècle d'Afrique française puis francophone, un siècle commencé dans la conquête et la tutelle, poursuivi dans une décolonisation sous influence, un siècle de rêve français et qui s'achève là, sous une copie de Saint-Pierre de Rome, près d'un étang aux caïmans sacrés, sur le catafalque du plus français des grands « chefs » noirs !

Pour ouvrir la cohorte funèbre de deux Présidents, sept Premiers ministres et quatre-vingts caciques de notre vieille nation, seules manquaient les ombres légendaires de Brazza, Félix Eboué, de Gaulle... Car sur le dôme aux blanches colonnes de la cathédrale – irréelle en ce ciel de brousse –, montait un envol de symboles. Les vieux chefs noirs en pagnes de funérailles et sceptres d'or côtoyaient quelques crânes blancs et chenus – Mitterrand, Messmer, Foccart... – qui avaient ceint, naguère, le casque colonial et dont les mémoires égrenaient, sous le « de profundis » grégorien et les gospels baoulés, une séquelle de nostalgies. Celle de l'empire français au rose épanoui sur les cartes murales des petites classes de leur enfance ; celle de l'Union française qui rameutait au palais de Versailles Noirs et Blancs de l'après-guerre, du temps où Mitterrand et Houphouët-Boigny préparaient de longue main l'indépendance de l'Afrique tout en croyant encore à l'Algérie française ; celle des photos de famille, sur la pelouse de l'Elysée, autour de « papa » de Gaulle ; celle enfin de l'Afrique émancipée, il y a trente ans, dans la fête et l'euphorie, et qui gémit aujourd'hui dans l'incurie, les anarchies, le sida, et s'éloigne de nous vers l'apartheid de l'oubli.

*

Dans la chambre noire de l'Afrique, un siècle d'histoire de France passe au révélateur. D'abord apparaissent la vocation, la prétention universalistes de la France, son espérance « civilisatrice », et le long effort de ses administrateurs et missionnaires injustement effacé par l'ingratitude historique. Puis vient, tout aussi rêveuse, la grande utopie lyrique, insensée, qui lui fit imaginer que ces sables, savanes et forêts, délimités au cordeau colonial par les diplomates en hauts-de-forme de la Conférence de Berlin (1885), formeraient un jour autant de nations où s'oublieraient les ethnies, les 600 langues, les cultes tribaux. Sans compter l'idée magique du pouvoir qui conserve sous climatiseurs le tabouret sacré des ancêtres, et qui allait faire de ces Républiques improvisées des dictatures bananières ruinées par la rapacité coutumière du despote, de sa famille et de son clan. Enfin, voici le temps, chez nous, du désenchantement, du désamour sans rupture. Le mariage de la France avec l'Afrique francophone s'y décompose dans le tourniquet des sébiles et des querelles de fin de mois. La passion française s'y dessèche jusqu'à la sauvegarde étroite et barbouzière des concessions pétrolières, et de quelques marchés protégés. Le rêve passe !

L'Afrique noire, en un demi-siècle, s'est dévaluée dans notre inconscient national, dévaluée dans les ratages démocratiques, économiques. Il ne restait plus qu'à la dévaluer tout court dans son franc CFA, et quinze jours plus tard, à confier à la pompe de ces obsèques métissées le soin de mettre son point d'orgue à un siècle de passions, d'énergies, de sacrifices et d'illusions. C'est chose faite : la messe est dite.

*

L'Afrique noire va nous manquer : elle a longtemps donné de l'espace à l'imaginaire national. Mais il fallait que se dénoue une relation malsaine qui ne profitait à personne. La dévaluation, sévère, servira l'Afrique. De nouveaux « gouverneurs » remettront un peu d'ordre dans les caisses publiques défoncées.

Reste l'incapacité politique de l'Afrique à marier sa « négritude » au progrès démocratique et à l'efficacité économique, d'y accommoder ses idées bien à elle de la fratrie matriarcale, de la famille, et d'une spiritualité qui se cherche dans les syncrétismes ici d'une nouvelle chrétienté, là d'un nouvel islam. Mais après l'échec, partout, des « prothèses » blanches – et la pire fut la marxiste – l'enfer des bidonvilles coupe-gorge, le déracinement paysan hors de la survie vivrière, et une surpopulation incontrôlée, tous ces nouveaux démons assaillent le continent-berceau de l'humanité.

Houphouët-Boigny fut un des rares fondateurs d'un vrai « pays » de cette Afrique : la Côte-d'Ivoire a déjà un Etat et presque une patrie. Le vieux mage est enterré, en secret, dans un lieu inconnu « pour que les sorciers ne jettent aucun mauvais sort sur sa descendance ». C'est aussi la grâce que nous souhaitons à cette Afrique séculaire qui fut la sienne, la nôtre, et que nous enterrons avec lui.

(12 février 1994)

——— Afrique

Comble de joie, comble d'horreur : l'Afrique, continent superlatif, nous expédie les deux en même temps. La joie, c'est la fin de l'apartheid, l'avènement étonnamment euphorique d'un pouvoir noir en Afrique du Sud, seul pays du continent à conserver une forte population blanche. L'horreur, c'est avec 100, 200, 300 000 morts, on ne sait plus, au Rwanda, celle d'un des plus atroces génocides de ce siècle qui en est pourtant prodigue.

A considérer, hélas, l'ensemble du continent, les bonnes nouvelles font figures de miracles. Depuis la fin du système colonial, l'Afrique s'enfonce dans une régression catastrophique. Nulle part ou presque, le modèle occidental de démocratie n'a réussi sa greffe. Tout le Maghreb observe avec inquiétude la gangrène de l'Islam intégriste en Algérie. Quant à l'Afrique noire, elle est livrée à une cohorte de dictatures corrompues qui gouvernent mal et peu, dans l'affreux réveil des conflits ethniques au Rwanda, mais aussi au Liberia, au Soudan, en Angola, au Nigeria, etc. Par-dessus tout, une misère économique quasi générale s'abat sur ces pays qui sont rarement des nations et encore moins des Etats. Du rêve postcolonial de libération politique, il ne reste rien. Et du rêve de prospérité marchande, il ne reste plus que cet exode général où de pauvres hères déracinés quittent leur brousse qui du moins les nourrissait, pour la jungle autrement sauvage des bidonvilles. Comme si l'Afrique noire n'avait finalement conservé du monde blanc que sa caricature et la déshumanisation de ses concentrations urbaines. L'Occident, presque partout, se désengage donc du marigot africain, de ses famines, de son sida ravageur. Il y conserve, avec un œil sur le pétrole quand il y en a, des comptables du Fonds monétaire international pour mesurer les cataractes des dettes publiques, et quelques organisations humanitaires qui prolongent mais à leur très modeste mesure la part honorable et missionnaire d'une présence blanche qui dura un siècle et dont le ressac s'achève.

Sur cette pente sinistre on pouvait redouter la disparition dramatique, entre valise et cercueil, du dernier établissement blanc d'Afrique, celui des cinq millions de Blancs d'Afrique du Sud. Il fut, dans l'apartheid, le plus imperméable aux Noirs. Il conquit une richesse agricole, industrielle, minière sur le dos des trente millions de Noirs, sur leur évidente exploitation, mais son succès économique a néanmoins fait éclore une classe moyenne noire urbanisée comme il n'en existe aucune autre en Afrique. Pour préserver ce fragile atout, deux hommes – un Noir, un Blanc, Mandela et De Klerk – ont eu le courage magnifique de résister à la fatalité historique qui submerge le continent. Cela durera-t-il ? Mystère ! Touchons du bois. Si Mandela et De Klerk échouent à constituer leur Etat multiracial, il n'y aura plus de vraie présence blanche en Afrique. Et le sort futur des relations entre races – et pas seulement en Afrique – s'en trouvera évidemment affecté. Ainsi, un des grands enjeux du XXIe siècle est-il déjà, de Pretoria à Cape Town, entre les mains des hommes. Les dieux, dit-on là-bas, leur sont tombés sur la tête, mais ils ne savent pas encore si c'est pour le meilleur ou pour le pire.

(17 mai 1994)

19. *L'ÈRE COSMOPOLITE*

L'ère cosmopolite

Le monde entier est chaque jour un peu plus gagné par l'interpénétration accélérée des peuples et des cultures. Jusqu'à l'après-guerre, « les races et les nations ne se sont abordées que par des soldats, des apôtres et des marchands ». Désormais, à ces acteurs anciens se substituent – ou s'ajoutent – des acteurs et des processus nouveaux qui accroissent le rythme et l'intensité de l'internationalisation. L'invasion militaire (type Koweït) est en net recul. Le commerce, lui, reste comme jadis le champion du brassage planétaire, mais avec des moyens fantastiquement surmultipliés. Surtout, deux acteurs nouveaux titillent désormais la fourmilière : d'abord, un système de communication révolutionnaire par l'image, la télévision et la télématique, qui, bien plus que le papier imprimé, essaime chaque jour ses réseaux. Et, ensuite, un remue-ménage migratoire qui touche tous les continents et dont l'extension n'a aucun précédent historique. Le tout invente, sous nos yeux, l'ère cosmopolite.

*

Inutile de démontrer la force de la révolution médiatique et ses conséquences incalculables pour la diffusion des idées, pour l'expansion des cultures dominantes et l'uniformisation mimétique des mœurs. Cette révolution embrasse toujours plus qu'on ne croit : nous pensons d'emblée à la mondiovision des événements chocs de Tiananmen ou du mur de Berlin, mais nous oublions la colonisation culturelle que charrient les fictions et les jeux américains ou japonais. Nous oublions aussi, par exemple, ces cassettes iraniennes qui propagent Mahomet dans plusieurs républiques soviétiques désarticulées, et les cassettes érotiques qui propagent la liberté sexuelle dans les peuples de Mahomet. Retenons seulement que, devant cette « innervation » multiforme de la planète, toutes les fixités culturelles, nationales – dont certaines millénaires – se trouvent, un jour ou l'autre, peu à peu ébranlées.

Le commerce, lui, aura plus changé en un demi-siècle qu'en plusieurs millénaires. Dans la seule décennie 80, les échanges internationaux ont augmenté en volume de 50 % et en valeur de 75 %. Toute guerre future fera tuer des clients par des producteurs, ou vice versa. Du maintien de ce flux torrentiel du commerce dépendent désormais – et c'est nouveau – la prospérité et la santé politique de plusieurs grandes nations. L'asservissement des économies modernes au pétrole est évidente. Mais la force du courant commercial lamine aussi des systèmes de production nationale millénaires comme, chez nous, l'agriculture. Et, par conséquent, la ruralité qui fit jusqu'aux années 50 la spécificité culturelle et politique de la France.

Enfin, troisième élément de cette mobilité nouvelle, des migrations de toutes sortes, récentes ou actuelles, sont en passe d'installer sans cesse de nouveaux cosmopolitismes. Exemples anecdotiques de l'actualité récente : c'est, dans une Argentine italo-espagnole, la souche syro-libanaise qui s'épanouit au pouvoir (Carlos Menem). C'est un émigré japonais, Fujimori, qui vient d'être élu président d'un Pérou réputé très hispanique. Mais, phénomène de plus grand poids, les Etats-Unis cessent peu à peu d'exhiber un pouvoir uniformément blanc, anglophone et protestant. Plusieurs grandes villes du Sud ont une majorité d'hispanophones. New York a deux chaînes de télévision espagnoles et chaque année plus de cent mille Mexicains entrent au Texas ou en Californie. Quant à l'Europe de l'Ouest, on sait assez qu'elle s'expose maintenant à l'immigration des peuples pauvres de l'Est européen et, sur son flanc Sud, à celle, déjà très consistante, des peuples pauvres et prolifiques du Maghreb.

Les conséquences de ces tensions cosmopolites sont gigantesques. La première, c'est la menace qu'elles exercent sur les patries, sur les « identités nationales », et les mythes du sol et du sang. La délocalisation du sentiment d'appartenance collective n'ira pas sans déchirements ni réactions en tout genre. Le déracinement culturel sera insupportable à beaucoup et provoquera des crispations nationalistes, ce qu'Alain Minc appelle, bien à propos, « la vengeance des nations ». Dans cette perspective, l'unification européenne apparaîtra aux uns comme une solution, aux autres comme une épreuve cosmopolite de plus.

Seconde conséquence : les peuples prolifiques et pauvres du Sud vont, par le développement anarchique ou inspiré des flux migratoires, se donner le moyen d'aborder la nef des riches que la médiatisation du monde leur fait voguer chaque jour sous le nez. Comment en serait-il autrement ? Ce que nous appelons chez nous pauvreté s'appelle chez eux richesse. Mais entre les deux mondes, des barrières sont en train de tomber : les races et les nations s'abordent aujourd'hui par le marchand, le communicateur et le migrant.

(31 décembre 1990)

——— Chine

Ce qui se passe en Chine d'où je viens est stupéfiant : je veux parler de cette énergie – et, dans le Sud, Shanghaï, Canton –, de cette frénésie avec laquelle la Chine communiste ouvre au libre marché des pans entiers de son économie qui était, vous le savez, la plus étatique, collectiviste et fermée du monde. Environ 5 % de l'activité économique est d'ores et déjà privatisée. 45 % se trouvent entre les mains des collectivités ou coopératives qui les gèrent selon les lois du libre marché, souvent associés, dans le Sud, à des capitaux privés étrangers. Les 50 % restants demeurent sous le contrôle exclusif de l'Etat. C'est le changement le plus spectaculaire d'Asie, c'est-à-dire du monde, puisqu'en notre fin de siècle l'Asie est par excellence le continent de la mutation.

Il n'est plus fou de penser que la province de Canton, avec ses 63 millions d'habitants, puisse rejoindre avant la fin du siècle Hong Kong, la Corée du Sud, Taïwan et Singapour, les quatre fameux dragons d'une économie asiatique en pleine explosion. Entretemps, en 1997, Hong Kong aura réintégré la Chine populaire mais le business à tout-va de sa voisine cantonaise aura considérablement réduit le contraste terrible qui séparait, il y a peu, la perle capitaliste de Sa Majesté britannique d'une Chine populaire, vouée, croyait-on, à l'éternelle et abominable détresse des pays communistes.

C'est qu'en Chine tout est possible, et surtout l'extrême. Après l'extrémisme désastreux de la Révolution culturelle et ses millions de victimes, une révolution économique extrême, en partie incontrôlée, s'opère à la chinoise, dans le dit et surtout le non-dit, sous l'autorité à Pékin du mystérieux sérail de gérontes qui gouvernent la Chine. Là, depuis dix ans, un vieillard de 87 ans, Deng Xiaoping, impose sa ligne. Sous sa tutelle, le mandarinat communiste, obsédé par le risque de l'antique anarchie chinoise, manie toujours la trique politique comme on l'a vu avec la répression de

Tiananmen, mais il accélère toujours la libéralisation économique. Sa hantise était d'abord de nourrir un milliard deux cents millions de Chinois, dont 850 millions de paysans. Et il y a réussi. Sa grande affaire, maintenant, c'est de s'ouvrir par le libre marché aux commerces et techniques du monde.

Est-ce que sa greffe capitaliste qui « prend » si bien n'étouffera pas, dans l'aspiration démocratique, l'arbre communiste dont l'espèce périclite sur toute la planète ? C'est la grande question ! La démocratie à l'occidentale n'est pas à l'ordre du jour pour les 850 millions de paysans qui sortent à peine des disettes et misères d'un autre âge. Mais qu'en sera-t-il pour ces provinces du Sud où, dans des centaines de buildings climatisés, des filles en mini-jupe et des jeunes cadres à la japonaise passent leurs ordres de commerce ou de bourse sur leurs téléphones portables ? Mystère ! « Les Russes, disent les Chinois, ont mis, dans leur réforme, la charrue avant les bœufs, la politique avant l'économie, et ils ne labourent que du chaos. » La Chine fait le contraire. Et elle mange, bouge et, en effet, s'éveille.

(19 mai 1992)

——— Castro

Toute honte bue – tapis rouge donc, à Paris, pour Fidel Castro ! Ce tapis rouge sang cache un des pires régimes policiers de la planète, un peuple sous surveillance par quartiers et immeubles, accablé de misère et que des malheureux tentent de fuir sur des radeaux de fortune ! Sur ce tapis, Fidel Castro s'avance, tyran mythique et sonore qui faisait encore, quand le Kremlin s'effondrait, exécuter une brochette de ses compères après un procès sinistre rappelant les pires procès de Moscou.

Avec Castro, Mitterrand éprouve, comme jadis avec Gorbatchev, la même vaine tentation de mettre son grain de sel sur un régime en ruine, celle de couvrir, par une perestroïka tropicale, les nuits et brouillards de Cuba. Celle, bien sûr, de sermonner l'Amérique, celle de faire plaindre un Castro aux abois quitte, aujourd'hui, à peindre les Cubains exilés en Floride comme des ploutocrates revanchards, alors qu'ils ne furent que des exilés en haillons qui firent florès en terre libre.

Mais il y a plus ! Notre vieux monarque, en laissant parader Castro devant ses gardes républicains, offre une dernière et lamentable pavane à la grande illusion défunte. Si l'aventure communiste est à bon droit qualifiée par François Furet de « passé d'une illusion », c'est que l'illusion n'est pas, en effet, une erreur : l'illusion est une espérance tenue mordicus pour vraie. La gauche mitterrandienne en reste malade. Elle agite encore ses petites nageoires dans le sillage du « Che » ; elle feint d'en rester à l'aventure idéaliste d'une poignée de jeunes hommes renversant, il y a 36 ans, la dictature détestable de Batista. Geste romantique qui a offert à la gauche française son roman de chevalerie en mettant du soleil latin sur le pathos marxiste. La gauche française s'en exalta jusqu'à en perdre la boule.

L'insupportable, c'est qu'elle se soit, depuis, bouché les yeux quand il devint évident que, là comme ailleurs, la petite fille Espérance serait violée dans un souterrain de police. Incroyable aveuglement de Sartre et, à sa suite, de toute la mitterrandie touristique abusée par les langoustes, les bananiers, et les havanes du dictateur, comme ailleurs par les datchas et le caviar des maîtres du Goulag !

Que dirait-on en France d'un Pinochet en visite à l'Elysée ? Le pire ! Mais, voyez-vous, chez nous, un mort dans une prison de droite efface cent morts dans une prison de gauche ! Alors nos bigots font tranquillement brûler un dernier cierge devant le totem barbu et sanguinaire d'un désastre historique. Ce spectacle déshonorant que nous voyons, nous, avec les lunettes d'acier que Montand portait dans *L'Aveu*, ils n'y voient, eux, qu'une fête votive pour un révolutionnaire bavard pendant que le peuple cubain est invité à danser la salsa devant ses buffets vides. Chez nous, les victimes de l'illusion communiste comptent pour du beurre puisqu'ils sont morts au champ d'honneur de l'espérance. Franchement, aux convives, à l'Elysée et ailleurs, de ces festins de pierre, je ne souhaite pas bon appétit !

(14 mars 1995)

——— Brésil

Voilà bien cinquante ans qu'on parle du Brésil comme d'un pays d'avenir. On conviendra que l'avenir n'est pas encore pour demain. Car dans la destitution du mirobolant président Collor, qu'on vous dépeint volontiers comme une merveille d'exercice démocratique marquant l'avènement d'un Brésil nouveau, je ne vois d'abord que la ruine d'une illusion. Une illusion de plus qui était, hélas, une illusion démocratique. Comment ce Président-miracle fut-il élu ?

Comment put-il, en deux ans, défoncer sa carrière et enfoncer son pays ? C'est la question la plus intéressante. Est-ce qu'elle fait leçon pour nous ? Oui et non !

Non, parce que pour expliquer ce pétard mouillé que fut la présidence Collor, il faut d'abord tenir compte de l'exceptionnelle paranoïa de la société brésilienne ; et qui n'a, Dieu merci, aucun équivalent chez nous. Deux formes extrêmes d'insécurité décervellent les citoyens : l'insécurité de la monnaie avec une inflation qui a pu atteindre jusqu'à 5 000 % par an, et qui fait que votre billet n'a plus la même valeur d'achat entre le moment où vous sortez faire vos emplettes et le moment où vous en revenez. L'autre insécurité, physique celle-là, c'est celle de la rue avec la déclinaison hallucinante de toutes les sortes de criminalité. D'innombrables bandes de gamins des *favelas*, aiguillonnées par la misère, fondent, chaque jour, sur les grandes villes pour piquer tout ce qui peut l'être. Rien n'est à l'abri, et pas même le périmètre doré de Copacabana que fuient désormais les touristes détroussés.

Mais l'aventure mirifique du Président déchu devrait nous faire réfléchir, si l'on considère qu'elle fut, jusqu'à la caricature, inventée, vécue et conclue par la télévision. Collor a surgi dans la politique brésilienne comme une pure et simple étoile filante médiatique. Il était le très jeune gouverneur d'un petit et obscur Etat. Il n'avait donné aucune preuve de son aptitude à diriger un Etat moderne. Mais voilà : il était beau comme Julio Iglesias ; il pilotait des Ferrari et des ULM ; papillonnait sur des yachts blancs dans un essaim de beautés callipyges ; surtout, il parlait et bougeait devant les caméras comme un Bernard Tapie. Bref, il crevait l'écran. La fameuse TV Globo – fameuse par l'empire inouï qu'elle exerce au Brésil sur des millions de pauvres bougres qui oublient leurs misères devant ses feuilletons, ses mélos et ses boules d'ambiance – la TV Globo en fit son héros. Il promettait la lune ? Vive la lune ! Globo en fit le Zorro du Brésil moderne ; il allait couper les ailes des rapaces brésiliens qui prospèrent sur le fumier des pauvres. Il serait le chevalier Ajax d'un Brésil nettoyé. On l'élit comme dans un rêve. Tout le Brésil alors chante et danse la samba Collor.

Vous connaissez la suite. Les grandes réformes du mirifique plan Collor échouent. Le peuple se dégrise. Mais le feuilleton continue. Ce n'est plus l'oscar tropical de la plus époustouflante carrière publique. C'est Dallas carioca. Du sordide plaqué or. Car la famille s'en mêle : le petit cadet vend la mèche : son frère, le Président, le Monsieur Propre de la télé, faisait sa pelote quand les caméras dormaient. Et quelle pelote ! Des milliards ! Son épouse extravaguait dans le jacuzzi et la zibeline. Une folie, un délire dont l'inconscience intrigue. En fait, Collor, dépassé, essoré, se dopait aux euphorisants.

Euphorie ! C'est le fin mot de cette aventure où le spectacle a tué, de bout en bout, la réalité. Magic-Collor, un destin de vedette déchue, de champion « déjeté » ! Aujourd'hui, c'est lendemain de carnaval. On a fermé la télé. Le conte de fées s'achève. Et tout le Brésil a la gueule de bois.

(2 octobre 1992)

——— Québec

Il est, au moins, trois raisons pour lesquelles un Français de France devrait penser, plus qu'il ne le fait, au Québec. La première, de cœur et de sang, c'est de sentir bourgeonner en Amérique ce surgeon du vieil arbre gaulois, de retrouver chez ce jeune athlète l'enfant abandonné, par nous, il y a deux siècles, sur les « arpents de neige ». La deuxième raison est que nous gagnerions à méditer le mystère qui fait de la langue, des idées, des mœurs, bref d'une culture, l'agent d'une volonté commune qu'aucun cocon hostile ne peut étouffer. La troisième raison est qu'il y aurait profit à intensifier avec le Québec un courant déjà consistant d'échanges en découvrant que nos « cousins » n'y sont plus ce peuple paysan, cagot et humilié que peignait la *Veillée des chaumières*, mais une souche vigoureuse d'Américains francophones, aujourd'hui plus entreprenants et créatifs que leurs voisins anglophones.

Sachons-le : outre-Méditerranée, nos « pieds-noirs » ont dû plier bagage, mais outre-Atlantique, sept millions de « pieds-blancs » vivent, se battent et font, sans nous, leur place au soleil américain.

*

Le Québec, qu'Alain Juppé saluera dimanche en notre nom, a connu, en trente ans, une évolution foudroyante. Le temps est aboli où des Maria Chapdelaine, échappées de familles de 12 enfants, cherchaient un fiancé, coureur de bois égaré dans les neiges. Les neiges et les érables sont toujours là, mais la télévision multi-chaînes et l'ordinateur ont envahi les « cabanes au Canada ». La société nouvelle, permissive, mobile, urbaine tourne le dos au conservatisme bigot et rural où le Québec se confinait sous l'arrogance anglaise. La fécondité a chuté à pic, et c'est d'ailleurs le principal handicap du nouveau Québec dans l'océan anglophone. Mais en quittant son passé, sa soumission de « nègres blancs » à la domination britannique, le Québec s'est découvert, et se déploie. Son économie se libère. Une génération d'entrepreneurs francophones aborde la liberté d'échanges avec les Etats-Unis avec plus d'audace que le Canada anglais.

Le miracle est que le nationalisme québécois – celui, comme on dit là-bas, du « souverainisme » – ne se soit pas dissous dans les flux de modernité, mais au contraire épanoui comme on l'a vu au référendum de 1995 où le oui à l'indépendance a atteint 49,4 % des voix soit 7,9 % de plus qu'en 1980. En réalité, ce nationalisme a simplement changé de nature. Il n'est plus un nationalisme d'assiégés, mais celui d'une jeunesse qui croit que le véhicule québécois tiendra, mieux que le canadien, la route du progrès dans le continent américain.

Naturellement, il reste dans cette volonté une part de hargne contre le mépris tricentenaire de ceux qui répondaient jadis à un francophone s'exprimant dans sa langue : « Please, speak white », « parlez blanc »... Comment voudrait-on que ce ressentiment puisse être déjà éradiqué ? De même, la protection acharnée de la langue française au Québec dans une réglementation byzantine ne paraîtra crispée et ridicule que si l'on oublie qu'elle fut, durant deux siècles, le seul bastion de résistance, le noyau dur d'une culture qui ne voulait pas sombrer. Mais, pour l'essentiel, je retiens d'un récent voyage l'impression que le nationalisme du Québec – sous l'ère de l'ingénieux Bouchard – est moins contracté et plus habile. Comme s'il était assuré de trouver un jour soit un arrangement avec Ottawa qui lui permette de voguer de ses propres voiles, soit une indépendance toutes amarres rompues où le perdant ne serait pas forcément celui qu'on pense.

La contraction et les arguties défensives sont plutôt du côté d'Ottawa qui reste empêtrée par le long échec de ses relations avec le Québec. Echec d'un multiculturalisme rêvé en son temps par Trudeau. Les Canadiens anglais, dans un aveuglement obstiné, voient toujours les francophones non comme un des deux peuples fondateurs du Canada, mais comme une peuplade indocile refusant de se comporter à l'instar des nouveaux arrivants chinois, sikhs, irlandais ou italiens. Il n'y a rien, ajoutent, non sans cafardise, les fédéralistes d'Ottawa, qui devrait séparer les deux parentèles – l'anglaise et la française – venues de la même Europe. Non, rien en effet... sinon presque tout : la langue, le passé, les mœurs, la table, la télé, les amours et une certaine idée de la vie !

Dans ce Canada, vaste comme l'Europe, le fédéralisme mou n'a pas intégré 28 millions de Canadiens dans une vraie nation. A Vancouver sur les rives du Pacifique (30 % de Chinois) on lorgne plus vers Hong Kong que vers Ottawa. Si bien que, dans la mosaïque canadienne, la seule « nation » qui vaille c'est le Québec. Ottawa, par le contrôle fédéral de l'immigration, a beau farcir le Québec de déracinés népalais ou juifs russes en calculant qu'ils n'aspireront qu'à parler anglais, le Québec taille sa route. C'est que le destin des peuples n'est pas livré à la seule maîtrise des marchés. L'Histoire ne se donne qu'à ceux qui la veulent.

Trente ans, ou presque, après de Gaulle (1967), il est temps que la France de Chirac retrouve la fraternité des Québécois. Et partage, au moins, leur devise nationale : « Je me souviens... »

(8 juin 1996)

Clinton, gagneur d'un peuple qui gagne

Sur nos écrans, le télescopage de ces images impressionne. Voici le misérable et éternel enfant noir – jadis biafrais ou somalien, hier tutsi aujourd'hui hutu – fouillant des détritus pour survivre, victime pitoyable d'une Afrique jetée, comme Job, sur le grabat de la planète. Voici les silhouettes anxieuses du fragile Juppé, du solide Kohl peinant à accoucher une Europe rétive. Voici Eltsine, miraculé de la chirurgie, tsar moujik d'une Russie égrotante. Et enfin, par éclatant contraste, voici le rayonnant Clinton, nouveau Popeye, polymusclé d'une Amérique épanouie. Les images en disent toujours trop et pas assez. Mais la florissante ou mauvaise santé d'une bonne moitié de la planète s'inscrit en quelques secondes dans ces quatre « clips » que le sort juxtapose.

*

La réélection de Clinton n'est en vérité rien d'autre que la « réélection » du peuple américain au premier rang du monde. Quand un peuple dispose du nombre, de l'espace, de la créativité technicienne, d'une confiance atavique dans la modernité, quand, malgré ses réussites et l'endormissement qu'elles suscitent, ce peuple-là, loin de s'assoupir, conserve une vitalité intacte, une énergie combative, le goût juvénile de la lutte et de l'effort, alors il rayonne, produit et gagne. Une économie qui tourne rond c'est, de nos jours, en démocratie, une réélection assurée. Le mérite de Clinton n'est pas celui d'un homme d'Etat porteur d'une vision historique. C'est celui d'avoir « collé » à son peuple, d'avoir été un gagneur dans un pays qui gagne.

« On ne va jamais si loin que lorsqu'on ne sait pas où on va », telle fut peut-être la devise du plus jeune, du plus moderne des chefs d'Etats démocratiques, et qui en fait, pour le meilleur et le pire, le prototype du champion politique, dans l'empire de l'image, dans les nouveaux pouvoirs de la « Médiacratie ». Séducteur des classes montantes d'électeurs : les jeunes et les femmes, Clinton possède la panoplie idoine à l'écoute zélée, la contrition active, une façade de franchise enjouée sur un labyrinthe de ruses. Il aime rire et émouvoir. Saxophone, jogging et show-biz pour le populaire il reste un étudiant doué qui dévore ses dossiers plus vite que ses hamburgers. Car il sait plus qu'il n'en a l'air, mais sait oublier ce qu'il sait pour plaire et complaire.

Venu en rooseveltien de la tradition démocrate, il a jeté, sans broncher, l'héritage social à la rivière lorsqu'il perçut que le peuple américain accepterait – que dis-je – *voudrait* affronter le monde nouveau sans les conforts du « Welfare », sans une assistance qui ôterait à la nation son muscle et sa pugnacité. L'Amérique penche à droite et Clinton avec elle. Un Congrès et un Sénat tenus par les Républicains le lui rappelleront. Et il s'en accommodera. La poigne de Reagan a fait s'effondrer le carcan militaire du système soviétique. Il suffit à Clinton de suivre son peuple pour démontrer que, dans l'univers d'Internet et l'âpreté de la compétition mondiale, la mobilité et la flexibilité du système libéral sont encore les meilleurs atouts de l'avenir.

*

Encore faut-il que le peuple le puisse et le veuille ! C'est le cas du peuple américain, ce n'est pas le cas du nôtre. Et cette différence rend bien fastidieux et vain le débat ressassé sur l'opportunité de la greffe, en France, du modèle américain. Il est absurde de déconsidérer la réussite américaine par une malveillance radoteuse. Oui, les Etats-Unis ont conquis le plein-emploi. Non, les emplois créés ne sont pas tous précaires et sous-payés : les 2/3 sont bons et solides. Oui, de gros orages attendent les Américains : l'excessive disparité des revenus, les conflits ethniques, la violence et la criminalité.

Mais la différence entre eux et nous est une différence de fond et qui s'accuse. Une différence de culture et de structures. La société américaine dispose d'un autre « logiciel » que le nôtre. Il est fondé sur le principe de la confiance où Peyrefitte voit la source du développement capitaliste. Il repose sur l'essor de l'actionnariat et des systèmes associatifs. L'esprit de responsabilité individuelle y est sans cesse sollicité. A chacun sa chance, rien pour vous entraver mais personne pour vous tenir la main. Chez nous, une méfiance généralisée confère à l'Etat monarchique puis jacobin une mission non plus seulement arbitrale mais tutélaire, omniprésente, omnipotente. La crise de notre Etat-providence, devant la ruine désastreuse du coût social et l'étouffoir fiscal qui s'ensuit, secoue la société française qui cherche péniblement une voie propre à sa culture. Elle la trouvera un jour dans l'Europe en gésine ou alors elle ratera le grand tournant. Pour l'heure, elle gémit dans une mélancolie souffreteuse.

Nous regardons encore l'Amérique comme les Grecs des premiers siècles regardaient avec un détachement lucide la Nouvelle Rome assurer, déformer, revivifier leur héritage. Ils voyaient tous les défauts de Rome, mais en oubliaient de corriger les leurs.

(9 novembre 1996)

La Chine au milieu du monde

La Chine fascine, et il y a de quoi ! Ce numéro double de fin d'année voudrait nourrir et discuter cette fascination.

Elle n'est pas nouvelle. La Chine a toujours hypnotisé par ses abîmes d'histoire et de géographie. Dans les millénaires reculés où notre Occident se cherchait à Sumer, en Egypte, en mer Egée, l'Orient inventait en Chine, dans les limons du fleuve Jaune, une civilisation vouée, comme la nôtre, à un immense rassemblement. Quant à la géographie, il suffit de songer qu'à la différence de notre Occident divisé en une multitude de nations réparties sur deux continents, l'Orient chinois présente toujours une masse compacte d'un milliard deux cents millions de fils du Ciel.

La Chine, jadis, nous sidérait par l'impénétrable et l'inconnu. Durant des siècles, nous n'aurons abordé ses énigmes que dans le sillage de Marco Polo, par des équipées romanesques brodant sur l'étrangeté chinoise, par des modes où les chinoiseries, les soies et les laques enchantaient l'artisanat de nos princes. Nous aurons ainsi rêvé sur des porcelaines et des jades, sur les luxes et supplices du Palais interdit, sur les espaces lunaires que découvrait la croisière Citroën, sur l'armée des soldats de pierre ensevelis, il y a 2 000 ans, avec le Premier Empereur. Fragments d'éternité...

Mais ces curiosités, ces envoûtements épisodiques d'Orient ne nous auront guère éclairés sur l'énorme termitière chinoise. Et même les coups de sonde de nos jésuites, l'humiliation du Gulliver d'Asie sous nos canonnières de l'époque coloniale, tout notre activisme exotique n'aura qu'éraflé la carapace du dragon endormi, n'aura que frôlé les bords de l'Empire du Milieu.

C'est que la Chine s'enveloppait, depuis des siècles, de maintes murailles, s'effaçait dans un labyrinthe de paravents. Lors de son interminable huis clos, les rébellions intestines, les massacres des « seigneurs de la guerre » ne livraient à l'Occident qu'un faible écho. Sur les vulgarités trop matérielles de « l'Occident barbare », la Chine des mandarins avait tiré son verrou. Figée, engourdie, absente du monde, occupée de sa seule contemplation dans un ordre immuable réglé par la voûte céleste. « Quand la Chine s'éveillera... » rêvait Napoléon.

Eh bien, la Chine s'est éveillée ! Elle bouge au début de notre siècle par la fin de la dynastie impériale et les premiers vagissements de la République. Elle s'ébroue par la Révolution, dans la Longue Marche de ses fondateurs.

Enfin, plus près de nous, la Chine communiste de Mao ahurit le monde par l'égalitarisme forcené qu'impose le Grand Timonier, l'océan de ses foules moutonnières, les vandalismes hideux de sa Révolution culturelle. Dernier déploiement – mais pas le moindre – voici qu'elle quitte les mornes vareuses d'un peuple en uniformes. Elle se lève, sous Deng, pour ouvrir son Sud, dans des couleurs retrouvées, au reste du monde. Et c'est pour toute l'humanité l'événement majeur de cette fin de siècle.

*

Pour la première fois, dans la nouvelle finitude d'un monde surpeuplé, l'Orient et l'Occident s'observent *de près*. En chiens de faïence soudain enfermés dans un univers rétréci. Ils découvrent, l'un et l'autre, leur radicale étrangeté. L'Occident, sur deux millénaires, affiche sous ses idéaux de raison et de liberté l'orgueil de sa domination technicienne, et la conquête à prétention universelle des droits de l'individu. Le Chinois affiche sa soumission au collectif et, loin des transcendances judéo-chrétiennes, la patience confucéenne de l'immanence. Loin de la combinatoire abstraite de notre alphabet, son œil conserve la perception concrète et symbolique de l'idéogramme. Loin de la boulimie de nos droits, il maintient l'ascèse des devoirs. L'Occidental dévore le temps de l'Histoire, la Chine compose avec l'éternité.

Cent ans après le Japon, la Chine, pour s'éveiller au monde, a dérobé à l'Occident le feu de Prométhée, celui des techniques. Alors, comment rester elle-même sous une croissance explosive qui emporte telle de ses provinces dans le tourbillon des marchés mondiaux, tandis que neuf cents millions de paysans continuent de gratter, pour se nourrir, un damier exigu de terres arables ? Comment éviter l'anarchie lorsque l'aspiration démocratique qui se lève ici contrarie ailleurs les rituels despotiques de la vieille Chine et de quarante ans de communisme ?

Tradition, occidentalisation, maoïsme, pacifisme, nationalisme revanchard, tout se brasse et s'enchevêtre encore dans la masse chinoise. Méfions-nous de nos visions fringantes d'Occident ! Rien n'est ici certain... ni même probable. Sinon que l'énorme Chine croit que le centre de gravité de la planète revient vers l'Asie. Et que feu l'Empire du Milieu retrouvera son antique place dans l'humanité : au milieu du monde.

(21 décembre 1996)

TABLE

Cet ouvrage a été réalisé par la
SOCIÉTÉ NOUVELLE FIRMIN-DIDOT
Mesnil-sur-l'Estrée
pour le compte des Éditions Grasset
en avril 1997

Imprimé en France
Dépôt légal : avril 1997
N° d'édition : 10338 – N° d'impression : 37982
ISBN : 2-246-53111-X